ANTHOLOGIE POÉTIQUE FRANÇAISE
XVIe SIÈCLE
I

GF

Sur la couverture :

L'Offrande du cœur, tapisserie provenant des ateliers des bords de la Loire, début XVIᵉ siècle.

Musée de Cluny. Cliché Giraudon.

ANTHOLOGIE POÉTIQUE FRANÇAISE

FRANÇAISE

XVIe SIÈCLE

I

Choix, introduction et notices
par
Maurice Allem

GARNIER-FLAMMARION

INTRODUCTION

Le XVIe siècle est une période à la fois très active, très
confuse et très féconde, durant laquelle se produisirent de
grands faits qui modifièrent profondément les idées, les
sentiments et les moyens d'expression des écrivains. On a
souvent comparé l'un à l'autre les deux plus importants
de ces faits : la Renaissance et la Réforme, double mouvement révolutionnaire dirigé contre les traditions du moyen
âge et ayant par là un point commun et une apparente
ressemblance, mais différant l'un de l'autre et même s'op-
posant l'un à l'autre par l'esprit qui les animait dans cette
lutte commune : la Réforme prétendant remonter, par-delà
le moyen âge, aux sources pures du christianisme primitif,
la Renaissance aspirant à retrouver, au-delà du moyen âge,
les libres inspirations des littératures antiques ; et ainsi ten-
dant : la Réforme, à soustraire l'homme aux séductions de
la nature, la Renaissance, au contraire, à exalter les instincts
de la nature en lui. La contradiction des deux mouvements
devint manifeste après la victoire ; c'est le moment où souvent les alliés prennent conscience de leurs divergences ;
l'on vit donc un assez grand nombre de ceux qui avaient
paru combattre avec une même ardeur pour les deux ban-
nières unies, se détourner, soit spontanément, soit par
crainte de la persécution, soit après avoir éprouvé la persécution déjà, de la bannière de la Réforme, et n'être plus
que les ouvriers, plus ou moins clairvoyants, de cette
Renaissance, qui est, de ces deux révolutions, celle qui
nous intéresse ici principalement, et dont l'œuvre est sym-
bolisée par les deux noms éclatants d'une école et du
poète qui en fut le chef : la Pléiade et Ronsard.

La Renaissance ne fut ni une révolution brusque ni une
révolution complète. Si elle donna à l'étude de l'antiquité
une impulsion extraordinaire et une direction nouvelle, en

réalité elle ne la révéla pas. Le moyen âge avait, il est vrai, peu connu l'antiquité grecque, Aristote excepté, mais il avait pratiqué et admiré quelques auteurs latins; sans doute, il les avait pratiqués sans discernement et il les avait admirés sans mesure, faute de les bien comprendre; il n'avait cherché d'ailleurs ni à leur demander des leçons d'esthétique littéraire, ni à pénétrer jusqu'au fond de leur pensée, étant avant tout préoccupé de découvrir en eux des confirmations aux préceptes de la morale chrétienne.

Le renouveau des études anciennes, que l'on a appelé la Renaissance, fit entrer plus largement et pénétrer plus profondément dans l'esprit de l'antiquité. C'est dans l'Italie, qu'elle avait envahie les armes à la main, que la France rencontra cet esprit, réveillé déjà et déjà agissant; elle s'en éprit et elle aima en lui non seulement cet esprit lui-même, mais encore les grâces italiennes dont il se trouvait paré. Ainsi, l'Italie et l'antiquité agirent conjointement sur la direction des lettres françaises. Cette double pénétration n'était pas nouvelle, s'étant produite déjà dans la deuxième moitié du XIVe siècle, sous l'influence de Pétrarque, mais n'ayant point alors porté tous ses fruits, en raison de l'état de trouble dans lequel la guerre civile et la guerre étrangère conjurées tenaient alors notre pays. Les victoires de Charles VIII et de Louis XII nous rendirent et nous assurèrent cette moisson que le triomphe des rhétoriqueurs avait pu faire croire tout à fait perdue. Les Français, conquérants de la terre italienne, furent donc conquis par la civilisation italienne, fille enivrée des civilisations antiques.

Désormais, l'étude de l'antiquité, facilitée par la diffusion de ses œuvres, que rendait possible l'invention récente de l'imprimerie, fut le ferment le plus actif de la vie intellectuelle en France. Ce que n'avait pas fait le moyen âge, le XVIe siècle le fit : il demanda aux écrivains antiques leurs procédés de composition, et par là il introduisit dans nos lettres la préoccupation de l'effet artistique; il s'efforça de pénétrer jusqu'au sens intime de leur œuvre, et par là il introduisit dans nos lettres les plus importantes de leurs idées; en un mot, il travailla à s'assimiler, aussi parfaitement qu'il était possible, le fond et la forme de ces vieilles, riches et fortes littératures. Si tous les lettrés du XVIe siècle ne furent pas des adeptes de la Renaissance, c'est-à-dire des hommes favorables aux idées antiques, la plupart d'entre eux furent des humanistes, c'est-à-dire des écrivains sensibles à la beauté de la forme antique; parmi ceux-ci, il en est de nombreux : magistrats, professeurs, savants, qui, ambitieux de donner aussi une belle forme à ce qu'ils ont à dire, ou simplement à redire, emploieront la langue poétique, et ils seront, tout le long du siècle, plus nombreux que les poètes véritables.

Mais, de même que l'on discerne, dès le moyen âge, des racines et, à un moment, des velléités de renaissance, de même, dans l'épanouissement de la Renaissance, on retrouve des survivances de la sève du moyen âge. Il ne mourut pas plus brusquement que la Renaissance ne commença brusquement. Pendant la première moitié du siècle, la poésie, morale et satirique, se perpétue avec Gringore, le prince des Sots et le bateleur Pont-Alais; la tradition gauloise avec le plat Charles Bourdigné, avec Pierre Grognet et Roger de Collerye, disciples attardés de Villon, moins mauvais drilles que lui, sans doute, mais ayant bien moins de talent; la poésie bourgeoise avec un certain nombre de poètes de peu de valeur, parmi lesquels on peut citer Jean Bouchet, remarquable par sa longévité et par son abondance, et qui, auteur, dit-on, de plus de cent mille vers, publia son dernier volume au milieu même du siècle, en 1550, dans l'année qui vit paraître le premier recueil de Ronsard. Durant la première partie du siècle, les rhétoriqueurs trouvèrent des admirateurs nombreux; c'est la poétique industrieuse, artificieuse et pédante des rhétoriqueurs, regardés alors comme les maîtres de notre poésie, que formulait, en 1521, Pierre Fabri dans son *Grant et vray art de pleine rhétorique ;* c'est elle encore que Gatien Du Pont défendait à son tour dans l'*Art poétique*, qu'il publia en 1539, au moment de la plus grande renommée de Marot. Il se plaint, d'ailleurs, que les poètes « méprisent » les jougs de cette école, ce qui montre que si l'école rhétoricienne trouvait encore des théoriciens, elle ne trouvait guère plus de disciples. Parmi ceux-ci se rangèrent cependant des poètes considérables et, précisément, les deux premiers que nous ayons à nommer dans cette rapide revue du XVIᵉ siècle poétique : Le Maire de Belges et Clément Marot.

Le Maire de Belges se proclame lui-même élève de Guillaume Crétin et disciple de Jean Molinet, mais le lien par lequel il tient à ces maîtres n'est pas très étroit; s'il a quelque chose de leur allure pédantesque, du moins n'est-il pas asservi à leur minutieuse et bizarre technique; son goût naturel et son don poétique l'ont préservé d'une imitation trop servile; il recherche même et il combine des

rythmes nouveaux, devançant déjà sur ce point l'œuvre de
Ronsard. Il connut et il aima l'antiquité, il ne fut point
insensible devant la nature, et, dédaignant la « pastourelle »
du moyen âge, il remonta jusqu'à l'églogue de Virgile. Il
eut l'honneur d'être considéré à son tour comme un maître
par Clément Marot, qui, honorant à la fois Guillaume Crétin et Le Maire de Belges, appelait le premier :

> Le bon Crétin au vers équivoqué,

et disait du second :

> Jean Le Maire, belgeois
> Qui eut l'esprit d'Homère le grégeois [1].

Mais Marot eut d'autres maîtres encore, et lui-même a
nommé parmi eux François Villon, dont il a édité et très
intelligemment jugé les œuvres; on sait qu'il a donné aussi
une édition du *Roman de la Rose*. Il connaissait donc et il
goûtait notre ancienne littérature; il connaissait de même
et il goûtait l'antiquité latine : il imita la première églogue
de Virgile, deux livres des *Métamorphoses* d'Ovide, un
Chant nuptial de Catulle, et des épigrammes de Martial;
en un mot, élevé à la cour de François Ier, où régnait le
goût des lettres italiennes, on trouve marquées en lui et
comme fondues les diverses influences littéraires qui agis-
saient sur les esprits de son temps, sans en excepter celle
de la Réforme. C'était un lettré et un homme de cour, dont
les sentiments n'étaient sans doute pas très profonds, mais
dont l'esprit était singulièrement vif et aiguisé. Il a donné
à son premier recueil, qui parut en 1532, le titre de *l'Adolescence Clémentine*, annonçant ainsi qu'il était lui-même
l'objet de sa poésie. Dans ce livre de littérature person-
nelle, on ne trouve pourtant pas de grandes ni de fortes
émotions. Marot n'a jamais accordé son instrument aux
beaux thèmes lyriques qui sont l'aliment éternel de la haute
poésie. Il n'a pas été fortement ému devant la nature, et
si l'on rencontre dans son œuvre quelques paysages dus
aux souvenirs de son Quercy natal, ce ne sont que de légers
croquis; ayant traversé plusieurs fois les Alpes, il n'a rien
trouvé à en dire, sinon de les appeler de « grands froides
montagnes »; il ne semble pas non plus que l'amour ait
fortement agité son âme, et, en dépit de quelques accents
de tendresse et de mélancolie jetés dans ses élégies, il paraît

1. Le grec.

l'avoir surtout compris comme un commerce galant; il n'a pas su exprimer, comme l'avait fait son maître, l'effroi de la mort; il a cependant composé des vers religieux d'un beau mouvement, non point dans ses psaumes, dont il a souvent adapté le rythme à des airs populaires, et qui, vraiment, n'ont point de grandeur, mais dans une pièce sur la mort de messire Florimond Robertet, et surtout dans l'épître que, étant exilé à Ferrare, il adressa au roi; il est vrai qu'il désirait fort abandonner cette terre étrangère et que ce désir donnait à son style de l'allure et de la vigueur. Mais, s'il n'est ni un grand lyrique, ni un grand élégiaque, il est un épigrammatiste et un épistolier tout à fait remarquable. Il a beaucoup d'esprit, et du plus fin; il ne saurait s'élever jusqu'au ton de la vigoureuse satire, mais il a le trait malicieux, et tout ensemble la grâce enjouée. Aussi, de son œuvre, a-t-on surtout, et justement, loué ses épîtres et ses épigrammes. Parlant de celle où il est question du lieutenant-criminel et de Samblançay [1], Voltaire, qui s'y connaissait, écrit : « Il faut prendre garde qu'il y a quelques épigrammes héroïques, mais elles sont en très petit nombre dans notre langue. J'appelle *épigrammes héroïques* celles qui présentent à la fin une pensée ou une image forte et sublime, en conservant pourtant dans les vers la naïveté convenable à ce genre. » Et, transcrivant ici l'épigramme mentionnée ci-dessus de Marot, il ajoute : « Elle est peut-être la seule qui caractérise ce que je dis... Voilà, de toutes les épigrammes dans le goût noble, celle à qui je donnerais la préférence. » Pour rencontrer dans tout son charme et toute sa verve l'esprit de Marot, on pourra se reporter à l'épître *Au roi pour le délivrer de prison* [2], qui est l'une des mieux réussies.

La vie de ce poète aimable fut assez agitée. Persécuté à deux reprises, comme suspect d'hérésie, il dut deux fois quitter la France, malgré la protection de François Ier et de madame Marguerite. Son premier exil est de 1535 et dura environ un an; le second est de 1543. Marot mourut l'année suivante. Entre ses deux exils, il vécut les années les plus glorieuses de sa vie. Il avait retrouvé la faveur du roi; il était considéré, et avec justice, comme le plus grand poète de son temps, il était vraiment le « prince des poètes », selon le titre qu'on lui décerna. On peut mesurer son prestige à la manière dont il fut défendu par ses admirateurs

1. V. p. 130.
2. V. p. 112.

et ses disciples dans la querelle que lui chercha un rimeur obscur du nom de Sagon. Ce Sagon (François) était un prêtre du diocèse de Rouen, plusieurs fois lauréat aux concours poétiques du Puy de l'Immaculée-Conception de cette ville. On appelait ces concours des palinods. Il y en eut à Rouen, à Caen, à Dieppe. Ils consistaient dans la composition de pièces de vers en l'honneur de la conception de la Vierge. Tout ébloui de cette gloire locale, et gardant d'ailleurs rancune à Marot d'une discussion fort vive qu'ils avaient eue ensemble, certain jour, à Alençon, en 1534, touchant, dit-il, « la leçon de la foi catholique », Sagon profita du premier exil de Marot pour l'attaquer. Il le fit dans une pièce de vers : *le Coup d'essai*, fort plate, et qui, l'adversaire étant absent, se trouvait être, en même temps qu'un mauvais ouvrage, une mauvaise action. Marot craignit à la suite de ce *factum* que le roi n'accueillît pas la demande qu'il lui avait faite de rentrer en France. Il se garda pourtant de répliquer à Sagon, mais plusieurs de ses disciples, indignés d'une attaque aussi lâche, prirent sa défense. Ce fut d'abord Bonaventure des Périers, puis un tout jeune poète, qui avait à peine passé la vingtième année, Charles Fontaine, puis, sous le pseudonyme de Nicole Glotelet, un autre disciple de Marot, on ne saurait préciser lequel. Enfin, Marot fut autorisé à revenir moyennant la rétractation de ses erreurs. Il revint donc, tout joyeux et disposé, semble-t-il, à pardonner à ses ennemis. Mais Sagon riposta. Aux vers de Marot :

> Je dis : Dieu gard'à tous mes ennemis,
> D'aussi bon cœur qu'à mes plus chers amis,

il répondit :

> Dieu gard' Marot, car s'il est infidèle,
> Il se viendra brûler à la chandelle.

Marot ne partit pas encore en guerre, mais un jour il se décida à répliquer sous le nom du valet Fripelipes. La querelle en reçut un nouvel aliment. Si Marot avait des disciples, Sagon eut quelques partisans, dont le principal était Charles de Huetterie, secrétaire du duc de Vendôme, qui avait essayé vainement de supplanter Marot dans la charge de valet de chambre du roi et qui en était fort dépit. Dans cette mêlée, qui bientôt fut générale et qui mit aux prises tout le monde poétique d'alors, des injures fort vives furent

échangées, dont on peut se faire une idée par l'épître de
Fripelipes, qui figure dans le présent recueil. Sagon, lardé
de tous côtés, appelle à son secours Bouchet et Colin
Bucher. Bouchet ne se dérangea pas, et Colin Bucher n'in-
tervint que pour essayer de ramener la paix entre les adversaires; au lieu donc d'attaquer Marot, que cependant il
n'aimait guère, il parla impartialement à Marot et à Sagon,
leur montrant leurs torts réciproques; s'étant conduit en
arbitre dans une mêlée où chaque adversaire ne cherchait
que des partisans, il ne satisfit ni l'un ni l'autre. Sagon
cependant, après avoir affecté la plus grande assurance,
avait proposé la paix sans toutefois marquer du regret de
son attaque; il demandait à Marot d'oublier ce *Coup d'essai*,
qui l'avait blessé, moyennant quoi lui-même mettrait *Fripelipes* en oubliance. On ne sait si vraiment les deux
adversaires se réconcilièrent; en tout cas, la querelle prit
fin; la poussière du combat retombée, Sagon se trouva doté
d'une renommée fâcheuse, et Marot put savourer la joie
d'une victoire complète. Ainsi se dressait au-dessus des
poètes de son temps, et élevé par eux-mêmes, le « gentil
Marot » qui, touché par l'influence italienne et par l'influence de l'antiquité, fut humaniste sans pédant étalage
d'érudition, et, par son goût de la clarté, de la simplicité
et de la sincérité, fut si foncièrement et si agréablement
français.

Parmi les disciples de Marot, outre Bonaventure des
Périers et Charles Fontaine, il faut ranger Eustorg de
Beaulieu, La Borderie, que Marot appelait son « mignon »,
Victor Brodeau, qu'il appelait son « fils », Charles de
Sainte-Marthe, qui écrit dans son *Élégie du Tempé de
France* :

> Calliopé la tant bien résonnante
> A, à sa voix, une voix consonnante;
> C'est son Marot, le poète savant,
> Lequel premier met sa plume en avant,
> Plume de mots et sentences fertile;

et, enfin, les plus célèbres de l'école après le maître : Marguerite de Navarre et Mellin de Saint-Gelais.

Mellin de Saint-Gelais est, de tous, celui qui ressemble
le plus à Marot. Il est, comme celui-ci, galant et spirituel;
il a exercé sa veine dans les mêmes genres, il sait rimer une
épître, tourner un madrigal et fourbir une épigramme;
mais ses traits sont plus acérés. Comme Marot, il était de

sève bien française. Il eut aussi, de son vivant, une grande réputation, réputation fort exagérée du reste, car s'il fut plus instruit, il fut moins bon poète que Marot, à qui il ressemble sans doute, mais dont il n'est rien qu'un reflet. « Il produisait, dit Étienne Pasquier, de petites fleurs et non fruits d'aucune durée. » Cependant, on goûte encore l'agrément de certaines de ses pièces de vers, et, entre autres, de ses sonnets, dont il avait rapporté le genre d'Italie. Il finit d'ailleurs par subir l'influence italienne sous la forme du pétrarquisme, qui fut un des éléments importants de la poésie en France vers le milieu du siècle, et qui, par le cercle de Marguerite de Navarre et par le groupe des poètes lyonnais, marqua la transition de l'école de Marot à celle de Ronsard.

Marguerite de Navarre, instruite dans les langues anciennes, les langues modernes, les belles-lettres et la philosophie, se fit la protectrice des écrivains et des artistes. La plupart des poètes de l'école de Marot faisaient partie de la cour lettrée dont elle s'entoura. Marot lui-même fut l'un de ses protégés. Elle est d'ailleurs, en poésie, l'un de ses élèves. Elle a souvent son élégance, sa bonne grâce et même son esprit, mais elle est beaucoup plus sensible. On a dit de Marot qu'il eut plus d'esprit que de cœur ; de Marguerite de Navarre, on doit dire le contraire. Elle a parlé avec les accents les plus touchants du roi son frère, à qui elle portait une très vive affection. Sa nature était par-dessus tout affective. Elle est l'auteur de très beaux vers d'amour, d'une sincérité, d'une simplicité et d'une puissance rares en son temps et qui, en dehors de toutes les contraintes d'école, font entendre le cri d'une âme vraiment émue. Quel ton ferme et quelle juste fierté dans sa protestation contre un soupçon injuste :

> J'ai le cœur net, et la tête levée,
> Pleine d'amour très ferme et éprouvée,
> Je puis aller, mais sus tout ne refuse
> De mon bon droit faire jamais excuse[1].

Dans ce cœur tout amour, et sous l'influence grandissante de l'Italie, le sentiment finit par prendre une teinte mystique. Le platonisme, qui était en honneur à la cour des Médicis, devint la doctrine du cercle de Marguerite, et divisa, sur la conception de la passion amoureuse, les dis-

1. V. p. 96.

ciples de Marot : Heroët et Charles Fontaine d'un côté,
La Borderie de l'autre. L'œuvre principale de cette école
platonicienne fut, plutôt que la traduction du *Lysis* par
Bonaventure des Périers, ou que celle de *l'Androgyne* par
Antoine Heroët, un poème du même Heroët : *la Parfaite
Amie de cour*, qui parut en 1542. Il contient un véritable
code pratique de l'amour platonicien, amour fondé sur la
vertu, c'est-à-dire sur la beauté morale, indépendant par
conséquent des charmes éphémères de la beauté corporelle,
ayant d'ailleurs son origine et sa fin en Dieu, car il unit sur
la terre des esprits qui ont été au ciel les « contemplateurs de
la divine beauté », et qui sont destinés, quand ils auront
« réchappé à la prison mondaine », à contempler éternellement ensemble, dans l'heureux séjour de l'Ile fortunée, la
vertu « comme elle est », la beauté « comme elle est » et la
bonté parfaite. Un tel amour est, par nature, exempt
d'orages, et Heroët rejette la conception de la passion
exaltée et douloureuse, conception alors fréquente, du
moins dans les romans, et que l'on rencontre même chez
Pétrarque. Cependant, il y a du pétrarquisme dans le néo-
platonisme d'Heroët, et le succès prodigieux de *la Parfaite
Amie* étendit encore en France l'influence de Pétrarque.

Le poème d'Heroët, disciple de Marot, qui se détournait des voies de son maître, est une réplique au poème de
l'Amie de cour, que venait de publier un autre disciple de
Marot, Boiceau de La Borderie.

L'Amie de cour est une franche coquette, auprès de qui,
« jeunes et vieux », tous les galants sont les bienvenus, qui
se rit, d'ailleurs, à mourir des tourments qu'elle peut leur
causer, pour qui le plaisir d'aimer finit « à son oreille, à
l'œil et à l'esprit », et qui, sachant bien que jeunesse et
beauté n'ont qu'un temps, a soin d'assurer son avenir en
acceptant un mari qu'elle aimerait mieux, sans doute,
savant, honnête et de bonne grâce que fâcheux et sot,
mais qu'elle voudra riche surtout, préférant époux

Riche de biens et pauvre de savoir

à époux riche de savoir et pauvre de biens. Ce poème fit
naître d'autres protestations que celle d'Heroët, et parmi
les protestataires nous voyons se lever Charles Fontaine,
que nous avons déjà une fois, dans l'ardeur de sa verte
jeunesse, vu prendre contre Sagon la défense de Marot. Il
répliqua à La Borderie par la *Contre-Amie de cour*. Il
n'adopte point pourtant la doctrine spiritualiste et méta-

physique de l'amour exposée par Heroët, mais, prenant
position entre Heroët et La Borderie, il fonde l'amour, non
point sur la vertu ni sur l'intérêt, mais sur l'honneur; il le
veut digne, désintéressé, non pas divin sans doute, mais
aussi noble qu'il est humainement possible.

D'autres poètes encore prirent part à cette polémique
et la prolongèrent, mais le principal avait été dit. Le pétrarquisme triomphait. Il eut, d'ailleurs, un autre centre d'influence, et, comme le cercle de Marguerite de Navarre, il
gagna celui qui se tenait à Lyon, autour d'une autre femme
lettrée, artiste et poète, Louise Labé, dont le maître en
poésie fut Maurice Scève, considéré comme le chef de
l'école lyonnaise et l'un des pétrarquistes les plus fervents.

La situation géographique de Lyon sur la route et à
mi-chemin de l'Italie, avec qui la France avait tant de
rapports militaires, commerciaux et intellectuels, fit de
cette ville un centre littéraire important. Le vent de la
Renaissance italienne y souffla avec une force particulière.
Maurice Scève en fut avant tous imprégné. Son œuvre
principale, c'est-à-dire la plus significative et la plus célèbre,
mais non pas la plus remarquable, est une suite de près de
cinq cents dizains amoureux, réunis sous le titre de : *Délie,
objet de la plus haute vertu*. Cette Délie n'avait probablement aucune réalité; son nom, d'ailleurs, est une anagramme de *l'Idée ;* le titre du recueil marque bien la tendance pétrarquiste qui l'inspire, en présentant Délie
comme l'objet à la fois de la vertu la plus haute et de
l'amour le plus élevé. Maurice Scève y exprime ses sentiments amoureux avec beaucoup de subtilité, de raffinement,
avec ce mysticisme dont on fait honneur à la race lyonnaise, mais non point cependant sans quelque sensualité;
de cette subtilité et de ce raffinement, on se lasse assez vite,
d'autant plus que l'allégorie ou les symboles dont use
abondamment le poète répandent sur son œuvre comme
un voile d'obscurité.

Il fut le maître en poésie de deux charmantes jeunes
femmes : Louise Labé, la gloire poétique de Lyon, et Pernette du Guillet. On dit qu'il aima celle-ci; elle a rimé
avec beaucoup de grâce quelques pièces de vers et, à
l'exemple de Maurice Scève, des dizains; si le pétrarquisme
l'a touchée aussi, elle n'a point la mélancolie un peu rude
de son maître, et sa Muse a, au contraire, quelque chose
d'aisé et de souriant. Elle a chanté l'amour naturellement,
mais sans sombre tristesse et avec une ferveur contenue.
Les élégies et les sonnets de Louise Labé rendent un autre

son. La passion chez celle-ci est tumultueuse et ardente.
Elle laisse éclater son cœur. On ne saurait la ranger dans
aucune école poétique ni lui découvrir des maîtres véritables. Si, de Maurice Scève, elle apprit l'art de composer
des vers, c'est d'elle-même qu'elle tira la substance enflammée de sa poésie. Son œuvre demeure, à ce titre, comme
l'une des plus sincères et des plus originales que le
XVIe siècle nous ait laissées. Ainsi, les plus beaux cris
d'amour, et les plus vrais, ont été, à cette époque, poussés
par deux poétesses : Louise Labé et Marguerite de Navarre.
Louise Labé tenait un salon où se réunissaient les beaux
esprits de Lyon, sorte d'académie vouée au culte des arts
et des lettres, où les doctes et aimables propos alternaient
avec les chants de la voix et la musique des instruments et
où, pour les écrivains et les poètes qui passaient par Lyon
ou qui y faisaient quelque séjour, c'était un honneur et un
bonheur d'être admis. C'était une joie aussi pour cette
compagnie lettrée de recevoir ces personnages. Ce fait
n'était point rare, Lyon se trouvant sur la route la plus fré-
quentée et étant devenu la résidence de quelques-uns des
éditeurs les plus fameux de l'époque. On y vit Bonaventure des Périers, Jacques Pelletier, qui s'éprit de la Belle
Cordière, mais ne fut point payé de retour, Olivier de
Magny, qui, plus heureux, sut émouvoir son cœur, Pontus
de Tyard, qui fut un très grand ami de Maurice Scève, qui,
comme Maurice Scève, fut imprégné de pétrarquisme, et
qui, à l'exemple d'Heroët, fit la théorie de l'amour platonicien.

Ainsi, l'évolution de certains disciples de Marot, sous
l'action de Marguerite de Navarre, et les tendances de
l'école lyonnaise, sous l'action de Maurice Scève et aussi,
sans doute, d'Heroët, concourent à affermir et à étendre
le succès de la poésie pétrarquiste en France, et, en se
détournant ainsi de plus en plus de notre moyen âge,
contribuent à préparer et à hâter le triomphe de la Renaissance par l'œuvre de la Pléiade. Ils y contribuent encore,
tant Heroët que Maurice Scève, qui l'un et l'autre étaient
versés dans les lettres anciennes, par l'emploi de vocables
empruntés du latin et du grec.

La Pléiade pourtant n'était pas constituée encore, mais
elle se formait derrière les murs du collège de Coqueret,
autour de la chaire de l'humaniste Dorat. Il y avait là
quelques jeunes gens fort appliqués à l'étude des écrivains
de l'antiquité, épris de poésie et avides de gloire. C'est
cette équipe jeune, ardente et riche de talents, dont fai-

saient partie Antoine de Baïf, Joachim Du Bellay et Pierre
de Ronsard, qui allait bientôt livrer une vive bataille et rem-
porter une belle victoire.

Pierre de Ronsard naquit dans le pays vendômois, près
du village de Couture, d'un père homme de guerre et
lettré, qui, au retour de ses campagnes, goûtait sur son
domaine les plaisirs de la vie rustique et s'amusait même
à composer des vers. C'est dans ce domaine, qui dominait
une verte vallée où coule le Loir, que Pierre de Ronsard
passa les douze premières années de sa vie. Il fut bien mis
au collège de Navarre, à Paris, vers sa dixième année, mais
il s'y instruisit peu, ne s'y plut pas du tout et y resta à
peine quelques mois. Il grandit donc en pleine nature,
dans un beau pays de petites collines, de forêts et de
rivières, sous le ciel le plus doux du monde. Il gravit ces
monts, il pénétra dans ces forêts, il sentit la beauté de cette
nature reposante et exaltante à la fois. Il lui a toujours
gardé un culte éclairé et fervent, et plus tard, la pensée
reportée aux jours de sa libre enfance, et mêlant aux souvenirs des lieux qu'il avait aimés des conceptions mytho-
logiques qui, en quelque sorte, les divinisaient, il écrivait
ces beaux vers que l'on a souvent rappelés et que l'on ne
se plaindra pas de voir rappelés encore :

> Je n'avais pas douze ans qu'au profond des vallées,
> Dans les hautes forêts des hommes reculées,
> Dans les antres secrets de forêts tout couverts,
> Sans avoir soin de rien, je composais des vers ;
> Echo me répondit, et les simples Dryades,
> Faunes, Satyres, Pans, Napées, Oréades,
> Ægipans qui portaient des cornes sur le front,
> Et qui, ballant, sautaient comme les chèvres font,
> Et le gentil troupeau des fantastiques fées
> Autour de moi dansaient à cottes dégrafées.

Il eût été surprenant que, musant dans les bois, ce poète
prédestiné n'y eût pas rencontré la ronde des divines
sœurs. Déjà, dit-il, il composait des vers. S'il avait le goût
des lettres et le sentiment de la poésie, son instruction,
acquise dans la famille et sans grande méthode, n'était
point celle qui convenait à un futur écrivain. D'ailleurs, les
siens ne songeaient point à le diriger vers une carrière
savante ; il était agréable et avenant, son père avait du
crédit à la cour ; c'est à la cour et à l'armée qu'on le destina.
A l'âge de douze ans, il devint page du dauphin François ;

à la mort de celui-ci, qui survint presque aussitôt, il fut page de Charles, duc d'Orléans, le troisième des fils de François Iᵉʳ; l'année suivante, il passa au service de Jacques Stuart, roi d'Écosse; il resta dans ce pays un peu plus de deux années; rentré en France, il appartint à la maison du dauphin Henri; il repartit bientôt cependant à la suite de Claude de Lassigny, chargé de missions en Flandre et en Zélande; rentré de nouveau, il repartit encore, mais cette fois pour l'Allemagne, à la suite de Lazare de Baïf, que le roi envoyait en ambassade. On était à l'été de 1540.

Ronsard avait seize ans, et déjà il avait beaucoup voyagé, tant en France que hors de France, il avait été le témoin de beaucoup d'événements, il avait approché beaucoup de grands personnages, il avait donc acquis une rapide et précoce expérience du monde; sa carrière diplomatique s'annonçait brillante; il y paraissait particulièrement propre par les qualités de son intelligence et par son éducation. Il avait des dons naturels et des talents qui concouraient à faire de lui un personnage des plus séduisants. Il était de belle prestance, avec un regard doux et grave, un visage noble et ouvert, « vraiment français »; il était habile aux exercices du corps : lutte, saut, escrime, danse; il savait manier un cheval; enfin sa conversation était pleine d'aisance et d'attrait. Mais son avenir d'homme de cour fut tout à coup compromis. A la suite d'une maladie, il resta « demi-sourd ». Renonçant, dès lors, à poursuivre sa carrière dans un monde où il est moins important de savoir parler que de savoir entendre, et se souvenant de l'appel des Muses, il se prépara par l'étude à devenir poète.

> Puisque Dieu ne m'a fait pour supporter les armes,
> Et pour mourir sanglant au milieu des alarmes,
> En imitant les faits de mes premiers aïeux,
> Si ne veux-je pourtant demeurer ocieux,

c'est-à-dire oisif,

> Ains comme je pourrai je veux laisser mémoire.

Mais la poésie ne parut pas au père de Ronsard une carrière sûre; le jeune page dut donc devenir « clerc », ce qui, sans l'engager dans la carrière ecclésiastique, lui permettrait d'être doté de quelques bénéfices. Il reçut la tonsure le 6 mars 1543, au Mans, des mains de son parent, Mgr René Du Bellay, évêque de cette ville. C'est à ce moment-là, sans doute, qu'il se lia avec Jacques Pelletier, secrétaire de l'évêque, jeune homme savant, épris lui aussi de poésie, et rêvant, lui aussi, d'en rajeunir les formes et d'en renouveler l'inspiration par un retour aux sources antiques. L'année suivante, Ronsard perdit son père. Dès lors, il se donne entièrement au démon de la poésie, et afin de se préparer plus efficacement à la mission qu'il entrevoit, pour la première fois, à l'âge de vingt ans, il se met à l'école. Il participe d'abord, dans la maison de Lazare de Baïf, aux leçons que donnait au jeune Antoine de Baïf le docte Dorat, puis, à une date qui n'est pas très certaine, peut-être en décembre 1547, après la mort de Lazare de Baïf, plus vraisemblablement en 1546, Antoine de Baïf et Ronsard suivirent au collège de Coqueret, où ils partagèrent la même chambre, leur maître Dorat qui venait d'en être nommé le principal.

On ne connaît pas non plus d'une manière certaine la date à laquelle Ronsard et Du Bellay, dit-on, se rencontrèrent. Était-ce en 1549, ou en 1548 ? Il semble que ce fut plutôt en 1548, sinon même dès 1547. Joachim Du Bellay avait à peu près l'âge de Ronsard. Il était né, comme Ronsard, dans un château, au milieu d'un paysage paisible, sous un ciel d'une grande douceur; comme Ronsard, il avait grandi librement et s'était instruit sans trop de méthode, loin de la férule des maîtres; élevé par un de ses frères, ses jeunes ans ne furent pas entourés d'autant d'affection que l'avaient été ceux de Ronsard; mais, comme Ronsard, il apprit à sentir le charme de la nature et à l'aimer; lui aussi, il chemina dans les sentiers rustiques et il s'assit à l'ombre des forêts; il y promenait sa rêverie de jeune homme souffreteux, car il avait une faible santé, et il dut pour cette raison, comme avait dû le faire Ronsard lui-même, renoncer à la carrière des armes, à laquelle il s'était d'abord destiné. Comme Ronsard enfin, la maladie l'avait ramené à l'étude; dans la solitude de sa chambre, il lut et il goûta les poètes de l'antiquité, et lui-même il composa des vers. Il était le neveu de Mgr Du Bellay, évêque du Mans, et il connut le poète Jacques Pelletier, qui lui conseilla d'étudier les anciens, mais d'écrire en français, et qui lui recommanda de composer des sonnets.

Ne pouvant entrer dans l'armée, il choisit la carrière des emplois publics, et il s'y prépara en allant étudier le droit à Poitiers. C'est en revenant de cette ville, après une année d'études, pour rentrer à son château de la Turmelière que, raconte-t-on, il rencontra, dans une hôtellerie, Pierre de

Ronsard. Que leur rencontre fût, en effet, fortuite et leur amitié due à un aussi singulier hasard, ou qu'ils se connussent d'autre part, puisque les Du Bellay et les Ronsard étaient un peu parents, il n'importe guère. Les deux jeunes poètes, par leur nature, par leurs études, par leurs dispositions et par leurs tendances, sans compter l'action commune qu'avait pu exercer sur l'un et sur l'autre Jacques Pelletier, étaient trop préparés à se plaire et à s'entendre, pour ne point former une union solide et féconde. Le certain, c'est que, sur l'invitation de Ronsard, Du Bellay vint à Paris et qu'il y suivit aussi au collège Coqueret les leçons du « divin » Dorat.

Parmi les auditeurs du maître, trois formaient un petit groupe particulièrement uni : c'étaient Baïf, Du Bellay et Ronsard; joints à leur maître, ils composèrent ce qu'ils appelèrent la Brigade; un peu plus tard, Jodelle, Rémi Belleau et Pontus de Tyard s'étant joints à eux, ils constituèrent la Pléiade. Dans ces jeunes têtes, car, hormis Dorat, qui d'ailleurs n'avait guère que la quarantaine, tous les autres avaient moins de trente ans (Belleau en avait vingt à peine, Baïf et Jodelle n'en avaient pas même vingt), dans ces jeunes têtes donc, une révolution littéraire se préparait, qu'un disciple de Marot, Thomas Sibilet, la pressentant, voulut, semble-t-il, prévenir et qu'au contraire il précipita.

C'est en 1548 que Sibilet publia son *Art poétique*. Il était avocat au Parlement, mais il avait beaucoup voyagé et beaucoup étudié; il connaissait, quoique imparfaitement, les littératures anciennes et les langues modernes et il aimait la poésie. L'*Art poétique* qu'il fit paraître était une sorte de compromis entre la révolution poétique qui s'annonçait et l'école menacée de Marot. Sans doute, il rejette les vieux genres à formes rigides et les laborieuses combinaisons de rimes, que d'ailleurs les poètes n'employaient plus, et que Marot lui-même employa peu, mais le rondeau, la ballade, le chant royal, que Marot pratiqua, et la rime équivoque dont il usa, ne sont pas rejetés par Sibilet; il admet, par contre, l'*ode*, dont il s'empresse de chercher un exemple dans Saint-Gelais, de qui, sous le nom d'ode, il cite une chanson; il vante l'épigramme et le sonnet, importé d'Italie, et précisément Saint-Gelais et Marot ont rimé des sonnets et des épigrammes; dans Marot encore, il trouve l'élégie et l'épître, qu'il apparente, et l'églogue. A peine parle-t-il de l'épopée. S'il déclare louable l'imitation des écrivains anciens, il conseille de le faire à la façon de Pelletier dans son *Odyssée* et son premier livre des *Géorgiques*, de Des Masures en son *Énéide*, d'Heroët en son *Androgyne*, de Salel en son *Iliade*, et de Marot. C'est par Marot qu'il commence : « Imite donc Marot, en sa *Métamorphose*, écrit-il, en son *Musée*, en ses *Psalmes* ». Les citations qu'il fait tout le long de son ouvrage sont, pour la plupart, tirées des œuvres de Marot et de celles de Saint-Gelais, et celles tirées de Saint-Gelais sont beaucoup moins nombreuses que celles tirées de Marot. Il conseille aussi de n'user que modestement des termes grecs et latins. En somme, il accepte un ensemble de réformes, dans le sens même de celles que préparait la Pléiade, mais sans rompre avec le passé de notre poésie française et dans la mesure où ces nouveautés se concilient avec le respect de la tradition.

La Pléiade répliqua. Elle ne pouvait se satisfaire de ce demi-programme qui à la fois usurpait et contrariait le sien. C'est Joachim Du Bellay qui prit la plume et qui, en 1549, fit paraître le manifeste de l'école nouvelle, cette *Défense et Illustration de la Langue française*, dont Ronsard fut certainement l'inspirateur et à laquelle, sans doute, il collabora. C'est un ouvrage de dimension modeste, assez mal ordonné, composé d'ailleurs hâtivement, dont quelques pages même sont simplement traduites d'un dialogue italien de Sperone Speroni, l'expression *langue française* y étant seulement substituée à l'expression *langue toscane*. Mais on y sent l'ardeur d'une jeunesse combative, animée de convictions ardentes, avide de soumettre notre poésie à l'exemple des littératures antiques, qu'elle a soigneusement et profitablement étudiées sous la conduite d'un maître particulièrement érudit, et soutenue en même temps par un fervent sentiment de patriotisme. Le manifeste se divise en deux parties, ainsi que l'annonce son titre : la première, qui présente la défense de la langue française, démontrée digne de remplacer la latine dans tous les ouvrages savants et même dans tous les genres de poésie où l'on use de celle-ci ; la deuxième partie, qui indique les moyens d'illustrer, c'est-à-dire d'enrichir la langue française et de la rendre plus propre à l'universalité des services qu'elle doit rendre : ces moyens sont principalement de faire entrer en elle les termes particuliers aux divers arts et aux divers métiers, les vieux mots abandonnés, dont beaucoup ont une valeur pittoresque, et de recourir pour la construction aux leçons de la syntaxe latine. Il prêche aussi l'imitation éclairée des auteurs anciens et le retour aux nobles genres poétiques de l'antiquité, auxquels il ajoute le sonnet italien, substitués aux vieux genres français, traités d' « épiceries », et dédaigneusement renvoyés aux Jeux floraux de Toulouse et au Puy de Rouen.

Quant aux poètes français, hormis Guillaume de Lorris et Jean de Meung, dont les œuvres sont dignes d'être lues, « quasi comme une première image de la langue, vénérable pour son antiquité », hormis encore Jean Le Maire de Belges, qui, lui, semble avoir le premier illustré les Gaules et la langue française, « lui donnant beaucoup de mots et manières de parler poétiques qui ont bien servi même aux plus excellents de notre temps », Du Bellay rejette en bloc tous les autres, même Villon, même Charles d'Orléans, même Marot; il s'en prend aussi aux contemporains et il s'écrie : « O combien je désire voir sécher ces *Printemps*, châtier ces *Petites jeunesses*, rabattre ces *Coups d'essais*, tarir ces *Fontaines*, bref, abolir tous ces beaux titres assez suffisants pour dégoûter tout lecteur savant d'en lire davantage. Je ne souhaite moins que ces *Dépourvus*, ces humbles *Espérants*, ces *Bannis de liesse*, ces *Esclaves*, ces *Traverseurs* soient renvoyés à la table ronde », c'est-à-dire rangés parmi les ouvrages désormais dédaignés. Ces coups portaient directement sur Jean Le Blond, qui avait publié *le Printemps de l'humble espérance ;* sur François Habert, qui se donnait le surnom de *Banny de Liesse*, et qui avait intitulé *la Jeunesse du Banny de Liesse* son premier recueil; sur Jean Bouchet, qui s'était donné le surnom de *Traverseur des voies périlleuses*, qu'il a utilisé dans le titre de plusieurs de ses ouvrages; sur Charles Fontaine, auteur de *la Jeunesse de Fontaine ;* sur Michel d'Amboise, auteur de *la Confusion de l'Esclave fortuné ;* sur Sagon, qui composa le *Coup d'essai* contre Marot; enfin, selon M. Chamard, sur Marot lui-même, qui avait publié, en 1518, l'épître du *Dépourvu*. Ayant ainsi détaillé ce qu'il appelle « cet ulcère et chair corrompus de mauvaises poésies », il s'écrie : « Je supplie à Phœbus Apollon que la France, après avoir été si longtemps stérile, grosse de lui, enfante bientôt un poète, dont le luth bien résonnant fasse taire ces enrouées cornemuses, non autrement que les grenouilles, quand on jette une pierre en leur marais. »

Ce langage est vif, mais il est naturel à un jeune réformateur. Le manifeste de Du Bellay, avec, dans quelques-unes de ses pages, cette allure et ce ton de pamphlet, fit un effet considérable. Sibilet, qui la même année publia une traduction de l'*Iphigénie* d'Euripide, riposta dans sa pré-

face, et, sous le titre de *Quintil Horatian*, parut en 1550
une riposte non signée dont l'auteur passa longtemps pour
être Charles Fontaine, ce qui n'était pas invraisemblable,
Du Bellay ayant souhaité dans son ouvrage de voir tarir
cette fontaine-là, et, d'autre part, Charles Fontaine paraissant aimer la polémique, comme nous l'avons vu dans la
querelle de Marot et de Sagon et dans le débat de l'*Amie
de cour*. Mais l'auteur véritable serait Barthélemy Au-
neau. Le *Quintil Horatian* proteste contre la proscription
par Du Bellay des traditions populaires, il l'accuse de répu-
dier les vieux auteurs, parmi lesquels il nomme Alain Char-
tier, Villon et Meschinot, qui « n'ont pas moins bien écrit
en la langue de leur temps que nous à présent dans la
nôtre », il l'accuse de rejeter les anciens genres simplement
parce qu'ils sont trop difficiles, et, de fait, il n'était peut-
être pas très facile de combiner selon leurs rigoureuses
règles les rimes savantes d'autrefois, mais c'était un labeur
plus fastidieux et plus ridicule encore que malaisé; enfin,
l'auteur du *Quintil Horatian* reproche à l'auteur de la
Défense de nuire, par la création d'une langue savante et
exclusivement littéraire, à la langue populaire, laquelle est
proprement la langue française, qui se trouve ainsi offensée
plutôt que défendue et dénigrée plutôt qu'illustrée.

Mais les chefs de la Pléiade publiaient déjà leurs premières œuvres et la partie était gagnée. Mellin de Saint-Gelais s'en aperçut le jour qu'ayant lu de façon à la faire
paraître ridicule une ode de Ronsard, la princesse Marguerite, sœur du roi Henri II, mit fin à cette plaisanterie en
prenant le livre et en lisant à son tour la même ode avec
le ton qui convenait. Ronsard n'en garda pas longtemps
rancune, dit-on, à Mellin, mais il semble avoir redouté la
causticité de cet épigrammatiste :

> Et fais que devant mon prince
> Désormais plus ne me pince
> La tenaille de Mellin,

a-t-il écrit.

Quelques années après cette polémique, en 1555,
Jacques Pelletier, l'ami de Ronsard et de Du Bellay, fit
paraître un *Art poétique* dans lequel, sans l'emportement
de Du Bellay, et avec le ton d'un docteur, il reprend les
proscriptions et les prescriptions de la *Défense*. Mais il n'a
pas en lui la flamme poétique de son jeune confrère. Il
écrira : « Tout poète doit prendre Homère et Virgile à

partie comme s'ils étaient ses concurrents; il doit songer à
faire aussi bien qu'eux. Qu'il pense que le temps lui a
donné ces deux personnages pour les égaler et même les
surpasser. » Espère-t-il qu'on puisse les égaler en se jouant
et qu'un homme lettré ou savant puisse acquérir une telle
gloire par simple délassement de ses travaux habituels et
comme par surcroît ? Car il fut mathématicien plus encore
que poète, et il semble bien avoir toujours mis les mathématiques au-dessus de la poésie. Par ce trait, il se distingue
des poètes de la Pléiade, dont il eut les idées, mais dont il
n'eut ni les dons ni la foi.

Après le coup de trompette de la *Défense*, la petite troupe
de Coqueret entra bravement dans la mêlée littéraire. Les
œuvres que l'on attendait d'eux, ils ne les firent pas longtemps attendre. Du Bellay, dans tout le feu de sa première
ardeur, fit paraître, dès la même année, deux volumes :
Olive et quelques autres œuvres poétiques, puis *Recueil de
poésie*. Ils étaient composés principalement d'odes et de
sonnets : sonnets dans lesquels l'auteur déclare « avoir
imité Pétrarque, et non lui seulement, mais aussi l'Arioste
et autres modèles italiens », parce qu'il n'en a pas trouvé
de meilleurs, dit-il, pour l'argument qu'il traite; odes
« bourrées d'antique érudition ». Introduire l'ode dans la
poésie française était, à ce moment-là, la plus chère ambition et le principal travail de Ronsard; déjà, il en avait paru
une de lui, en 1547, dans le recueil des *Œuvres poétiques*
de Jacques Pelletier; il se glorifie, d'ailleurs, d'avoir enrichi notre langue du nom même de l'ode; l'ode était donc,
à ses yeux, son domaine et sa chose, et il se vit avec déplaisir devancé dans la publication de pièces de ce genre par
son ami Du Bellay. Il y eut à ce propos un peu de brouillerie
entre eux, mais qui ne dura pas. Les odes de Du Bellay
sont d'un ton plus léger et d'une allure moins imposante que
les majestueuses compositions pindariques de Ronsard, qui
parurent en 1550 avec ce titre : *les Quatre premiers livres
d'Odes de Pierre de Ronsard, vendômois, ensemble son Bocage*.
Mais, dès 1549, il avait fait paraître trois plaquettes : *Épi-
thalame d'Antoine de Bourbon*, *Avant l'entrée d'Henri II à
Paris*, *Hymne de France*. En 1549 aussi, Pontus de Tyard
publia le premier livre des *Erreurs amoureuses*. En 1550,
Du Bellay fit paraître une édition augmentée de l'*Olive*.
En 1551, paraît le deuxième livre des *Erreurs amoureuses*
de Pontus de Tyard. En 1552, Du Bellay publie une traduction en vers du quatrième livre de *l'Énéide* et de la
Complainte de Didon à Énée, suivies d' « *Autres œuvres de*

l'invention du translateur »; Baïf débute avec *les Amours de
Méline*, et Ronsard donne, avec la première édition de ses
Amours, le cinquième livre de ses *Odes*. L'année suivante,
il donne une édition augmentée de ce recueil, et, sans y
mettre son nom, le *Livret des Folastries... plus quelques épigrammes grecs ;* Pontus de Tyard publie le troisième livre
des *Erreurs amoureuses.* En 1554, Ronsard fait paraître
le Bocage. En 1555, il fait paraître *la Continuation des
Amours* et *les Hymnes,* tandis que Baïf publie les quatre
livres des *Amours de Francine.* En 1556, poète infatigable,
Ronsard donne le second livre des *Hymnes* et une *Nouvelle
continuation des Amours ;* cette même année Rémi Belleau
offre aux lecteurs français sa traduction des *Odes* d'Anacréon, et *ensemble quelques petites hymnes de son invention.*
En 1558, nous retrouvons Du Bellay, revenu de son exil
d'Italie, et qui fait paraître, coup sur coup, le *Ier livre des
antiquités de Rome, les Regrets* et les *Divers jeux rustiques.*
En 1559 enfin, Ronsard publie son *Discours à très haut et
très puissant prince Monseigneur le duc de Savoie...* et, en
1660, il donne en quatre volumes la première édition col-
lective de ses œuvres.

Cette période de dix années fut donc, pour la Pléiade,
laborieuse et féconde. Seul, de la vaillante troupe, Jodelle
ne fit paraître aucun recueil ; ce n'est pas qu'il n'écrivît pas ;
il avait, au contraire, une veine facile et il l'épanchait
abondamment sur toutes sortes de sujets ; il était le plus
jeune du groupe et le plus impétueux ; il nourrissait toutes
sortes d'ambitions ; il donnait l'impression du génie, et
Du Bellay l'appelait non pas seulement un poète, mais le
démon même de la poésie. Il eut son triomphe au théâtre
en 1552, par la représentation de sa tragédie de *Cléopâtre*
et de sa comédie d'*Eugène.* Ronsard le comparait aux plus
grands maîtres de l'antiquité ; il saluait en Jodelle un nouveau Ménandre et un nouveau Sophocle, et Tahureau, se
faisant l'interprète des poètes, entonnait en l'honneur
d'Estienne Jodelle, et en « se jouant sur son nom retourné »,
un péan enthousiaste :

> Dès la fleur de tes jeunes ans,
> De nos poètes les mieux disants,
> Ravis, comme d'un autre Ascrée,
> De ta docte bouche sacrée,
> Ont tous sur leur lyre entonné :
> Io, le Délien est né !

En dehors de la Pléiade même, parmi les poètes qu'on peut rattacher à elle, et dont l'œuvre participe de son mouvement, on peut mentionner, à côté de Jodelle, son ami et son émule dans l'art tragique, le poète Jean de La Péruse, dont la *Médée* fut représentée en 1553, et qui semblait appelé à surpasser Jodelle, quand, en 1555, dans la fleur de ses vingt-cinq ans, la mort faucha brusquement son jeune et si ferme talent; il faut nommer aussi le gentil Jacques Tahureau, qui mourut en cette même année 1555, ayant tout juste vingt ans, et qui, en 1554, avait publié deux recueils poétiques : les *Premières poésies...* et les *Sonnets, Odes et mignardises de l'Admirée...;* il faut nommer Vauquelin de La Fresnaye, qui, en 1555, débuta par les deux premiers livres de *Foresteries ;* il faut nommer surtout Olivier de Magny, l'ami des principaux poètes du temps, de Ronsard notamment et de Du Bellay, dont il fut à Rome le compagnon; il fit paraître, de 1553 à 1557, les quatre recueils des *Amours*, des *Gaietés*, des *Soupirs* et des *Odes*. Il mourut en 1559, ayant à peine trente ans. Du Bellay ne lui survécut guère. Accablé de contrariétés et de chagrins, atteint d'une surdité qui allait s'aggravant, il mourut le premier jour de cette année 1560, qui devait marquer une étape glorieuse dans la belle carrière de son grand ami Pierre de Ronsard.

Celui-ci était dans tout l'éclat de sa gloire. Il avait été salué, dès 1553, du titre de « prince des poètes français », il avait reçu, en cette même année, quelques bénéfices, mais sa fortune augmenta moins vite que sa renommée; en 1558 pourtant, il devint aumônier ordinaire du roi Henri II, fonction assez simple, qu'il n'était pas nécessaire d'être prêtre pour remplir et qui lui rapportait une pension de 1 200 livres. Au moment même où l'édition complète de ses œuvres rendait plus manifeste l'importance de son labeur et en attestait le succès, montait sur le trône un nouveau roi, Charles IX, qui devait donner au poète, qu'il traita comme un ami, la protection la plus efficace et la plus constante. La fortune de Ronsard devint ainsi digne de sa gloire. Le voici devenu le poète de la cour et le défenseur à la fois du trône et de la patrie. En 1562, il fait paraître l'*Institution pour l'adolescence du roi*, le *Discours des misères de ce temps*, et la *Continuation du discours...*, en 1563, la *Remontrance au peuple de France ;* en 1565, il réunit des fruits moins sévères de sa muse sous le titre d'*Elégies, Mascarades et Bergerie ;* et la même année, il publie son *Abrégé de l'Art poétique français*.

On trouve exprimée dans cet ouvrage la haute idée qu'il se fait de la poésie : « Sur toutes choses, dit-il au jeune poète à qui il s'adresse, sur toutes choses tu auras les Muses en révérence, voire en singulière vénération, et ne les feras jamais servir à des choses déshonnêtes, à risées, ni à libelles injurieux; mais les tiendras chères et sacrées, comme les filles de Jupiter, c'est-à-dire de Dieu, qui, de sa sainte grâce, a premièrement par elles fait connaître aux peuples ignorants les excellences de sa majesté. » La poésie est donc d'origine et d'essence divines. Elle est un don du ciel, et le plus précieux. Il ne s'agit plus de combiner laborieusement des sons, comme s'y appliquait l'industrie des rhétoriqueurs; la poésie n'est ni un jeu de patience ni un amusement de virtuoses; elle est la plus haute des fonctions humaines. Et Pontus de Tyard, l'un des poètes de l'amour platonicien, la place bien au-dessus de l'amour même, lorsque, dans son *Dialogue de la fureur poétique*, il écrit : « En quatre sortes, l'homme peut être épris de divine fureur. La première est par la fureur poétique procédant du don des Muses; la seconde est par l'intelligence des mystères et secrets des religions sous Bacchus; la troisième par ravissement de prophétie, vaticination ou divination sous Apollon, et la quatrième par la violence de l'amoureuse affection sous Amour et Vénus. »

Le poète est donc le premier des humains. Le roi reçoit la couronne, mais le poète la donne. De toutes les voies qui mènent à la gloire, la poésie est la plus glorieuse. N'a-t-elle point pour mission d'exprimer, en donnant à leur expression le caractère d'une impérissable beauté, les lieux communs éternels qui s'imposent à l'esprit de l'homme, et avant tous autres ceux que fait surgir le triple mystère de l'Amour, de la Nature et de la Mort ? Ce sont là les grands thèmes lyriques, ceux qui sont le plus propres à émouvoir l'âme du poète, à inspirer ses chants et à établir une communion entre les esprits que son œuvre aura la vertu de remplir à leur tour de la même émotion. La poésie montée à ce ton lyrique devient une religion. Cette aspiration au lyrisme est un des traits de la Pléiade, et sa meilleure gloire. Non pas que tous les poètes du groupe aient réussi à atteindre les sommets, mais elle les a tous plus ou moins soulevés.

Ils ont cultivé les genres poétiques les plus nobles : l'élégie et l'ode; Ronsard a même entrepris un poème épique : *La Franciade*, dont les quatre premiers chants parurent en 1572, précédés d'une première préface qui, avec la deuxième préface qu'il écrivit ensuite pour ce poème et avec son *Abrégé de l'Art poétique français*, constitue la partie théorique de son œuvre.

A la date de 1573, à laquelle nous sommes arrivés, la Pléiade a donné à peu près tous ses fruits. Nous avons rappelé que Joachim Du Bellay mourut en 1560; Jodelle mourut à son tour, en 1573 précisément, ayant beaucoup écrit, mais n'ayant pas réuni ses ouvrages, dont, l'année suivante, Charles de Lamothe publia une édition; Rémi Belleau n'avait pas donné encore les *Amours et nouveaux échanges des pierres précieuses*, qu'il ne publia qu'en 1576, mais il avait, en 1565, fait paraître la *Bergerie ;* Baïf achevait la publication de ses *Œuvres en rime*, dont les quatre volumes contiennent : les *Poèmes*, les *Amours*, les *Jeux* et les *Passe-temps ;* Pontus de Tyard, devenu évêque de Châlons, donnait l'édition, complète à cette date, de ses *Œuvres poétiques*, auxquelles il ajouta seulement, en 1585, *Douze fables des fleuves ou fontaines ;* Dorat, qui avait quitté, en 1567, le collège de Coqueret, vivait retiré dans sa paisible maison, composant, à la louange du prince, des poèmes latins. Le père de la Pléiade n'avait pas suivi le précepte de ses disciples, lequel était qu'il faut écrire dans la langue de son pays. Ses poésies françaises sont peu nombreuses et ne méritent guère d'arrêter l'attention.

Du Bellay d'ailleurs, qui avait si vivement défendu la langue française, n'avait pas laissé de composer lui aussi des poésies latines, et elles ont souvent plus de feu que ses poésies françaises. Il faillit encore à ses préceptes quand, après avoir proscrit la traduction pure et simple, il traduisit un livre de *l'Énéide ;* il est vrai que c'est le quatrième, où l'on trouve une peinture des douleurs de l'amour. C'est par un recueil de vers amoureux, l'*Olive*, qu'il avait débuté. Ce livre est composé de sonnets; forme et fond, il doit beaucoup à Pétrarque. Du Bellay admirait beaucoup ce poète et marquait du goût pour les subtilités amoureuses de Maurice Scève. Il y a par endroits aussi une teinte de pétrarquisme dans Rémi Belleau, dans les *Amours* de Baïf et aussi dans les *Amours* de Ronsard; on la trouve d'ailleurs chez beaucoup de poètes du temps; tous ne s'en dégagèrent pas, mais chez Du Bellay, qui avait un véritable génie poétique, le naturel prit le dessus, et, par une contradiction nouvelle, il tourna en dérision ce pétrarquisme qu'il avait admiré. Il le désavoua expressément par une pièce intitulée : *Contre les pétrarquistes*, qui commence ainsi :

> J'ai oublié l'art de pétrarquiser,
> Je veux d'amour franchement deviser,
> Sans vous flatter et sans me déguiser :
>   Ceux qui font tant de plaintes
> N'ont pas le quart de la vraie amitié,
> Et n'ont pas tant de peine la moitié,
> Comme leurs yeux, pour vous faire pitié,
>   Jettent de larmes feintes.
>
> Ce n'est que feu de leurs froides chaleurs,
> Ce n'est qu'horreur de leurs feintes douleurs,
> Ce n'est encor de leurs soupirs et pleurs
>   Que vent, pluie et orages,
> Et bref, ce n'est, à ouïr leurs chansons,
> De leurs amours que flammes et glaçons,
> Flèches, liens, et mille autres façons
>   De semblables outrages.

On y lit encore :

> Nos bons aïeux, qui cet art démenaient,
> Pour en parler Pétrarque n'apprenaient,
> Ains franchement leur dame entretenaient,
>   Sans fard ou couverture ;
> Mais aussitôt qu'Amour s'est fait savant,
> Lui, qui était Français auparavant,
> Est devenu flatteur et décevant,
>   Et de Tusque nature.

Cette strophe fait équilibre à bien des invectives de la
Pléiade. Chose curieuse, c'est en Italie que Du Bellay se
dégagea de l'italianisme. Il séjourna dans ce pays à la suite
du cardinal Du Bellay, son oncle. Dans cette ville, vers
laquelle il avait voyagé le cœur ému d'espérance et l'esprit
tout rempli des souvenirs de l'antique gloire romaine, il
n'éprouva que désillusions et ennui. Le spectacle d'une
société corrompue, la servitude que lui imposait sa charge
firent naître en lui, ou du moins avivèrent les regrets du
ciel natal. Naturellement délicat et mélancolique, sous
l'épreuve de sentiments sincères et profonds, son véritable
génie jaillit. Il fut avec une touchante douceur et la plus
agréable harmonie un poète élégiaque. Il se mit lui-même
dans son œuvre avec une simplicité et une sincérité qui
enchantent. Il a bien parfois un peu de maniérisme encore,
mais ses belles qualités se montrent dans tout leur jour.
On voit par son recueil des *Antiquités de Rome* qu'il ne fut
point insensible à la beauté de cette ville où il souffrait
l'exil ; il médita devant les monuments détruits qui en sont

tout à la fois le deuil et la parure, et l'on a pu dire qu'il avait avant nos romantiques, avant Chateaubriand notamment, ressenti et exprimé la poésie des ruines.

Les spectacles de la nature émeuvent aussi son âme. Nous avons vu qu'il la connut et qu'il l'aima dès le temps de son enfance rêveuse et pauvre d'affections. Il garda l'habitude de se tourner vers elle comme vers la consolatrice toute désignée de ses tourments, mais en elle il ne trouvait pas la consolation implorée. Il la chanta sur le mode élégiaque; s'il n'eut pas les élans lyriques, si larges et si puissants, que nous admirerons plus tard chez Lamartine et que nous pouvons admirer déjà chez Ronsard, il sut rendre avec un charme qu'on ne peut surpasser et qui est son titre le plus précieux à l'immortalité, la rustique beauté et la douceur du village angevin où commencèrent ses jours. Un dernier trait de sa nature concourt à lui composer une figure pleinement et agréablement française. Il a de l'esprit, et un esprit très fin, très malicieux aussi, qui font de lui un très bon poète satirique et l'un des créateurs en France de la satire.

Rémi Belleau, ni Baïf surtout, n'ont autant d'agrément. Ils ne pénètrent pas les choses aussi profondément et ils ne s'élèvent pas aussi haut. Ils ont célébré l'amour sans beaucoup d'accent, ils ont emprunté d'Anacréon la matière de quelques pièces gracieuses; ils ont mis aussi la nature dans leurs vers, mais ils l'ont sentie modérément. Rémi Belleau, dont la place est au-dessous de Du Bellay, mais au-dessus de Baïf, a composé des tableaux champêtres assez réussis. Ronsard l'a appelé « le peintre de la nature ». Il la peignit avec gentillesse, mais il n'y mettait guère d'émotion. Il a taillé aussi, non sans habileté, les pièces qu'il a consacrées aux *Pierres précieuses*, dont le recueil parut en 1576, une année seulement avant que Belleau mourût. Il a eu la chance de composer une villanelle, l'*Avril*, qui est vraiment délicieuse, et qui a fait plus que tout le reste de son œuvre pour la renommée de son nom. Baïf n'a pas eu ce bonheur. On ne cite pas de lui, comme de Rémi Belleau, de Du Bellay et de Ronsard, une seule pièce que tout le monde soit obligé de connaître. Il a cependant beaucoup écrit. Ronsard excepté, il est le plus fécond des poètes de la Pléiade. Il avait l'esprit d'une activité singulière et animé d'un beau zèle de réformateur. A la suite de Meyret, de Ramus et de Pelletier du Mans, il rêva de réformer l'orthographe, tentative fort intéressante, utile même, et que Du Bellay et Ronsard encouragèrent.

Il entreprit aussi de réformer la prosodie française, en appliquant à notre versification le système, fondé sur la combinaison des voyelles longues et des voyelles brèves, qui avait été celui des Grecs et des Romains. Il n'était pas le premier à tenter cette révolution. La conception d'un vers français métrifié se voit déjà à la fin du XVe siècle. A cette époque, Michel de Boteauville en composa et écrivit même un *Art de métrifier françois*. Au XVIe siècle, cette tentative fut renouvelée par divers poètes. Jodelle, Pasquier, Jacques de la Taille s'y employèrent. Un poète savoisien, Claude de Buttet, y travailla aussi et prit figure de chef d'école. Par une sorte de conciliation avec la métrique française et celle des anciens, il rythmait le vers selon les mètres antiques, mais il lui conservait la rime. Cette ingéniosité ne pouvait rien produire de bon. Claude de Buttet, d'ailleurs, renonça aux vers mesurés. Baïf tenta dans ce domaine diverses innovations. Sans rejeter le principe de notre prosodie, il imagina un vers de quinze syllabes, avec césure après la septième, et rime finale. Mais il s'attacha principalement aux vers mesurés, conçus tout à fait à la manière des anciens et dépourvus de rime. Tâche ingrate, car il était malaisé de discerner la longueur de chaque syllabe française. Du Bellay l'avait fait remarquer; cependant, il paraissait admettre que l'on y pût réussir quelque jour. Il écrivit, en effet, dans sa *Défense et Illustration de la Langue française* : « Qui eût empêché nos ancêtres d'allonger une syllabe et d'accourcir l'autre, et en faire des pieds et des mains, et qui empêchera nos successeurs d'observer telles choses, si quelques savants et non moins ingénieux de cet âge entreprennent de les réduire en art ? » Baïf ne désespéra pas d'y parvenir. Il établit dans ce dessein une académie formée de musiciens et de poètes, et « dont l'objet principal, dit Sainte-Beuve, fut de mesurer les sons élémentaires de la langue ». Cette institution fut réalisée en 1567. Baïf lui donna des statuts et la dénomma : *Académie française*, mais elle porta aussi le nom d'*Académie de musique et de poésie*. A sa tête, comme directeurs, ou, pour leur rendre leur titre véritable, comme « entrepreneurs », étaient placés : pour la poésie, Baïf, et pour la musique, son ami Thibaut de Courville, « maître en l'art de bien chanter ». Elle comprenait, outre les poètes et les compositeurs, des chanteurs et des joueurs d'instruments, qui, devant un public choisi, exécutaient les œuvres des académiciens. Trois années après sa fondation, en novembre 1570, Charles IX octroya à cette institution des lettres patentes, qui lui

donnaient une existence légale; il s'en déclara le premier
auditeur et accepta d'en être appelé le *Protecteur*. Protégée
ensuite par Henri III, l'Académie eut peu d'activité pendant les troubles qui marquèrent le règne de ce prince et
elle ne survécut pas à son fondateur, qui mourut en
1589.

Parmi les « Académiques » avaient figuré les meilleurs
poètes de cette période : Amadys Jamyn, Guy du Faur de
Pibrac, Desportes, Du Perron, d'Aubigné, les membres sur-
vivants de la Pléiade : Dorat, Pontus de Tyard, Jodelle,
Belleau et Ronsard. Cependant, la mode des vers métriques
ne se répandit guère. Jodelle, Pasquier, que nous avons
nommés déjà, Sainte-Marthe, Passerat, Rapin, d'Aubigné,
qui en composèrent, ne le firent, semble-t-il, que par amusement. Baïf croyait sans doute être dans la logique de la
Pléiade en empruntant aux maîtres de l'antiquité les éléments d'une rénovation du rythme français. Peut-être
avait-il cédé aux mouvements d'un esprit naturellement
curieux et entraîné par un essor général de réforme; peut-
être avait-il espéré d'obtenir, par des vers d'un genre nouveau, plus de succès qu'il n'en avait eu avec des vers de
la forme traditionnelle. En tout cas, et bien qu'il eût, dit-on,
juré de n'en plus composer de ceux-ci, il n'y renonça
jamais tout à fait. Ronsard, dont on a dit que Baïf était la
caricature, ne donnait pas dans les nouveautés de son vieil
ami. Il fabriqua sans doute quelques vers mesurés, mais
en fort petit nombre, et certainement par jeu. Il avait un
sentiment trop juste du génie de notre langue, et il était
trop grand poète pour ne pas reconnaître dans notre vers,
rythmé comme il l'était et rimé, l'instrument le plus convenable à l'expression française de la poésie. Il s'agissait seulement d'enrichir sa substance par l'usage de vocables
empruntés aux langues antiques et aux langues pittoresques
des divers arts et métiers, et de varier ses effets par la
variété des strophes formées tantôt de vers de même mètre,
tantôt, et le plus souvent, de vers de mètres différents. Il
n'est pas nécessaire de rappeler longuement quel admirable
créateur de rythmes fut le poète Ronsard. Non seulement
il ne cessa jamais de prescrire la rime au bout du vers, mais
encore il contribua grandement à généraliser l'alternance
de la rime féminine et de la rime masculine. Il fit enfin la
fortune de l'alexandrin, le plus noble des mètres français.
Il commit cependant une erreur en n'en usant pas dans la
Franciade, et en ayant recours au vers endécasyllabique,
autrefois en grand honneur, il est vrai, mais qui, moins

que le large et tout ensemble si majestueux et si souple
vers de douze syllabes, était propre au poème épique.

Ronsard est l'âme de la Pléiade. Une fois entraîné à
Coqueret par Dorat et Baïf, c'est lui qui mena la *brigade*
à la conquête de la Grèce et de Rome. Du Bellay marchait
le premier en sonnant de la trompette, mais c'est Ronsard
qui dirigeait la troupe. Ensuite, il se vanta de son butin.
Il s'écriait :

> Je pillai Thèbe et saccageai la Pouille,
> T'enrichissant de leur belle dépouille;

et il traça en tête du recueil de ses œuvres le quatrain si
connu :

> Les Français qui ces vers liront,
> S'ils ne sont ou Grecs ou Romains,
> Au lieu de ce livre ils n'auront
> Qu'un faix pesant entre les mains.

En réalité, il n'est pas aussi complètement grec et romain
qu'il le proclame, et que Boileau, entre autres, l'en a accusé.
Il commença par vouloir rivaliser avec Pindare, et son premier volume est composé de grandes odes pindariques,
mais il ne se maintint pas à cette hauteur, et quand Henri
Estienne, en 1554, Rémi Belleau, en 1556, donnèrent,
l'un la première traduction française en prose, l'autre la
première traduction française en vers des *Odes* d'Anacréon, il sourit, comme tous les poètes d'alors, à ce gentil
Ancien. N'était-ce point accueillir quelque chose comme
les gentillesses mêmes de Marot ? Mais, après avoir été
plus grec que latin, il devint par la suite plus latin que
grec. On le voit clairement dans ses Préfaces de la *Franciade*. Il a pris des Anciens quelque abus de la mythologie,
comme il a pris quelques *concetti* des poètes de la Renaissance italienne. Cela, en réalité, fut peu de chose. Si l'on
trouve quelques grâces un peu affectées dans ses sonnets
d'amour, par exemple, elles n'y font que des taches légères,
et d'ailleurs, si on en découvre dans les *Amours de Cassandre*,
qui sont les premières en date, elles n'altèrent que fort peu
les gracieuses, les charmantes et les touchantes *Amours de
Marie*, qui viennent à la suite.

Ronsard est, des poètes du XVIᵉ siècle, l'un de ceux qui
ont le mieux chanté l'amour. Il en a senti et exprimé tous
les sentiments. Il est devant lui tour à tour enjoué, souriant,
tendre, passionné, mais dans l'ivresse même il a cette mélan-

colie que porte en lui tout bonheur profondément senti,
car il sait combien le temps s'enfuit d'un pas rapide et
quelle est la fragilité des choses de ce monde. Il a donné
à l'élégie amoureuse autant de grâce que Du Bellay, mais
avec un ton plus lyrique. Il s'élève de même plus haut
que Du Bellay dans l'expression du sentiment de la nature.
Ses églogues, il est vrai, sont encombrées de mythologie,
mais les pièces qu'il appelle des églogues sont, en réalité,
des dialogues sur les événements contemporains. Quand il
a véritablement chanté la nature, il a montré combien il
l'aimait et combien il la comprenait. Elle avait, nous
l'avons vu, été la passion de son enfance. Il en sait décrire
les aspects, il sait en montrer le charme rustique, mais il
fait mieux, il communie avec elle, il se lie à elle par des
liens puissants; il participe d'elle. Tout d'elle l'émeut et
l'enchante : une forêt, une prairie, un arbre seulement et
même une simple fleur. On connaît, et on retrouvera du
reste dans ce volume, les deux pièces immortelles, dont
l'une célèbre le « bel aubépin verdissant » et dont l'autre
prend vivement contre les bûcherons la défense de la forêt
de Gâtine. C'est le même amour et la même sollicitude. Il
proteste contre la destruction et contre la mutilation de
la forêt vénérable, comme il souhaite au jeune arbrisseau
d'échapper à la barbarie des hommes et à l'injure des éléments. La disparition d'un seul arbuste, comme celle de
toute une forêt, est pour la nature un amoindrissement. Et
quel sentiment il a du caractère sacré de ces beautés éternelles ! Des divinités, pour lui, palpitent dans les arbres :

> Écoute, bûcheron, arrête un peu le bras,
> Ce ne sont pas des bois que tu jettes à bas;
> Ne vois-tu pas le sang lequel dégoutte à force
> Des nymphes qui vivaient dessous la dure écorce ?

Ici le secours de la mythologie ne sert qu'à rendre plus
sensible le sentiment naturel.

Ronsard a su faire résonner toutes les cordes de la lyre.
Dans ses odes et ses odelettes, il va de la folâtrie gauloise
à la majesté pindarique. Il a trouvé aussi le ton épique, et
si son épopée de *la Franciade* est, dans son ensemble, un
poème manqué, les beaux morceaux n'y manquent pas. Il
a mis aussi beaucoup de fermeté, de franchise hardie et
de ferveur éloquente dans ses *Discours sur les misères de ce
temps*. Il est à ce moment-là le poète national; sa renommée
est universelle. Aucune voix ne saurait, aussi éloquemment

et avec une plus grande autorité que la sienne, prendre la
défense de la religion attaquée et du trône menacé. Dans
cet amour de la patrie, il se rencontre une fois encore avec
Du Bellay, et ici encore le ton s'élève davantage. Ses discours suscitent des ripostes, lui font des ennemis, mais il
les domine et d'ailleurs il sait leur répliquer.

Sa gloire cependant, après 1573, commença de décroître.
La mort de Charles IX, survenue le 30 mai 1574, diminua
son crédit. La maladie, en outre, se faisait sentir. Le temps
de sa jeunesse n'était plus. Sa barbe était devenue grise.
En 1575, il quitta la cour. Il avait des prieurés : Montoire,
Croixval, Saint-Côme. C'est là qu'il vécut désormais,
venant de temps en temps à Paris, paraissant à l'Académie
de Baïf, dont les réunions, comme plus tard celles de l'Académie française, se tenaient au Palais du Louvre, et qui
avait, de ce fait, pris le nom d' « Académie du Louvre ».
Un jour, la faveur d'Henri III, à qui il croyait pouvoir,
dans ses vers, donner quelques avis, se retira tout à fait de
lui. D'autre part, il voyait d'autres poètes devenir l'objet
de l'admiration publique : l'élégant Desportes, compagnon
du roi, le rugueux Du Bartas, placé alors par certains au-
dessus de Ronsard lui-même. Celui-ci pourtant n'avait
rien perdu de la vigueur de son génie. C'est dans cette
période qu'il écrivit la belle suite des *Sonnets à Hélène*, où,
poète à la tête chenue, il retrouva les plus chauds accents
pour célébrer l'amour vainqueur ; c'est dans cette période
encore qu'il écrivit l'admirable élégie contre les bûcherons
de la forêt de Gâtine. Il donna aussi ses soins à la révision
de ses œuvres, dont il fit paraître l'édition complète en 1584.
Il mourut l'année suivante, dans son prieuré de Saint-
Côme. Ses funérailles furent très simples, ainsi qu'il l'avait
demandé. Il fut inhumé dans la chapelle. Quelques
semaines plus tard, Du Perron, qui était à la fois un orateur
sacré et un poète, prononça son oraison funèbre au collège
de Boncourt. Voici en quels termes il parla de celui qu'il
appelait le « grand ornement des Muses de la France » :
« Somme : partout il a été supérieur aux autres, et partout
il a été égal à lui-même. Il s'est bien vu aux siècles passés
des hommes excellents en un genre de poésie, mais qui aient
embrassé toutes les parties de la poésie ensemble, comme
celui-ci a fait, il ne s'en est point vu jusques à maintenant.
Homère a bien emporté la palme entre les Épiques, Pindare entre les Lyriques, un autre entre les Bucoliques, et
ainsi des autres ; mais la gloire universelle de la poésie, ils
l'ont tous divisée entre eux, et chacun en a pris sa partie.

Il n'y a jamais eu qu'un Ronsard qui l'ait possédée toute pleine et tout entière. » Il disait encore à ses auditeurs : « Quand vous serez arrivés en vos maisons, annoncez à vos enfants, et que vos enfants racontent à leurs enfants, que vous étiez nés sous si bons et si heureux auspices que d'avoir aujourd'hui aidé à inhumer et sépulturer le plus grand poète qui ait jamais été entre les Français, afin que cela vous soit comme une bénédiction héréditaire et perpétuelle, qui passe de génération en génération jusques à vos neveux, et aux neveux de vos neveux, et à toute votre postérité. »

Ce vœu ne fut pas entendu. La gloire de Ronsard commença bientôt de pâlir, et, voilée dès le commencement du XVIIᵉ siècle, c'est deux cents ans plus tard seulement que Sainte-Beuve, héraut du romantisme, lui rendit un éclat qui ne se ternira pas, sans doute, tant que fleuriront les lettres françaises.

Sa supériorité est d'avoir été, comme le disait Du Perron avec le ton de l'apologie, un poète complet. Non pas toujours un poète parfait. Il s'est trop embarrassé d'érudition et il a mêlé à son inspiration, qu'ils n'ont pu parvenir à étouffer, trop de souvenirs et trop d'imitations des littératures anciennes; son génie impétueux et son ardeur réformatrice ne lui permirent pas de discipliner cette inspiration; il accueillit aussi trop de formes de parler empruntées des constructions antiques; on lui reprocha ces défauts, et il vivait encore que déjà germait une réaction contre son œuvre et contre son influence. Il avait cependant élevé la dignité de la poésie française, il lui avait montré les voies fécondes où elle devait acquérir son lustre le plus sûr. Malherbe, qui devait si vivement combattre son action et en triompher, est malgré tout son tributaire. C'est à la suite de Ronsard et de la Pléiade qu'il fit l'ascension des littératures antiques, et si, parvenu à la même cime, il fit entendre de beaux sons lyriques, quoique d'un accent moins intime, c'est parce que, sur ces hauteurs, Du Bellay déjà, mais surtout Ronsard, avaient su faire vibrer les cordes les plus nobles de la lyre.

Si donc tout n'a pas subsisté de l'œuvre de la Pléiade, il faut saluer l'effort de ceux qui la composaient, et admirer la fleur de leurs œuvres, car, « s'ils se sont trompés, leur erreur, comme dit Sainte-Beuve, ne fut pas une erreur vulgaire ». Ils ne se sont d'ailleurs pas trompés sur l'essentiel, mais seulement sur quelques points de la doctrine et sur quelques-uns des moyens de l'appliquer.

Après eux, il y eut une sorte de décadence. Quand Ronsard mourut, deux seulement des membres de la Pléiade vivaient encore, Dorat et Baïf, qui vécurent, le premier jusqu'en 1588, l'autre jusqu'en 1589.

Il n'est pas indispensable d'énumérer ici tous les poètes qui, du temps de Ronsard et après lui, illustrèrent, chacun à sa façon, la poésie française. On les trouvera dans le corps de ces deux volumes. Il suffira de nommer, comme les plus intéressants : Olivier de Magny, Passerat, Rapin, Pibrac, Vauquelin de La Fresnaye, Amadys Jamyn, Gilles Durant, Claude Gauchet, Du Bartas, Desportes, Bertaut, Du Perron, Agrippa d'Aubigné. La plupart de ces poètes furent amis et admirateurs de Ronsard; Amadys Jamyn fut même son page et l'objet particulier de sa protection. Avec eux, le courant de la Pléiade se divise et se ralentit. L'avènement d'Anacréon, quelques années après le triomphe de Pindare et d'Homère, ranima la veine de la poésie facile. L'italianisme, un moment dominé, montra de nouveau son cours. Dans cette onde moins forte, les poètes ne puisèrent plus l'ivresse sacrée. Ce fut le règne des amours aimables, un peu affectées, un peu alanguies; Bertaut même, bon élégiaque, a peu de passion. Sous l'influence des pastorales italiennes et sans doute aussi pour se détourner de l'horreur de la guerre civile, au lieu d'un sentiment profond et sincère de la nature, on n'eut guère que de fades bergeries; toutes, cependant, ne sont pas sans grâce ni sans fraîcheur et l'on trouve ces qualités, au contraire, dans les *Idillies* de Vauquelin de La Fresnaye; parmi tant de douceurs, quelques poètes, pourtant, firent entendre des accents plus simples et plus vrais : Pibrac, Rapin, Jacques Béreau ont su exprimer fort justement les agréments de la vie rustique; ce ne sont point des lyriques, certes, et leur Muse ne hausse pas le ton; la nature ne leur inspire ni l'attachement que lui montrait Du Bellay, ni la ferveur que lui témoignait Ronsard; ils goûtent la nature pour le calme qu'elle donne à l'homme, pour la facilité de l'existence qu'on mène loin des villes, et ils ont trouvé pour peindre une telle existence les traits les plus justes et les couleurs les plus vraies; Claude Gauchet a décrit et déploré, dans le même esprit, les perturbations qu'apportent dans les paisibles campagnes, au sein des tranquilles foyers, les misérables discordes civiles. Les vers de ces poètes, il faut en convenir, n'ont pas d'envolée; ils ne sont pas toujours exempts de prosaïsme, mais la sincérité et même la verve n'y manquent pas.

Au premier rang des poètes qui reprirent la trace de Pétrarque, il faut placer Philippe Desportes, dont l'aisance élégante et harmonieuse sait, à l'occasion, quitter le ton galant ou simplement spirituel, pour faire entendre soit une vive satire, comme dans l'*Adieu à la Pologne,* soit une ode de belle allure comme celle d'inspiration religieuse qui commence par le vers :

Arrière, fureur insensée !

Bertaut aussi a composé des poésies religieuses; il est peut-être un peu trop fluide et un peu trop abondant, mais il a des strophes qui jaillissent avec une belle force et qui s'élèvent jusqu'au lyrisme. Lui et Desportes, malgré leurs défauts, surent chanter.

On ne saurait décerner la même louange à Du Bartas. Son vers est rude, hérissé, tout farci de vocables nouveaux et de ces mots composés dont la Pléiade avait fait usage et dont il abusa. Le poème de Du Bartas est comme un fleuve qui roulerait tout un monde de cailloux, mais le courant n'est pas sans force, car la passion religieuse animait le poète. Il était sans doute plus soucieux de convaincre qu'ambitieux de charmer. Imitateur de Ronsard, il ne prit de son maître que les défauts et il les exagéra. Il est traité par Brunetière de « caricature de Ronsard », tout comme Antoine Baïf. Il se complaisait à des combinaisons verbales qui, par-delà la Pléiade et par-delà même l'école de Marot, l'apparentent aux rhétoriqueurs.

L'exemple de Ronsard et la passion religieuse donnèrent d'autres fruits chez Agrippa d'Aubigné, autre poète de la religion réformée. Celui-ci avait vraiment l'âme poétique. Comme Ronsard, il a fait vibrer toutes les cordes de la lyre et sa verve indisciplinée monte parfois jusqu'au sublime. Parmi les poètes religieux, il faut mentionner encore Jean-Baptiste Chassignet, beaucoup moins connu que les précédents, et que la facture sévère de ses vers fait considérer par certains comme étant, avant Malherbe, le véritable réformateur de la prosodie française.

Entre le courant alangui par où se répand la poésie d'un Desportes et celui plus rapide par où se précipite celle d'un d'Aubigné, coule une onde vive et claire, dans laquelle Marot volontiers eût miré son visage et qui porte à présent la barque de Jean Passerat. Sa poésie est aisée, simple, sans fadeur et sans surcharge et souvent de l'esprit le plus malicieux et tout ensemble le plus enjoué. Il excellait dans l'épigramme. Il a contribué avec Nicolas Rapin et Gilles Durant à la partie versifiée de la *Satire Ménippée*.

D'autres poètes montrent la survivance de la tradition gauloise : le facétieux Tabourot, seigneur des Accords, et Jean Le Houx, le « biberon normand ». Nous rencontrerons tout un groupe de ces poètes gaulois, dès le seuil du XVIIᵉ siècle, avec Motin, Saint-Amant et Mathurin Régnier.

Pour terminer cette nomenclature, donnons une mention à quelques muses : Marie de Romieu, fleur des montagnes du Vivarais, qui chanta gracieusement la rose, et les dames des Roches, de Poitiers, la mère et la fille, dont le salon est demeuré célèbre à cause surtout de l'aventure de la puce.

Tandis que le siècle se hâtait vers sa fin, Vauquelin de La Fresnaye, retiré en Normandie, alignait un à un les trois mille vers de l'*Art poétique* qu'il avait entrepris en 1574, alors que brillait encore de tout son éclat la gloire de Ronsard, et qu'il fit paraître en 1605, l'année même où Malherbe, s'étant décidé à abandonner la Provence, était accueilli à la cour. Dans cet ouvrage, Vauquelin, qui fut un des adeptes de la Pléiade, en défend encore les doctrines, mais il formule des restrictions sur divers points ; il n'approuve ni toutes les innovations qu'elle a faites, ni toutes les condamnations qu'elle a prononcées, ni tous les procédés qu'elle a appliqués et recommandés et que des disciples intempérants ont encore exagérés. Il concilie avec l'imitation des écrivains anciens le respect de la vieille littérature française. Son instinct naturel le conduit vers les voies de Malherbe, mais il a, de plus que Malherbe, le juste sentiment des services que la Pléiade a rendus à notre poésie. Elle en a rehaussé la dignité, elle en a élargi l'horizon, elle en a enrichi la substance. Ainsi qu'on l'a très bien dit, elle l'a dotée du sentiment de l'art. Qu'une telle révolution ne se soit point réalisée sans quelques excès et sans quelques injustices, il n'en pouvait guère être autrement. Les injustices réparées et les excès réprimés, il est demeuré le profit, et ce profit a été grand pour les lettres françaises. Malherbe, qui arrive, contestera le mérite de l'école de Ronsard, et celui de Ronsard lui-même, mais si Malherbe est destiné à devenir un grand poète, il le devra pour une part au fait qu'il arrive après le passage de Ronsard, qu'il ne surpassera pas et que même il n'égalera pas. Si Malherbe, de ses mains savantes, édifie un jour la doctrine classique, il le fera en mettant en ordre, après les avoir çà et là retaillées, les pierres, un peu brutes encore, que l'équipe de la Pléiade et principalement son chef laborieux ont rassemblées sur le chantier.

Nous avons réuni dans ces deux volumes, à côté des extraits de l'œuvre des poètes principaux, quelques pages des poètes secondaires, et des morceaux même de poètes d'un ordre inférieur.

Notre souci a été de donner un résumé, aussi exact et aussi varié qu'il nous a été possible, de la production poétique, si mélangée et si inégale, du xvie siècle. Nous n'avons, bien entendu, pas admis tous les poètes. Ils sont véritablement trop nombreux. Nous espérons, du moins, n'en avoir pas négligé d'essentiels, et, par suite, ce qui est le point important, n'avoir laissé dans l'ombre aucun des aspects de la poésie de cette époque. En groupant ces textes choisis, destinés à des lecteurs plus curieux de la pensée de nos poètes qu'attentifs à la forme littérale de leurs écrits, nous avons, afin d'en rendre la lecture plus facile, pris le parti de substituer l'orthographe actuelle à celle, incertaine et diverse, du xvie siècle.

ANTHOLOGIE POÉTIQUE FRANÇAISE
XVIe SIÈCLE
I

LE MAIRE DE BELGES

1473-1525 ?

Jean Le Maire naquit en 1473 à Belges, en Flandre. Il était donc Flamand, et c'est en flamand qu'il parlait et qu'il écrivait; mais il apprit de bonne heure la langue française; il l'aima, il la préféra même à sa langue maternelle et il devint ainsi un écrivain et un poète français. Il fut un poète et un écrivain distingué, le premier en date au XVIe siècle. On connaît peu sa vie. Il fut au service de plusieurs princes : on le trouve d'abord auprès de Pierre de Bourbon, duc de Beaujeu, l'époux d'Anne de Beaujeu, puis auprès de Marguerite d'Autriche, sœur du roi d'Espagne Philippe Ier; puis, en 1513, à la cour de Louis XII, qui le chargea de diverses missions diplomatiques. On ne sait ce qu'il devint après 1515; on ignore à quelle date il mourut, mais il paraît établi qu'il était mort en 1525. Il a laissé des ouvrages en prose et des ouvrages en vers, et, parmi ceux-ci : des éloges funèbres, trois *Contes de Cupido et d'Atropos*, écrits en tercets, et dont nous donnons le premier; un autre conte, l'*Amant vert*, ingénieux et agréable, mais fort long; une églogue : *Le Temple d'honneur et de vertu*, composée « à l'honneur de feu Mgr le duc de Bourbon », dont nous avons détaché la chanson de la bergère Galatée; et des poésies diverses, dont on n'est pas certain qu'elles soient de Jean Le Maire, mais qui lui sont attribuées, et dont fait partie le rondeau *Grande concorde...*

CONTE DE CUPIDO ET D'ATROPOS [1]

Seigneurs, oyez un bien nouveau propos
De Cupido, le Dieu des amourettes,
Et de la Mort qu'on appelle Atropos.

Amour volant par voies indiscrètes
Vint rencontrer la Mort qui aussi vole :
Mais il trouva ses côtes trop durettes.

1. C'est le premier des contes réunis sous ce titre.

Se dit ainsi : « O vieille aveugle et folle,
Voir ne te puis, car j'ai les yeux bandés,
Dont en heurtant contre toi je m'affolle.

— Beau sire Dieu, très mal vous l'entendez,
Répond la Mort, à voix obscure et basse,
J'ai bien affaire et vous me retardez.

— Ton affaire est de mauvais efficace,
Dit Cupido, belle dame, allons boire.
Pas n'est besoin que toujours mal on fasse.

— Et tu fais bien pis que moi qui suis noire,
Dit Atropos : car tu fais gens languir,
En leur ôtant le sens et la mémoire.

— Et tu les fais en la terre gésir
En grand'douleur, répond le fol enfant,
Je les fais vivre en un joyeux désir.

Chacun m'adore et suis Dieu triomphant :
Mais tout chacun te fuit comme le diable,
Tu es trop froide et je suis échauffant.

— Tu es un grand seigneur, et fort notable,
Dit Atropos : or sus, soyons d'accord,
Appointons-nous [1], allons nous mettre à table.

— Qui jà [2] dirait autrement aurait tort,
Dit Cupido, j'ai grand soif, je t'assure,
Tant ai tiré de mon bel arc et fort.

La Mort répond : — Mais moi qui tant labeure [3]
A bersaulder [4] de tous les gens et gentes,
En les tuant jour et nuit à toute heure. »

Lors, en disant les paroles présentes,
Eux deux s'en vont entrer en la taverne,
Sans point laver leurs mains tant innocentes.

La Mort buvait autant qu'une citerne,
Vantant ses faits desquels elle est ouvrière,
Et les moyens dont les humains prosterne [5].

1. Accommodons-nous, entendons-nous.
2. Certes.
3. Travaille (de labeur).
4. De berser ou borser : frapper à coups de flèches.
5. Abat, met à terre.

Et Cupido redressait sa bannière,
Disant comment tant de gens il fait fols,
Et leur fait perdre et maintien et manière.

De tel estrif [1] on buvait à tous coups
Atropos pleige [2], et Cupido s'enivre,
Jà ne feront sinon mauvais écots.

L'hôte en voulait bientôt être délivre,
Mais il ne peut, tant sont-ils hansagers [3].
L'un fait languir, l'autre nous told [4] le vivre.

Or nous gard' Dieu de leurs cruels dangers,
Et plus d'Amour, que de Mort rude et belle,
Je les souhaite aux vilains étrangers.

Mais qu'advint-il en fin de lui et d'elle ?
Le tavernier reçut telle monnaie
Qu'il a Amour et Atropos rebelle.

Tous empennés ainsi que vole une oie,
Ils s'en vont hors puis d'un lez [5], puis de l'autre,
Sans dire adieu, sans tenir bonne voie.

La vieille Mort, qui tout froisse et épautre,
Par grand mécompte eut saisi l'arc d'Amours
Duquel il navre et point Martin et Vautre.

Amour aussi, qui tout fait à rebours,
Cuide happer le sien, prit l'arc de Mort
Et son carquois : voulez-vous plus beaux tours ?

Sans y viser et sans autre record,
Ils vont trouver une presse mondaine
De toutes gens attendant leur dur sort.

Lors Atropos, qui de mal faire peine [6],
De l'arc changé tire flèches sans nombre :
Amour aussi n'épargne nerf ni veine.

1. Querelle, lutte.
2. Cautionne, se porte garant.
3. De hanse : impôt sur l'entrée des marchandises.
4. Nous enlève.
5. Côté.
6. S'efforce de faire du mal.

Là eut un bruit tout plein d'horrible encontre,
Et cris tranchants bien pour fendre une roche :
Mort fait lumière, et Cupido fait ombre.

A chacun coup que Cupido décoche,
Il atteignait de mortelle sagette [1]
Ou homme ou femme, à qui la Mort approche.

Et à tous coups que fausse Atropos jette,
Elle faisait homme ou femme amoureux,
Brûlant en flamme, à Cupido sujette.

Maint beau jeune homme allègre et vigoureux
Y vois-je choir, atteint de mortel dard,
Et maint vieillard d'amours tout langoureux.

O quel abus de voir un tel soudart
Servir Amour, et le jeune mourir,
Laissant Vénus et son grand étendart !

Mais quel remède ? on n'y peut secourir,
Ainsi est-on gourmandé en ce monde,
Par deux méchants qui nous font tous périr.

Or vous allez par grand tristeur [2] profonde
Désespérer de leurs fols accidents :
Sage n'est pas qui trop avant s'y fonde.

Mort et Amour sont lourds et imprudents,
Sans raison nulle, et tous deux aveuglés,
Ivrognes tous, et coquars [3] évidents.

Si Mort est biffre [4], et ses faits déréglés,
Si est Amour dangereux et farouche,
Et tous deux sont d'inconstance accomblés.

Mort ne voit goutte, et Cupido est louche :
L'un me menace, à moi l'autre ne conte :
L'un met en terre et l'autre met en couche.

Ainsi, Seigneurs, ai achevé mon conte.

1. Flèche.
2. Tristesse.
3. Fous.
4. Gourmande, gloutonne, sans-gêne.

CHANSON DE GALATHÉE, BERGÈRE

Arbres feuillus, revêtus de verdure,
Quand l'hiver dure on vous voit désolés,
Mais maintenant aucun de vous n'endure
Nulle laidure, ains [1] vous donne nature
Riche peinture et fleurons à tous lez,
Ne vous branlez, ne tremblez, ne croulez,
Soyez mêlés de joie et flourissance :
Zéphire est sus donnant aux fleurs issance.

Gentes bergerettes,
Parlant d'amourettes
Dessous les coudrettes
Jeunes et tendrettes,
Cueillent fleurs jolies :
Framboises, mûrettes,
Pommes et poirettes
Rondes et durettes,
Fleurons et fleurettes
Sans mélancolie.

Sur les préaux [2] de sinople vêtus
Et d'or battu autour des entellettes
De sept couleurs selon les sept vertus
Seront vêtus. Et de joncs non tordus,
Droits et pointus, feront sept corbeillettes ;
Violettes, au nombre des planètes,
Fort honnêtes mettront en rondelet,
Pour faire à Pan un joli chapelet.

Là viendront dryades
Et hamadryades,
Faisant sous feuillades
Ris et réveillades
Avec autres fées.
Là feront naïades
Et les Oréades,
Dessus les herbades,
Aubades, gambades,
De joie échauffées.

1. Mais.
2. Prés.

Quand Aurora, la princesse des fleurs,
Rend la couleur aux boutonceaux barbus,
La nuit s'enfuit avecques ses douleurs;
Ainsi font pleurs, tristesses et malheurs,
Et sont valeurs en vigueur sans abus,
Des prés herbus et des nobles vergiers
Qui sont à Pan et à ses bergiers.

    Chouettes s'enfuient,
    Couleuvres s'étuient [1],
    Cruels loups s'enfuient,
    Pastoureaux les huient [2]
    Et Pan les poursuit.
    Les oiselets bruyent,
    Les cerfs aux bois ruyent [3]
    Les champs s'enjolient [4],
    Tous éléments rient
    Quand Aurora luit.

RONDEAU

Grande concorde et petite avarice,
Cœurs adonnés à louable exercice,
Audace en guerre et en paix équité
Haussèrent Rome en telle autorité
Que tout le monde était pour son service.

    Là fut assis le trône de justice
Faisant si bien envers tous son office
Qu'on n'estimait autre félicité
        Grande.

    Mais quand vertu céda son lieu à vice,
Que ambition et pécune nourrice
De tous maux eut crédit en la cité,
En peu de jours sa ruine a été,
Et le rabat de son los et police,
        Grande.

1. Se cachent, comme si elles se mettaient dans un étui.
2. Huir : semble une forme de huer, se dit du cri de certains oiseaux.
3. De ruir : rugir, bruire, bramer.
4. S'enjolient, s'égaient.

PIERRE GRINGOIRE

1475 ?-1539 ?

Son vrai nom était Pierre Gringore. On ignore la date de sa naissance, que certains biographes placent vers 1460 et d'autres, avec plus de vraisemblance, vers 1475 seulement. On ne sait pas non plus où il naquit, si c'est à Caen, selon l'opinion le plus généralement adoptée, ou, selon une autre opinion, à Vaudémont en Lorraine. Il était en tout cas d'origine normande, sa famille étant établie à Thury, non loin de Caen, depuis le commencement du quinzième siècle. Sa jeunesse, raconte-t-on, fut aventureuse; il courut à la suite des armées françaises jusqu'en Italie. Revenu à Paris, il entra dans la compagnie des *Enfants sans souci*; il y eut le grade de *Mère sotte*, qui semble avoir été le plus important dans la hiérarchie de cette société après celui de *Prince des sots*, et auquel, avant Gringore, on ne connaît pas de titulaire. Il composa pour les *Enfants sans souci* des pièces de théâtre, soties et moralités, dont il jouait lui-même le principal rôle. Nous ne leur avons emprunté aucune citation, hormis la belle et célèbre ballade intitulée : *Le cri du Prince des sots*, qui sert d'introduction à la moralité : *le Jeu du Prince des sots et Mère sotte*. Pierre Gringoire a de la fantaisie, de la verve, du mouvement; il a le sens du comique et si parfois il enfle le ton jusqu'à l'emphase ou le rabaisse jusqu'à la trivialité, il est le plus souvent plein de bon sens et de ferme raison. Sa devise, d'ailleurs, n'était-elle pas : *Tout par raison, raison par tout, partout raison ?* Il était un excellent poète satirique, et il écrivit, à la demande du roi Louis XII, des pamphlets vigoureux contre le pape Jules II. D'esprit chrétien, en dépit de l'apparente frivolité de son titre et de ses fonctions de directeur de théâtre, il a composé aussi de belles poésies religieuses; on en trouvera deux ci-après. Ayant été nommé en 1519 héraut d'armes de la cour de Lorraine, il prit part, à la suite du duc Antoine, à la campagne connue sous le nom de guerre des *Rustauds*. Il y fut blessé d'un coup d'arquebuse. Il revint ensuite à la littérature et sa vie s'écoula, toujours active, tantôt à Paris, tantôt en Lorraine. On ne sait pas quand il mourut; comme pour la date de naissance, les biographes ne sont pas d'accord, les uns le faisant mourir vers 1539, d'autres vers 1545, d'autres encore vers 1559. Il appartient en tout cas, chronologiquement, au XVIe siècle, bien que par ses œuvres il semble devoir être plutôt rangé parmi les poètes du siècle précédent. C'est, dans notre littérature, une figure originale et importante. Pierre Gringoire fut un écrivain très sérieux et très fécond.

DE LA VERTU DE MISÉRICORDE

Miséricorde, qui est si pitoyable,
Ne devrait pas des princes être loin,
Mais aujourd'hui elle a l'épée au poing
Souffrant punir cil [1] qui n'est point coupable.
Elle tire, de façon admirable,
D'un arc turquois et Rigueur s'appareille
De lui souffler paroles en l'oreille ;
Tel vent la fait inane et variable ;
D'autre côté est l'Homme insatiable
Qui fauche tout sans pitié ni merci,
C'est ce qui met tous états en souci.
La bonne dame courtoise et vénérable
Est conduite par gens cruels, dépits [2],
Plus dangereux que serpents ni aspics,
Car ils ne font chose qui soit louable.

BALLADE

Considérez que gens vindicatifs
Qui ne veulent les fautes pardonner,
Sont de péché les enfants nutritifs
Et ne veut Dieu de leur cas ordonner.
Tout homme humain se doit abandonner
A pardonner si on lui quiert [3] merci,
Où jà son cœur ne sera éclairci [4]
Quelque prière que par devers Dieu fasse,
Qui pardonne mérite d'avoir grâce ;
Qui aime amour vit en tous bons accords ;
Et ses méfaits par tel mérite efface,
Car Dieu bénit tous les miséricords.

Les aucuns sont ingrats et déceptifs
Qui ne veulent aucun pardon donner
Et commettent plusieurs maux excessifs
Dont ils ne font souvent cloches sonner.

1. Celui.
2. Dépits : féroces, sans humanité.
3. Demande, requiert.
4. Éclairci : éclairé, illuminé par la grâce, purifié.

Tels gens on voit de leurs sens bétournés [1].
Ils s'éloignent de Dieu faisant ainsi.
Dieu est juste; d'eux il s'éloigne aussi,
Ainsi l'ingrat ingratitude trace,
Fallacieux est trompé par fallace,
Et les haineux sont nourris en discords.
Pardonnons donc pour voir Christ face à face,
Car Dieu bénit tous les miséricords.

Ne soyez point de biens mondains actifs
Qui font âmes en Enfer séjourner.
De soi venger ne faut être hâtifs.
Ne [2] délinquants à merci ramener;
Les obstinés en mal faut détourner,
Leur remontrant la peine et le souci
Que corps pécheur après qu'il est transi
Fait à l'âme que le diable menace
De jour en jour par subtile fallace;
Humains voudraient être de ses consorts;
En pardonnant sa puissance se casse,
Car Dieu bénit tous les miséricords.

Prince, pardon est de grand efficace,
Les pardonnants ont aux saints cieux audace,
Pardon cure les âmes et les corps.
De pardonner n'est requis qu'on se lasse
Car Dieu bénit tous les miséricords.

CHANT ROYAL

Considérez que guerre, l'immortelle,
Par son regard fier les courages tente;
Dissension, héritier de cautelle,
Loge Fureur en pavillon ou tente :
Vengeance sort, laquelle essaye ou tente
De succomber ses ennemis mortels,
Remémorant [3] qu'en guerre sont morts tels
Qui en France portent un grand dommage,

1. Bétourner : Tourner à l'envers, aller à l'encontre.
2. Mais.
3. En vous remémorant.

Mêmes perdu or, argent et alloy [1],
Par défaut de croire en maint passage,
Un Dieu, un Roi, une Foi, une Loi.

Guerre trépigne, et vacille et chancelle;
Sans fin mengue [2], jamais ne se contente;
Aucunes fois machination cèle
L'intention qui dut être patente;
Simulateurs vont par oblique sente;
Fraudulateurs pillent maisons, hôtels;
Biens pris, saisis, ravis, gâtés, ôtés.
Satalites font aux métaux hommage [3];
Haine sonne la campane [4] ou beffroi;
Force ne croit, tant a cruel courage,
Un Dieu, un Roi, une Foi, une Loi.

Trahison bâtit invention nouvelle,
Feignant d'être morne, pensive et lente;
Du premier coup son penser ne révèle,
Plus petite est que ciron ou que lente [5];
Mais fausseté ès cœurs des seigneurs l'ente,
Si très avant qu'enfin en sont notés;
Félonie épand de tous côtés
Glaives tranchants et en fait labouraige [6],
Que discord queult [7] et attribue à soi
Sans redouter, recueillant cet ouvrage,
Un Dieu, un Roi, une Foi, une Loi.

Fortune tient tous humains en tutelle,
Les plus grands fait servir par folle attente.
Vulcanus fond, Mars sans cesser martelle.
Et Midas met leurs ouvrages en vente;

1. « Alloy, c'est, en général, la mesure selon laquelle doivent être mélangés les métaux pour former des monnaies légitimes. Il a pu être pris par Gringoire pour désigner toute chose vraiment et légitimement précieuse. On employait aussi ce mot pour alleu, et il signifierait alors ici propriété. » (Note de l'édition d'Héricault-Montaiglon.)
2. Mange.
3. « Faut-il lire satellites, voulant dire favoris des rois, ou fatalistes, signifiant impies ? Faut-il voir une faute d'impression et tirer ce mot de Satan ? Faut-il le faire venir de σαττω, opprimer, charger comme une bête de somme, et l'appliquer aux cueilleurs des impôts ? » (Note de l'édition d'Héricault-Montaiglon.)
4. Campane : cloche.
5. Œuf de pou.
6. Moisson.
7. Cueille.

Clotho les prend, Lachesis les présente
A Atropos, et sont revisités
Par preux hardis, en la guerre usités,
Qui les livrent à gens de moyenne âge,
Les désirants plus qu'amoureux le Moy [1];
Et ne craignent en soleil ou ombrage,
Un Dieu, un Roi, une Foi, une Loi.

Quand Neptunos met sur mer sa nacelle,
Que Boréas de subit soufflet vente,
Et que Pluto les autres dieux precelle,
Guerre montre sa queue de serpente;
Si Palas n'est pour l'heure diligente
De résister à leurs férocités :
Ils font trembler palais royaux, cités,
En l'air causent frimas, éclair, orage;
Lors les soudards, qui mènent leur arroi,
Ne prisent rien, tant sont remplis de rage,
Un Dieu, un Roi, une Foi, une Loi.

Prins ce, seigneurs, ne soyez irrités
Si peine avez, car vous le méritez :
Tous malfaiteurs se mettent en servage;
Force leur est de recevoir chastoy [2],
Quand s'efforcent dépriser par outrage
Un Dieu, un Roi, une Foi, une Loi.

LE CRI DU PRINCE DES SOTS

Sots lunatiques, sots étourdis, sots sages,
Sots de villes, de châteaux, de villages,
Sots rassotés, sots niais, sots subtils,
Sots amoureux, sots privés, sots sauvages,
Sots vieux, nouveaux et sots de toutes âges,
Sots barbares, étrangers et gentils,
Sots raisonnables, sots pervers, sots rétifs;
Votre Prince, sans nulles intervalles,
Le Mardi gras jouera ses jeux aux Halles.

Sottes dames et sottes damoiselles,
Sottes vieilles, sottes jeunes, nouvelles,

1. Le mai.
2. Châtiment.

Toutes sottes aimant le masculin,
Sottes hardies, couardes, laides, belles,
Sottes frisques, sottes douces, rebelles,
Sottes qui veulent avoir leur picotin,
Sottes trottantes sur pavé, sur chemin,
Sottes rouges, maigres, grasses et pâles ;
Le Mardi gras jouera le Prince aux Halles.

Sots ivrognes aimant les bons lapins,
Sots qui crachent au matin jacopins [1],
Sots qui aiment jeux, tavernes, ébats,
Tous sots jaloux, sots gardant les patins [2],
Sots qui chassent nuit et jour aux congnins [3],
Sots qui aiment à fréquenter le bas,
Sots qui faites aux dames les choux gras,
Advenez-y, sots lavés et sots sales,
Le Mardi gras jouera le Prince aux Halles.

Mère sotte semond [4] toutes ses sottes ;
Ne faillez pas à y venir, bigottes,
Car en secret faites de bonnes chères.
Sottes gaies, délicates, mignottes,
Sottes douces qui rebrassez [5] vos cottes,
Sottes qui êtes aux hommes familières,
Sottes nourrices et sottes chambrières,
Montrer vous faut douces et cordiales,
Le Mardi gras jouera le Prince aux Halles.

Fait et donné, buvant vin à pleins pots,
En recordant la naturelle gamme,
Par le Prince des sots et ses suppôts ;
Ainsi signé d'un pet de prude femme.

CHANT ROYAL SUR LA PASSION

Que l'innocent livrèrent à la mort.

Outrecuidance et fol parler, dépits,
De ses hauts faits à grand tort l'accusèrent,
Ingratitude encore lui fit pis,

1. Gros et gras crachats.
2. Maris complaisants.
3. Congnins ou connins : lapins.
4. Semondre : convier à une réunion.
5. Retroussez.

Et fols conseils à crainte le baillèrent,
Qui le fit battre et ne s'en contentèrent.
Les envieux, plus affamés que chiens,
De le blâmer furent praticiens,
Tant qu'à la fin crainte le fit conduire
Jusqu'au gibet où fit tant faux rapport,
Avec dédain pour eux en mal déduire
Que l'innocent livrèrent à la mort.

Lors tyrannie a gros clous de fer mis
Dedans ses pieds et mains qui sang jetèrent,
Cœur, malice y ont été transmis,
Qui son côté d'aigu glaive entamèrent.
Sa mère et trois Maries lamentèrent,
Les serviteurs à qui fit plusieurs biens
En redoutant les inconvénients
Aux malfaiteurs n'ont osé contredire,
Hasard jeta sur ses vêtements sort
Et gens ingrats firent tant à bref dire
Que l'innocent livrèrent à la mort.

ENVOI

Prions Jésus qui nous a faits de rien
C'est l'innocent que je dis crois et tiens,
Le Rédempteur qu'aux faits cieux place livre
A notre esprit quand de ce monde sort
Accusant Juifs par cœur écrit et livre
Que l'innocent livrèrent à la mort.

HYMNE A LA VIERGE

Dame d'honneur par-dessus les étoiles
Exaltée es très glorieusement,
Allaité as de tes saintes mamelles
Celui qui t'a créé providamment.

Par le fruit que mangea notre grand'mère,
Du lieu de paix fûmes privés jadis
Mais ton saint fruit nous ôte de misère
En nous rendant la joie et paradis.

Tu es la porte où passa le haut roi :
Porte dorée et toute lumineuse
Quand il nous vint tous mettre hors d'émoi :
Toutes gens donc faites chère joyeuse.

Gloire à toi, noble et puissant Seigneur,
De mère né qui est vierge et pucelle,
Au Père aussi, et Saint-Esprit honneur,
Tous trois régnant en la gloire éternelle.

PONT-ALAIS

? - ?

Jean de l'Espine du Pont-Alais, dont la vie est fort peu connue, était un joyeux compagnon, auteur de nombreuses farces et qui était *Prince des sots*, tandis que Pierre Gringoire était *Mère sotte*. La viva-cité de ses satires contre la cour lui causa quelques mésaventures; elle le conduisit même en prison, mais il réussit à s'en évader. Il portait le surnom de Songecreux; c'est de ce surnom qu'il signait ses œuvres littéraires, dont la plus fameuse, intitulée *Contredits de Songecreux*, a été longtemps attribuée à Gringoire. Elle est mêlée de vers et de prose, les parties en prose étant les moins nombreuses et les moins considérables. C'est une œuvre à la fois satirique et morale où l'on trouve, à côté de passages d'une verve grossière, des pages d'une grande fermeté et d'une noble tenue. L'auteur annonce son dessein dans les vers suivants, imprimés au-dessous même du titre de son recueil et avant le nom du libraire :

> Pour éviter les abus de ce monde,
> De Songecreux lisez les contredits;
> Et retenez dessous pensée monde [1],
> Ceux de présent et ceux de temps jadis;
> En ce faisant, par notables édits,
> Pourrez débattre et le pro et contra,
> Et soutenir allègrement bons dits,
> Ce que par eux en voie rencontra.

L'auteur y traite de divers arts : art de forger, art de naviguer en mer, art de chasser et de pêcher; et de divers états : état de draperie, état des bouchers, état de médecine, de marchandise, de mariage, de labour; il traite aussi des pasteurs, des notaires, des gens de guerre, et enfin de l'état civil et politique, de l'état de noblesse et de l'état de cour. C'est, on le voit, une peinture de toute la société. Nous avons emprunté à ce curieux recueil la dernière partie du poème sur l'*état de médecine*, qui contient contre les médecins des satires que l'on a souvent renouvelées depuis et qui, alors même, n'étaient pas nouvelles, et des stances très vives et très heureuses sur le pouvoir de l'argent, extraites du poème : *De l'état de la cour*.

1. Monde ou munde : du latin *mundus*, net, pur.

DES MÉDECINS

Mais encor je ne puis me taire
Que mille et mille gens sont morts
Par médecins. Je me records [1]
De plusieurs qui un mal avaient;
Les médecins leur en donnaient
Cinq ou six en gouvernement;
Encor vient en mon pensement
Que les médecins font entendre
Aux affaiblis qu'il leur faut prendre
Sirops ou autre droguerie;
Mais eux, par leur grand' moquerie,
Si n'ont garde de rien manger.
En après, pour mieux vendanger,
Ils ne quièrent que bosse et peste,
Plaies et coups, guerre et tempête,
Et que chacun ait mal, fors eux,
Afin qu'ils puissent en tous lieux
Saigner sans gain, en tels périls,
Et puis, les subtils espérits [2]
Par donner de leurs potions,
Tiennent les gens en passions.

Pour toujours tirer du malade
Que s'il avait une salade,
Ou s'il s'abstenait à du pain,
En deux jours il serait tout sain,
Là où il est au lit deux mois.
Outre plus, on voit plusieurs fois,
Que toute l'opération
Des médecines et l'action
Du récipé [3] qui les maintiennent
Sont les drogues, lesquelles viennent
D'outre-mer ou de pays loin,
Lesquelles si sont de besoin,
— Ce disent-ils, — pour guérison,
Je vous en dirai la raison.

---

1. Se recorder : se remettre en l'esprit ce qui est à dire ou à faire.
2. Esprits.
3. Ordonnance, formule médicale.

C'est pour ce qu'eux-mêmes la vendent,
Ou il est certain qu'ils amendent
Du vendeur, c'est l'apothicaire,
Qui montre clair à bien retraire
Qu'ils veulent plus leur gain parfaire
Que guérir ou vouloir extraire
Le patient d'infirmité,
Et bref pour la calamité
Des médecins vouloir compter.
Je ne les saurais raconter
En trois jours. Car, premièrement,
Par bien mentir subtilement
Ils disent connaître et savoir
La cause qui fait mal avoir
Qui mussée [1] est dedans le corps.
Ils font ressusciter les morts
Quand ce vient au commencement,
Et puis, quand au deffinement
La mort vient qui brise le col :
Chacun connaît que c'est un fol
Et qu'il ne savait que mentir.

Hélas! vrai dire par consentir
Tant seulement à leurs paroles
Maintes pauvres personnes folles
Sont allées de vie à trépas.
Encore ne vous dis-je pas
Si Dieu et force de nature
Si font guérir la créature;
Ils diront que ce auront-ils fait;
Las! c'est un médecin parfait
Dira l'on et un homme saint;
Il a tant fait de ses deux mains
Qu'en moins de temps que ne disons,
Il a remis en guérison

Thomas Regnault et Jean Bourrée.
Et puis, par leur robe fourrée,
Ceinture dorée et anneaux,
Ils tromperont vaches et veaux,
Et Dieu qui fut mis en la croix;
Si n'avait pas vaillant deux noix

1. Cachée.

Encor voudraient-ils son chapeau
Et si ne sauraient pas un veau
Guérir de rogne ou de la toux;
Que vous en dirai-je trestous [1],
Tuent gens si humainement
Que chacun croit certainement
Qu'ils ne le font point par fallace.
Hélas, vrai Dieu! la grande audace
Et le désir d'avoir argent
Leur fait ainsi tuer la gent,
Encore emportent-ils les gants;
Les larrons, meurtriers et brigands,
Si sont par leurs méfaits pendus.

Mais médecins sont défendus
Quand ils savent notablement
Les gens tuer, tels proprement
Bourreaux ils sont, auxquels je dis
Qu'ils n'iront jà [2] en paradis
Pour guérir les martyrs de Dieu
Pourtant votre raison n'a lieu
Que l'enfant soit fait médecin
Et retenez ceci pour fin.

L'ARGENT

Qui argent a, la guerre il entretient,
Qui argent a, gentilhomme devient,
Qui argent a, chacun lui fait honneur :
         C'est monseigneur;
Qui argent a, les dames il maintient,
Qui argent a, tout bon bruit lui advient,
Qui argent a, c'est du monde le cœur,
         C'est la fleur.
Sur tous vivants c'est cil qui peut et vaut,
Mais aux méchants toujours argent leur fault.

Qui argent a, pour sage homme on le tient,
Qui argent a, tout le monde il contient,

1. Tous.
2. Jamais.

Qui argent a, toujours bruit en vigueur,
                    Sans rigueur;
Qui argent a, ce qu'il lui plaît détient,
Qui argent a, de tous il a faveur;
                    C'est tout heur
D'avoir argent quand jamais ne défaut
Mais aux méchants toujours argent leur fault.

Qui argent a, à tous plaît et revient,
Qui argent a, chacun devers lui vient,
Qui argent a, sur lui n'a point d'erreur,
                    Ni malheur;
Qui argent a, nul son droit ne retient,
Qui argent a, s'il veut, à tous subvient,
Qui argent a, il est clerc et docteur,
                    Et prieur;
S'il a des biens, chacun l'élève haut,
Mais aux méchants toujours argent leur fault.

GERMAIN-COLIN BUCHER

1475 ?-1545 ?

On a peu de renseignements sur ce poète. Les seuls que l'on possède sont fournis par ses œuvres. On y voit qu'il n'eut pas une jeunesse malheureuse, que la lecture de Virgile lui donna le goût de la poésie, mais que, rebuté par les difficultés du labeur poétique, il se détourna des muses pour suivre la divine Vénus. Il fut amoureux d'une belle personne, Angevine comme lui, que dans ses vers il appelle Gilon, et qui demeura insensible à toutes ses prières et à toutes ses instances ; ni douceur ni violence n'y firent rien. Colin Bucher était un homme sincère et franc ; il subit l'exil pour sa fidélité au malheureux duc d'Anjou. Il remplit, à Malte, les fonctions de secrétaire du grand maître de l'ordre de Saint-Jean de Jérusalem. Sa vieillesse fut pénible ; il était pauvre, il souffrait de la goutte, il se voyait délaissé par ses amis, qui le traitaient d'original ; il mourut, dans son pays, pense-t-on, et vers l'année 1545, à l'âge d'environ soixante-dix ans. Il serait donc né vers 1475. Ses poésies sont surtout consacrées à ses amours et à la vie de sa province. Il a de la verve, de l'esprit, et fait songer à Marot, dont il lui arriva — par un sentiment de jalousie peut-être — de critiquer parfois le talent, mais qu'au fond il admirait et dont il fut l'un des défenseurs dans le différend de ce poète contre Sagon.

A LA PLUS BELLE DE MES YEUX : GILON

Devant les dieux de clémence et concorde
Et devant toi, fille non comparable,
De qui mon âme attend miséricorde,
Je fais un vœu solennel et durable.
Que la grand' grâce en ton corps admirable
Ne me fait point poursuivre ta merci,
Non ta beauté sur Hélène exemplable,
Non ta maison, non ta richesse aussi ;
Mais tes vertus sans plus me font transi
Et telle amour en mon cœur ont éprise

Que je n'ai rien, fors [1] toi seule en souci;
Seule tu es que j'honore, aime et prise.
Aime-moi donc : point n'en seras reprise,
Car mon amour vient de bon jugement
Qui conduira l'amoureuse entreprise
Par les secrets de doux allégement.

DÉPIT CONTRE GILON

Après ma mort, je te ferai la guerre,
Et quand mon corps sera remis en terre
J'en soufflerai la cendre sur tes yeux.
Et si mon âme est répétée [2] aux Cieux
Crois sûrement, dame très rigoureuse,
Je t'enverrai flamme si chaleureuse,
De traits à feu flamboyant si très fort,
Que tant vaudrait sentir armes de mort.
Et si je n'ai les droits de bonne vie.
Bien accomplis, je courrai, à l'envie,
Sans distinguer le temps ni la saison,
Comme un garou [3] autour de ta maison.
Toutes les nuits, en ton lit avallée [4],
De moi lutin seras en peur soûlée [5],
Et grèverai incessamment ton corps.
Je te ferai ainsi miséricords
Comme tous à l'amoureuse essence.
Et si je fais en l'air ma pénitence,
Léger irai te nuire et laidenger [6].
Si suis en l'eau, je t'y ferai plonger.
Et si je suis caché entre les nues,
Glaces alors ne seront retenues,
Grêles, éclairs, ni tonnerres aussi,
Je t'en battrai sans grâce ni merci.
Finalement quelque chose que soie,
Je te ferai la guerre en toute voie.
Si rien deviens, de rien te combattrai
Et sur tout rien à te voir m'ébattrai.

1. Sauf.
2. Représentée.
3. Loup-garou.
4. Affalée.
5. Rassasiée, comblée.
6. Lutiner.

Moyen prendrai d'issir [1] de Phlégétonte [2]
Et des palus [3] infernaux d'Achéronte,
Pour te grever comme je l'ai songé.
Et si je n'ai des Parques ce congé,
Ma bonne amour que tu as offensée
Rompra l'Enfer comme toute insensée,
Et s'en ira tes plaisirs étranger,
Car quand vivant je ne me peux venger,
Ni rendre aussi les angoisses semblables
Que tu me fais par rigueurs exécrables,
Mort, te ferai tant de griefs recevoir
Que ce sera grand' pitié de te voir.

REGRET D'UNE BONNE ANGEVINE

En paradis Jésus-Christ prenne l'âme
De cette-ci, qui gît sous cette lame.
Gente de corps fut, et de beau visage,
Tant qu'au penser le cœur triste à vis [4] ai-je,
Aussi à bien tel qui si fort ne l'ame [5].

Saintes et saints! envers Dieu vous réclame
Que fassiez tant pour celle que je clame,
Que de vos biens elle ait part et usage
      En Paradis.

Vivante fut sans reproche et sans blâme,
Tant qu'après mort un chacun la proclame
Perle d'honneur, patron de femme sage.
O Gabriel! qui portas le message [6]
Pour nous sauver, fais place à telle dame
      En Paradis.

ÉPITAPHE D'UN IVROGNE

Ci-dessous gît, or écoutez merveilles,
Le grand meurtrier et tirant de bouteilles,

1. De sortir.
2. Fleuve de l'Enfer.
3. Marais.
4. Visage.
5. Ne l'aime.
6. Allusion à l'Annonciation.

L'anti-Bacchus, le cruel vinicide
Qui ne souffrit verre onques [1] plein ni vide;
Je tais son nom, car il put trop au vin.
Mais il avait en ce l'esprit divin
Qu'en le voyant il altérait les hommes,
Et haïssait lait, cerises et pommes,
Figues, raisins, et tout autre fruitage,
Sinon les noix, châtaignes et fromages;
Il y dolait tant fort le gobelet
Qu'il ne mangeait viande que au salé,
Et ne priait Dieu, les saints ni les anges,
Fors pour avoir glorieuses vendanges.
Par ce moyen, humains, vous pouvez croire
Qu'il n'était né pour vivre, mais pour boire.
Ainsi ne vient à regretter sa vie
Puisqu'elle était au seul vin asservie,
Mais vous ferez à Bacchus oraisons
Qu'il le colloque en ces saintes maisons,
Tout au plus bas de la cave au cellier,
Car oncq ne fut de meilleur bouteillier.

ÉPITAPHE DE SAMBLANÇAY [2]

Jacques de Beaune eut ce haut monument
Par un répons d'Apollon moult [3] subtil :
— Fortune tant t'élèvera, dit-il,
Que tu vivras et mourras hautement.

1. Jamais.
2. Beaulieu de Samblançay, surintendant des finances, convaincu de dilapidation et qui subit le supplice du gibet. Cf. p. 130 l'épigramme de Marot à ce propos.
3. Très.

JEAN BOUCHET

1476-1557 ?

Jean Bouchet naquit le 30 janvier 1476, à Poitiers. Il était encore en bas âge lorsqu'il perdit son père, qui occupait une charge de procureur. Élevé sous la direction de sa mère, il fut un écolier studieux et intelligent. Il fit des progrès rapides, montra un goût très vif pour les lettres et surtout pour la poésie, mais il dut adopter une profession pour vivre, et il embrassa celle même que son père avait exercée. Ses occupations professionnelles ne l'empêchèrent point d'écrire; très érudit, il composa de nombreux ouvrages; dans ses poésies il est souvent prolixe, obscur et ennuyeux, mais tout dans son œuvre ne mérite point le mépris qu'on lui a montré et telles de ses pièces sont à la fois pleines d'esprit et de raison, et adroitement tournées. Grand travailleur, bon bourgeois, père d'une nombreuse famille, Bouchet est volontiers moraliste et même sentencieux. De ses œuvres si nombreuses, nous avons extrait quelques courtes pièces qui montreront, espérons-nous, que, s'il était un petit poète, il ne manquait cependant pas tout à fait de talent. Son dernier ouvrage parut en 1550. On ignore la date exacte de sa mort, que l'on place aux environs de 1557.

RONDEAU

Quand il lui plaît, Fortune fait avoir
Gloire et honneur, richesses et avoir,
Et quelques-uns met au haut de sa roue,
Lesquels soudain fait descendre en la boue,
Tant qu'ils en sont pitoyables à voir.

De patience il se convient pourvoir,
Quand résister on veut à son pouvoir;
Car elle rit, puis soudain fait la mine,
            Quand il lui plaît.

Elle ne peut les humains décevoir
Qui ont le sens rassis et bon savoir;

Car aucun d'eux de ses biens ne se loue,
Bien avertis que la dame s'en joue,
En les baillant, pour après les ravoir,
        Quand il lui plaît.

BALLADE

Quand j'ois parler d'un prince et de sa cour,
Et qu'on me dit : Fréquentez-y, beau sire,
Lors je réponds : Mon argent est trop court,
J'y dépendrais[1], sans cause, miel et cire :
Et qui de cour la hantise désire,
Il n'est qu'un fol, et fût-ce Parceval;
Car on se voit souvent, dont j'ai grand ire,
Très bien monté, puis soudain sans cheval.

Averti suis que tout bien y accourt,
Et que d'argent on y trouve à suffire;
Mais je sais bien qu'il déflue et décourt,
Comme argent vif sur pierre de porphyre.
Argent ne craint son maître déconfire,
Mais s'éjouit d'aller par mont et val,
En le rendant, pour en deuil le confire,
Très bien monté, puis soudain sans cheval.

Celui qui a l'entendement trop lourd
N'y réussit, fors à souffrir martyre,
Et qui l'esprit a trop gai, prompt et gourd,
Il perd son temps; malheur à lui se tire.
Esprit moyen, chevance[2] à lui retire :
Mais le danger est de ruer aval;
Car la cour rend le mignon qu'elle attire
Très bien monté, puis soudain sans cheval.

ENVOI

Prince, vrai est, on ne m'en peut dédire,
Que la cour sert ses gens de bien et mal,
Et qu'elle rend l'homme, sans contredire,
Très bien monté, puis soudain sans cheval.

1. J'y dépenserais.
2. Biens, fortune.

BALLADE

QUAND NOUS AURONS BON TEMPS

Quand justiciers par équité
Sans faveur procès jugeront,
Quand en pure réalité
Les avocats conseilleront,
Quand procureurs ne mentiront,
Et chacun sa foi tiendra,
Quand pauvres gens ne plaideront,
Alors le bon temps reviendra.

Quand prêtres sans iniquité
En l'Église Dieu serviront,
Quand en spiritualité,
Simonie plus ne feront,
Quand bénéfices ils n'auront,
Quand plus ne se déguiseront,
Alors le bon temps reviendra.

Quand ceux qui ont autorité
Leurs sujets plus ne pilleront,
Quand nobles, sans crudélité [1]
Et sans guerre, en paix viveront,
Quand les marchands ne tromperont
Et que le juste on soutiendra,
Quand larrons au gibet iront,
Alors le bon temps reviendra.

Prince, quand les gens s'aimeront
(Je ne sais quand il adviendra)
Et que offenser Dieu douteront,
Alors le bon temps reviendra.

1. Cruauté.

BALLADE

QUAND NOUS AURONS BON TEMPS

Quand jongleurs par cœur(?)
Sans lever phote togeton(?)
Quand en pure réalise
Les avocat conscilleront
Quand procureurs ne mentiront,
Et chacun sa foi tiendra,
Quand pauvres gens ne plaideront,
Alors le bon temps reviendra.

Quand prêtres sans inquiété(?)
En l'Église Dieu serviront,
Quand en spéculante(?)
Simonie plus ne feront,
Quand bénéfice ils n'auront,
Quand plus ne se déguiseront,
Alors le bon temps reviendra.

Quand ceux qui ont autorité
Leurs sujets plus ne pilleront,
Quand nobles, sans cruauté,
Et sans guerre, en paix vivront,
Quand les marchands ne tromperont,
Et que le juste on soutiendra,
Quand larrons au gibet iront,
Alors le bon temps reviendra.

Prince, quand les gens s'aimeront
(Je ne sais quand il adviendra),
Et que ofenser Dieu douteront,
Alors le bon temps reviendra.

MELLIN DE SAINT-GELAIS

1491-1558

Mellin de Saint-Gelais naquit en 1491; on ne sait rien de ses parents, sinon qu'il passait pour le neveu du poète Octavien de Saint-Gelais. Il étudia les langues anciennes et modernes, la philosophie, les sciences et la musique. Il fit aussi ses études de droit, qu'il commença à Poitiers et qu'il continua aux universités de Bologne et de Padoue. Sous le ciel d'Italie, il se tourna vers la poésie. Revenu en France, il devint l'ami intime de Marot. Il était de bonne mine, il avait la repartie prompte, il jouait des instruments à corde; ayant une jolie voix, il chantait; il était galant, mais volage. Il plaisait. Il sut plaire notamment au roi François, dont, dit-on, il corrigeait les vers.

Il se peut que, comme Marot, il ait été séduit un moment par les doctrines de la Réforme, mais les persécutions dont son ami était l'objet l'assaigrent, et non seulement il demeura attaché à la religion catholique, mais, de plus, il entra dans les ordres et devint aumônier du Dauphin. En 1544, il était gardien de la bibliothèque de Fontaine-bleau. En dépit de la gravité de son état et de ses fonctions, il demeu-rait toujours un poète aimable, spirituel, libertin et parfois même obscène. Certaines de ses épigrammes ont ce caractère, mais il savait trouver aussi le trait incisif, car il ne manquait pas de causticité. S'il fut l'ami fidèle et le défenseur de Marot, il eut quelques démêlés avec Ronsard. On a souvent raconté l'humiliation qu'il dut subir un jour à ce propos. Ayant lu dans une réunion, et d'une façon à la faire paraître ridicule, une ode de Ronsard, Mme Marguerite, indignée, prit le livre et la lut à son tour dans le ton qui convenait. Cette scène porta un grand coup à Mellin de Saint-Gelais. Ronsard, à qui il n'avait pas réussi à nuire, ne lui en garda, paraît-il, aucunement ran-cune. Saint-Gelais écrivit encore des vers, mais il en fit de moins en moins. Il mourut en 1558. On a raconté les circonstances de sa mort; elles sont curieuses; au plus fort de sa fièvre, dit-on, il se fit apporter un instrument de musique — l'un dit un luth, l'autre une harpe, mais peu importe — et, d'une voix mourante, il chanta en s'ac-compagnant sur cette harpe ou sur ce luth un poème qu'il venait de composer; épuisé par cet effort, il retomba, on appela les médecins, qui dissertèrent, certains le prétendant mort, d'autres affirmant qu'il vivait encore; alors, ouvrant les yeux, Saint-Gelais dit, avec un dernier sourire : « Je vais vous mettre d'accord », et se tournant vers la ruelle il rendit l'âme. Ce n'est pas une mauvaise façon de mourir pour un homme d'esprit.

D'UN BOUQUET D'ŒILLETS GRIS ET ROUGES

Ces six œillets mêlés en cette guise
Vous sont par moi ce matin envoyés,
Pour vous montrer, par ceux de couleur grise,
Que j'ai du mal plus que vous n'en croyez;
Vous suppliant que vous y pourvoyiez,
Les rouges sont plainte en l'autre moitié,
Non point de vous, mais du Dieu sans pitié
Qui de mon sang prend vie et nourriture;
Et tous ensemble, ayant de leur nature
Brève saison, vous portent ce message
Que la beauté est un bien qui peu dure,
Et que qui l'a la doit mettre en usage.

D'UN CHARLATAN

Un charlatan disait en plein marché
Qu'il montrerait le diable à tout le monde;
Si n'y eût nul, tant fût-il empêché,
Qui ne courût pour voir l'esprit immonde.
Lors une bourse assez large et profonde
Il leur déploie, et leur dit : « Gens de bien,
Ouvrez vos yeux! Voyez! Y a-t-il rien ?
— Non, dit quelqu'un des plus près regardants.
— Et c'est, dit-il, le diable, oyez-vous bien ?
Ouvrir sa bourse et ne voir rien dedans. »

D'UN PRÉSENT DE ROSES

Ces roses-ci par grande nouveauté
Je vous envoie et en est bien raison;
La Rose est fleur qui, sans comparaison,
Sur toutes fleurs a la principauté.

Sur toutes est ainsi votre beauté,
Et comme, en France, à l'arrière-saison
La rose est rose et n'est en grand foison,
Rare est aussi ma grande loyauté.

Doncques vous doit la rose appartenir,
Et le présent et sa signifiance
Mieux que de moi ne vous pouvait venir;

Car comme au froid elle a fait résistance,
J'ai contre envie aussi su maintenir
Mon bon vouloir, ma foi et ma constance.

SONNET

Il n'est point tant de barques à Venise,
D'huîtres à Bourg, de lièvres en Champagne,
D'ours en Savoie et de veaux en Bretagne,
De cygnes blancs le long de la Tamise;

Ni tant d'amours se traitant en l'église,
Ni différends aux peuples d'Allemagne,
Ni tant de gloire à un seigneur d'Espagne,
Ni tant se trouve à la cour de feintise;

Ni tant y a de monstres en l'Afrique,
D'opinions en une République,
Ni de pardons à Rome un jour de fête;

Ni d'avarice aux hommes de pratique,
Ni d'arguments en une Sorbonnique,
Que m'amie a de lunes en la tête.

A UN IMPORTUN

Tu te plains ami grandement
Qu'en mes vers j'aie loué Clément [1],
Et que je n'ai rien dit de toi.
Comment veux-tu que je m'amuse
A louer ni toi ni ta muse ?
Tu le fais cent fois mieux que moi.

1. Cette épigramme, dit M. Blanchemain, paraît dirigée contre la Hueterie.

A CLÉMENT MAROT

ÉTANT TOUS DEUX MALADES

Gloire et regret des poëtes de France,
Clément Marot, ton ami Saint-Gelais
Autant marri de ta longue souffrance
Comme ravi de tes deux chants et lais,
Te fait savoir, par un de ses valets,
Comme en son mal et amour il se porte :
Deux accidents de bien contraire sorte!
Désirant fort tes nouvelles avoir,
En attendant que la personne forte
De l'un de nous puisse l'autre aller voir.

TREIZAIN

Par l'ample mer, loin des ports et arènes
S'en vont nageant les lascives sirènes
En déployant leurs chevelures blondes,
Et de leurs voix plaisantes et sereines,
Les plus hauts mâts et plus basses carènes
Font arrêter aux plus mobiles ondes,
Et souvent perdre en tempêtes profondes;
Ainsi la vie, à nous si délectable,
Comme sirène affectée et muable,
En ses douceurs nous enveloppe et plonge,
Tant que la Mort rompe aviron et câble,
Et puis de nous ne reste qu'une fable,
Un moins que vent, ombre, fumée et songe.

ÉTRENNES

En lieu de mai, de dorure, ou de chaîne
A ce matin premier jour de l'année
Je vous envoie un brin de gui de chêne;
N'êtes-vous pas richement étrennée ?
Cette façon d'en donner n'est pas née
De moi premier : les vieux Druides sages
En présentaient ce jour pour bons présages.

Oh! qu'en ce gui tel signe fût compris
(Puisque le glud [1] se fait de ses feuillages)
Que votre cœur du mien dût être pris!

CHANSONS

I

Quand viendra la clarté
Des amoureuses flammes
Qui mette en liberté
Amants, aussi leurs dames;
Qui leur pleur tourne en ris,
Et jaloux bien marris!

Plût à Dieu qu'il fût dit
Que tous ceux qu'Amour presse
Eussent plus de crédit
Chacun vers sa maîtresse,
Que les fâcheux maris
Et jaloux bien marris!

Et qu'on pût déposer
Un qui tance et maltraite,
Pour celui épouser
Qu'on désire et souhaite :
Nos maux seraient guéris,
Et jaloux bien marris!

Et si quelque obstiné
Disait qu'il en appelle,
Jour lui fût assigné
Par devant la plus belle
Qui soit dedans Paris,
Et jaloux bien marris!

II

Les yeux qui me surent prendre
Sont si doux et rigoureux
Que mon cœur n'ose entreprendre
De s'en montrer langoureux.

1. La glu.

Il se sent mourir pour eux
Et feint d'être sans douleur.
O que celui est heureux
Qui peut dire son malheur !

Le temps, qui tout mal apaise,
Rend le mien plus vigoureux,
Et fait que rien ne me plaise,
Sinon d'être douloureux.
Mon pleur large et plantureux
Nourrit ma flamme et chaleur :
O que celui est heureux
A qui déplaît son malheur !

D'amour je ne me veux plaindre
Ni du sort aventureux ;
Ni la mort je ne puis craindre,
Car j'ai mal plus dangereux.
Un bien me fait malheureux,
Dont j'ai perdu la valeur :
Celui au prix est heureux
Qui n'eut jamais que malheur !

SUR UN DÉJEUNER [1]

Chatelus donne à déjeuner
A six pour moins d'un carolus ;
Et Jaquelot donne à dîner
A dix, pour moins que Chatelus.
Après tels repas dissolus
Chacun s'en va gai et falot :
Qui me perdra chez Chatelus
Ne me cherche chez Jaquelot.

1. D'après La Monnoye, Jaquelot, avocat au Parlement de Paris, se trouva un jour chez l'abbé de Chatelus à un déjeuner succinct parce qu'il avait été impromptu. Il y avait six convives. Jaquelot pria les mêmes personnes à dîner pour le lendemain. Saint-Gelais était du nombre. Mais, comme ce dîner fut plus juste encore que le déjeuner de la veille, le poète fit cette épigramme, qui a été, à tort, attribuée à Des Périers.

JEAN DANIEL

1490 ?- ?

On a composé beaucoup de noëls au XVIe siècle. Parmi les auteurs de ces noëls il faut citer Nicolas Denisot, François Briand et Jean Daniel. Jean Daniel est peu connu. Il fut prêtre, organiste et chapelain de l'église collégiale de Saint-Pierre d'Angers, de 1520 à 1531. En 1531, il se plaint du mauvais état de sa santé. On croit qu'il avait alors environ quarante ans. Il serait donc né vers 1490. On ignore quand et où il mourut. Il a, outre ses noëls, dont un échantillon est donné ci-dessous, composé une pièce funèbre sur le trépas du comte Guy XVI de Laval, baron de Vitré, lieutenant pour le roi et gouverneur de Bretagne, dont il était le protégé.

NOËL

Gentils pasteurs, qui veillez en la prée,
Abandonnez tout amour terrien,
Jésus est né et vous craignez de rien,
Chantez Noël de jour et de vesprée.
Noël!

Laissez agneaux repaître en la contrée,
Gloire est aux cieux pour l'amour de ce bien
Qui porte paix, amour et entretien;
Allez le voir, c'est bonne rencontrée.
Noël!

Or est ému tout le pays de Judée,
Pasteurs y vont, ne demandez combien,
Portant présents et de va et de vient;
Sans celer rien leur bourse fut vidée.
Noël!

La toison d'or qui est emprisonnée
Sera dehors de ce cruel détien

Car Jésus est trop plus nôtre que sien :
Pour la tirer la chose est jà sonnée.
Noël !

Aurora vient que la nuit est finée,
Honnêtement et de très bon maintien
Rompu sera le fier et âpre chien
Portier d'enfer; sa cause est assignée.
Noël !

Prions Jésus qu'à la sainte journée
Ayons de lui tout appui et soutien.
Vierge Marie, il est nôtre, il est tien,
Compose o lui, que paix nous soit donnée.
Noël !

FRANÇOIS BRIAND

? - ?

François Briand est encore un auteur de noëls. Ce personnage, dont la vie est fort peu connue, vivait au Mans, au commencement du seizième siècle; il se dit « maître des écoles de Saint-Benoît du Mans », et, en effet, il avait obtenu du chapitre ladite charge, en 1508. François Briand était clerc; il avait aussi étudié le droit. Outre ses noëls, il a composé une farce; Henri Chardon a donné des éditions de l'un et de l'autre de ces ouvrages. On ignore la date de la naissance et celle de la mort de François Briand. Nous le plaçons, dans ce recueil, à la suite de Jean Daniel, dont il fut le contemporain.

NOËLS

I

Tu sautes comme un naquet [1]
Jenneton quand t'es en cotte,
Corridon est moult friquet
Quand il oit sonner la note,
La pauvre Philippe est torte,
Mais elle va légèrement
Voir l'enfant joyeusement.

Daphnis porta un paquet
De fleurs et une pelote,
Oncques ne fut tel caquet
Que faisait cette cohorte.

1. « Proprement, garçon de jeu de paume et, par suite, homme de peu d'importance. » (Littré.) A aussi le sens de laquais, valet.

L'un d'iceulx [1] l'autre exhorte
Saluer honnêtement
Le haut roi du firmament.

Le plus gentil perruquet
Comme chef l'étendard porte
Je crois qu'avait nom Jaquet,
Aux grands clercs je m'en rapporte.
Chacun un beau don lui porte,
En entrant honorablement,
Chantant nau [2] très hautement.

Onc ne fut dit gaufichet
D'enfant de cœur qui gringote,
Tant plaisant ni tant de het,
Comme disait Guillebote,
Quand arriva à la porte
Là où fut l'enfantement,
Donné pour notre sauvement.

Prince qui fit le conquêt
De nature qui est morte,
Tu fais pour nous bel acquêt,
Dont chacun se réconforte.
S'il te plaît, tiens la main forte
Contre l'aiguillonnement
Du diable et son tentement.

II

Tous les regrets qu'oncques furent au monde
Émoi, souci, ôtez-nous et tristesse,
Voici le jour ou toute joie abonde,
Voici soulas [3], voici toute liesse.

O pastoureaux, chantez en voix profonde,
Harpes et luths, le haut roi de noblesse
Vous saluez, par qui est sorti l'onde
Qui a lavé de péché la rudesse.

1. L'un de ceux-ci.
2. Noël.
3. Joie, plaisir, consolation.

O Baltazar, o ta langue féconde
Or présenta, démontrant la richesse;
Mais maintenant la bonté t'en redonde
Tu étais vieil, tu reviens en jeunesse.

Et toi, Gaspard, o ton mir qui est monde
Bien démontras qu'il soufferait oppresse.
Homme il était, pourquoi raison se fonde
Qu'il est mortel, nonobstant sa hautesse.

Il est décent que chacun don réponde
Selon celui à qui le don s'adresse.
Donc Melchior, qui est roi de Sabonde
Offrit encens, comme roi de sagesse.

Prince des cieux, de volonté profonde,
De cœur contrit, en petite simplesse,
Te supplions que ta bonté confonde
De l'ennemi, l'astuce et la finesse.

MARGUERITE DE NAVARRE

1492-1549

Marguerite de Valois, sœur aînée de François Ier, naquit à Angoulême le 11 avril 1492. Nous ne reviendrons pas sur ce que nous avons dit au cours de notre Introduction de l'importance du rôle littéraire de cette princesse dans le mouvement poétique de la Renaissance et dans l'importation, dans notre littérature, du platonisme, qui en fut, à cette époque, l'un des caractères principaux. Nous avons dit combien elle fut accueillante aux écrivains et de quelle cour de poètes elle sut s'entourer. Poète elle-même, elle a laissé une œuvre poétique considérable, sans parler des contes de *l'Heptaméron*. Elle écrit avec beaucoup d'aisance, elle est sensible; elle est ardente; elle est même spirituelle. Elle a composé des vers d'amour d'une ferveur et d'une émotion dont on jugera par le dernier des morceaux ci-après, lequel est un fragment publié par Roux de Lincy (avec quelques autres pièces), en appendice à son édition de *l'Heptaméron*. Elle a composé avec une ferveur non moins vive des poésies religieuses; nous en donnons quelques-unes, parmi lesquelles le *cantique spirituel* d'un accent si prenant qui commence par le vers : « Je n'ai plus ni père, ni mère »; mais ses poésies les plus touchantes sont celles que lui a inspirées la tendre affection qu'elle portait au roi François Ier son frère, et parmi celles-là la plus touchante de toutes est peut-être celle (que l'on trouvera aussi dans les pages suivantes) où elle exhale en strophes plaintives, un mois après la mort de ce frère bien-aimé, les tristes pensées de son âme. De sa vie nous n'avons rien à rappeler ici, si ce n'est quelques dates, les dates des événements qui firent que celle qui demeura toujours la Marguerite des princesses changea plusieurs fois de titre. Née donc en 1492, elle devint, en 1509, duchesse d'Alençon, par son mariage avec le duc Charles d'Alençon; elle fut veuve en 1525, et en 1527, par son mariage avec Henri de Béarn, roi de Navarre, elle devenait la reine Marguerite de Navarre. C'est sous ce nom surtout qu'elle vivra dans l'histoire des lettres françaises. Elle mourut en 1549.

PENSÉES DE LA REINE DE NAVARRE

ÉTANT DANS SA LITIÈRE DURANT LA MALADIE DU ROI

SUR LE CHANT DE :

Ce qui m'est dû et ordonné.

Si la douleur de mon esprit
Je pouvais montrer par parole
Ou la déclarer par écrit,
Oncques ne fut si triste rôle;
Car le mal qui plus fort m'affole
Je le cache et couvre plus fort;
Pourquoi n'ai rien qui me console,
Fors l'espoir de la douce mort.

Je sais que je ne dois céler
Mon ennui, plus que raisonnable;
Mais si ne saurait mon parler
Atteindre à mon deuil importable[1];
A l'écriture véritable
Défaudrait la force à ma main,
Le taire me serait louable,
S'il ne m'était tant inhumain.

Mes larmes, mes soupirs, mes cris
Dont tant bien je sais la pratique,
Sont mon parler et mes écrits,
Car je n'ai autre rhétorique.
Mais leurs effets à Dieu j'applique
Devant son trône de pitié,
Montrant par raison et réplique
Mon cœur souffrant plein d'amitié.

O Dieu qui les vôtres aimez,
J'adresse à vous seul ma complainte;
Vous qui les amis estimez,
Voyez l'amour que j'ai sans feinte,

1. Non portable, trop lourd pour être supporté.

Où par votre loi suis contrainte,
Et par nature et par raison :
J'appelle chacun saint et sainte,
Pour se joindre à mon oraison.

Las ! celui que vous aimez tant
Est détenu par maladie
Qui rend son peuple et mal content,
Et moi envers vous si hardie
Que j'obtiendrai, quoi que l'on die,
Pour lui très parfaite santé ;
De vous seul ce bien je mendie
Pour rendre chacun contenté.

C'est celui que vous avez oint
A Roi sur nous par votre grâce ;
C'est celui qui a son cœur joint
A vous, quoi qu'il die ou qu'il fasse,
Qui votre foi en toute place
Soutient, laquelle le rend seur [1]
De voir à jamais votre face :
Oyez donc les cris de sa sœur.

Hélas ! c'est votre vrai David,
Qui en vous seul a sa fiance ;
Vous vivez en lui tant qu'il vit,
Car de vous a vraie science ;
Vous régnez en sa conscience,
Vous êtes son Roi et son Dieu.
En autre nul n'a confiance
Ni n'a son cœur en autre lieu.

Pour maladie et pour prison
Pour peine, douleur ou souffrance,
Pour envie ou pour trahison
N'a eu en vous moindre espérance.
Par lui êtes connu en France
Mieux que n'étiez le temps passé :
Il est ennemi d'ignorance,
Son savoir tout autre a passé.

De toutes ses grâces et dons
A vous seul a rendu la gloire,

1. Sûr.

Par quoi les mains à vous tendons
Afin qu'ayez de lui mémoire.
Puisqu'il vous plaît lui faire boire
Votre calice de douleurs,
Donnez à nature victoire
Sur son mal, et notre malheur.

O grand médecin tout-puissant,
Redonnez-lui santé parfaite,
Et des ans vivre jusqu'à cent,
Et à son cœur ce qu'il souhaite :
Lors sera la joie refaite
Que douleur brise dans nos cœurs ;
Dont louange vous sera faite
De femmes, enfants et serviteurs.

Par Jésus-Christ notre sauveur,
En ce temps de sa mort cruelle,
Seigneur, j'attends votre faveur
Pour en avoir bonne nouvelle.
J'en suis loin, dont j'ai douleur telle
Que nul ne la peut estimer.
O que la lettre sera belle
Qui le pourra sain affermer !

Le désir du bien que j'attends
Me donne de travail matière ;
Une heure me dure cent ans,
Et me semble que ma litière
Ne bouge, ou retourne en arrière ;
Tant j'ai de m'avancer désir.
O qu'elle est longue la carrière
Où à la fin gît mon plaisir !

Je regarde de tous côtés
Pour voir s'il arrive personne,
Priant sans cesse, n'en doutez,
Dieu que santé à mon Roi donne.
Quand nul ne vois, l'œil abandonne
A pleurer ; puis, sur le papier,
Un peu de ma douleur j'ordonne :
Voilà mon douloureux métier.

O qu'il sera le bienvenu
Celui qui, frappant à ma porte,

Dira : le Roi est revenu
En sa santé très bonne et forte!
Alors sa sœur plus mal que morte
Courra baiser le messager
Qui telles nouvelles apporte,
Que son frère est hors de danger.

Avancez-vous, homme et chevaux,
Assurez-moi, je vous supplie,
Que notre Roi pour ses grands maux
A reçu santé accomplie.
Lors serai de joie remplie.
Las! Seigneur Dieu éveillez-vous,
Et votre œil sa douceur déplie,
Sauvant votre Christ et nous tous!

Sauvez, Seigneur, Royaume et Roi,
Et ceux qui vivent en sa vie!
Voyez son espoir et sa foi,
Qui à la sauver vous convie.
Son cœur, son désir, son envie,
A toujours offert à vos yeux;
Rendez notre joie assouvie
Le nous donnant sain et joyeux.

Vous le voulez et le pouvez :
Ainsi mon Dieu à vous m'adresse;
Car le moyen vous seul savez
De m'ôter hors de la détresse
De peur de pis, qui tant me presse,
Que je ne sais là où j'en suis;
Changez en joie ma tristesse,
Las! hâtez-vous car plus n'en puis!

AUTRES PENSÉES

FAITES UN MOIS APRÈS LA MORT DU ROI

SUR LE CHANT DE :

Jouissance vous donnerai.

Las! tant malheureuse je suis,
Que mon malheur dire ne puis,

Sinon qu'il est sans espérance :
Désespoir est déjà à l'huis
Pour me jeter au fond du puits
Où n'a d'en saillir apparence.

Tant de larmes jettent mes yeux
Qu'ils ne voient terre ni cieux,
Telle est de leur pleur abondance.
Ma bouche se plaint en tous lieux,
De mon cœur ne peut saillir mieux
Que soupirs sans nulle allégeance.

Tristesse par ses grands efforts
A rendu si faible mon corps
Qu'il n'a ni vertu ni puissance.
Il est semblable à l'un des morts,
Tant que le voyant par dehors,
L'on perd de lui la connaissance.

Je n'ai plus que la triste voix
De laquelle crier m'en vois,
En lamentant la dure absence.
Las ! de celui pour qui vivais
Que de si bon cœur je voyais,
J'ai perdu l'heureuse présence !

Sûre je suis que son esprit
Règne avec son chef Jésus-Christ,
Contemplant la divine essence.
Combien que son corps soit prescrit,
Les promesses du saint Écrit
Le font vivre au ciel sans doutance.

Tandis qu'il était sain et fort,
La foi était son réconfort,
Son Dieu possédait par créance.
En cette foi vive il est mort,
Qui l'a conduit au très sûr port,
Où il a de Dieu jouissance.

Mais, hélas ! mon corps est banni
Du sien auquel il fut uni
Depuis le temps de notre enfance !
Mon espoir aussi est puni,
Quand il se trouve dégarni
Du sien plein de toute science.

Esprit et corps de deuil sont pleins,
Tant qu'ils sont convertis en plains;
Seul pleurer est ma contenance.
Je crie par bois et par plains,
Au ciel et terre me complains,
A rien fors à mon deuil ne pense.

Mort, qui m'a fait si mauvais tour
D'abattre ma force et ma tour,
Tout mon refuge et ma défense,
N'as su ruiner mon amour
Que je sens croître nuit et jour,
Qui ma douleur croît et avance.

Mon mal ne se peut révéler,
Et m'est si dur à l'avaler,
Que j'en perds toute patience.
Il ne m'en faut donc plus parler,
Mais penser de bientôt aller,
Où Dieu l'a mis par sa clémence.

O Mort, qui le frère a dompté,
Viens donc par ta grande bonté
Transpercer la sœur de ta lance.
Mon deuil par toi soit surmonté;
Car quand j'ai bien le tout compté,
Combattre te veux à outrance.

Viens doncques, ne retarde pas,
Mais cours la poste à bien grands pas,
Je t'envoie ma défiance.
Puisque mon frère est en tes lacs,
Prends-moi, afin qu'un seul soulas
Donne à tous deux éjouissance.

CANTIQUES SPIRITUELS

I

Je n'ai plus ni père, ni mère,
Ni sœur, ni frère
Sinon Dieu seul auquel j'espère,
Qui sur le ciel et terre impère [1];

1. Règne, commande.

Là-haut, là-bas,
Tout par compas;
Compère, commère,
Voici vie prospère.

Je suis amoureux non en ville,
Ni en maison, ni en château,
Ce n'est de femme ni de fille
Mais du seul bon, puissant et beau :
        C'est mon Sauveur
        Qui est vainqueur
De péché, mal, peine et douleur;
Et a ravi à soi mon cœur.
                Je n'ai plus, *etc.*

J'ai mis du tout en oubliance
Le monde et parents et amis,
Biens et honneurs en abondance,
Et les tiens pour mes ennemis.
        Fi de tels biens,
        Dont les liens
Par Jésus-Christ sont mis à rien,
A fin que nous soyons des siens.
                Je n'ai plus, *etc.*

Je parle, je ris et je chante
Sans avoir souci ni tourment,
Amis et ennemis je hante,
Trouvant partout contentement :
        Car par la Foi
        En tous je voi
Leur vie, qui est, je le croi,
Tout en Tout, mon Dieu et mon Roi.
                Je n'ai plus, *etc.*

Or puis donc que Dieu est leur vie,
Et que je le crois Tout en tous,
Il est mon ami et m'amie,
Père, Mère, Frère et Époux;
        C'est mon espoir
        Mon sûr savoir;
Mon Être, ma force, pouvoir,
Qui m'a sauvé par son vouloir.
                Je n'ai plus, *etc.*

Las ! que faut-il plus à mon âme
Qui est tirée en si bon lieu,
Sinon se laisser en la flamme
Brûler de cette amour de Dieu ?
       Et en brûlant,
       Le consolant
D'amour, qui rend le cœur volant,
Et sans fin la bouche parlant,
          Je n'ai plus, *etc.*

Amis contemplez quelle joie
J'ai, étant délivre de moi,
Et remis en la sûre voie
Hors des ténèbres de la Loi.
       Ce réconfort
       Est si très fort,
Que rien plus ne désire, au fort
Qu'être uni à lui par ma Mort.
          Je n'ai plus, *etc.*

II

Penser en la passion
      De Jésus-Christ,
C'est la consolation
      De mon esprit.

Seigneur quand viendra le jour
      Tant désiré,
Quand je serai par amour
      A vous tiré,
Et que l'union sera
      Telle entre nous
Que l'épouse on nommera
      Comme l'époux ?
          Penser, *etc.*

Ce jour de noces, Seigneur,
      Me tarde tant,
Que de nul bien ni d'honneur
      Ne suis content;
Du monde ne puis avoir
      Plaisir ni bien :

Si je ne vous y puis voir,
          Las ! je n'ai rien.
                    Penser, *etc.*

Si de votre bouche puis
          Être baisé,
Je serai de tous ennuis
          Bien apaisé.
Baisez-moi, accolez-moi,
          Mon Tout en tous,
Unissez-moi par la Foi
          Du tout à vous.
                    Penser, *etc.*

Essuyez des tristes yeux
          Le long gémir,
Et me donnez pour le mieux
          Un doux dormir.
Car d'ouïr incessamment
          Vos saints propos,
C'est parfait contentement
          Et sûr repos.
                    Penser, *etc.*

RONDEAU

  Mon seul Sauveur, que vous pourrais-je dire ?
Vous connaissez tout ce que je désire ;
Rien n'est caché devant votre savoir ;
Le plus profond du cœur vous pouvez voir :
Par quoi à vous seulement je soupire.

  Je n'ai espoir en roi, roc ni empire,
Si non en vous ; le demeurant m'empire ;
Car je vous tiens Dieu ayant tout pouvoir,
          Mon seul Sauveur.

  Et si à vous, par vous, je ne me tire,
Rien je ne sais qui m'éloigne ou retire,
Hors de ça bas meurt corps, pensée, vouloir.
Doncques, daignez à votre œuvre pourvoir,
Que sauvée soit, par votre grand martyre :
          Mon seul Sauveur.

ÉPÎTRE

Si Dieu m'a Christ pour chef donné,
Faut-il que je serve autre maître ?
S'il m'a le pain vif ordonné,
Faut-il du pain de mort repaître ?
S'il me veut sauver par sa dextre,
Faut-il en mon bras me fier ?
S'il est mon salut et mon être,
Point n'en faut d'autre édifier.
S'il est mon seul et sûr espoir,
Faut-il avoir autre espérance ?
S'il est ma force et mon pouvoir
Faut-il prendre ailleurs assurance ?
Et s'il est ma persévérance,
Faut-il louer ma fermeté ?
Et pour une belle apparence,
Faut-il laisser la sûreté ?
Si ma vie est en Jésus-Christ,
Faut-il la croire en cette cendre ?
S'il m'a donné son saint écrit,
Faut-il autre doctrine prendre ?
Si tel maître me daigne apprendre,
Faut-il à autre école aller ?
S'il me fait son vouloir entendre,
Faut-il par crainte le celer ?
Si Dieu me nomme son enfant,
Faut-il craindre à l'appeler père ?
Si le monde le me défend,
Faut-il qu'à son mal j'obtempère ?
Si son esprit en moi opère,
Faut-il mon courage estimer ?
Non, mais Dieu, qui partout impère [1],
Faut en tout voir, craindre et aimer.

ORPHEUS

Si grande est l'harmonie et telle est la douleur
De ma Lyre accordante à ma voix très parfaite,
Que de tout ce qu'on voit je semble possesseur,
Mais, ayant tout, n'ai rien de ce que je souhaite.

1. Gouverne, règne.

DIZAINS

I

J'aime une amie entièrement parfaite
Tant que j'en sens satisfait mon désir.
Nature l'a, quant à la beauté, faite
Pour à tout œil donner parfait plaisir;
Grâce y a fait son chef-d'œuvre à loisir,
Et les vertus y ont mis leur pouvoir,
Tant que l'ouïr, la hanter et la voir
Sont sûrs témoins de sa perfection :
Un mal y a, c'est qu'elle peut avoir
En corps parfait cœur sans affection.

II

Plus j'ai d'amour plus j'ai de fâcherie,
Car je n'en vois nulle autre réciproque;
Plus je me tais et plus je suis marrie,
Car ma mémoire, en pensant, me révoque
Tous mes ennuis, dont souvent je me moque
Devant chacun, pour montrer mon bon sens;
A mon malheur moi-même me consens,
En le célant, par quoi donc je conclus
Que, pour ôter la douleur que je sens,
Je parlerai mais je n'aimerai plus.

ONZAIN

Le temps est bref et ma volonté grande,
Qui ne me veut permettre le penser;
Ma passion me contraint et commande,
Selon le temps, le parler compenser.
Jusques ici j'ai craint de m'avancer,
En attendant un temps de long loisir,
Mais il n'est pas en moi de le choisir;
Par quoi du peu faut que mon profit fasse :
En peu de mots vous dirai mon désir,
C'est que je n'ai volonté ni plaisir
Que d'être sûr de votre bonne grâce.

RÉPONSE A CLÉMENT MAROT

POUR HÉLÈNE DE TOURNON [1]

Si ceux à qui devez, comme vous dites,
Vous connaissaient comme je vous connais,
Quitte seriez des dettes que vous fîtes,
Le temps passé, tant grandes que petites,
En leur payant un dizain toutefois
Tel que le vôtre qui vaut mieux mille fois
Que l'argent dû par vous, en conscience;
Car estimer on peut l'argent au poids,
Mais on ne peut, — et j'en donne ma voix, —
Assez priser votre belle science.

FRAGMENT

O prompt à croire et tardif à savoir
Le vrai, qui tant clairement se peut voir,
A votre cœur reçu telle pensée
Qu'à tout jamais j'en demeure offensée ?
Est-il entré dans votre entendement,
Que dans mon cœur y ait un autre amant ?
Hélas ! mon Dieu, avez-vous bien pu croire
Qu'autre que vous puisse être en ma mémoire ?
Est-il possible ? A mensonge crédit
En votre endroit, ainsi que l'avez dit ?
Pouvez-vous bien le croire et le celer
Sans m'en vouloir de m'en ouïr parler ?
Mais voulez-vous, avant ouïr, juger
Innocent cœur, très facile à purger ?
Estimez-vous le cœur méchant et lâche,
Qui envers vous n'en eut oncq nulle tâche ?
Vous le croyez; ainsi croyez le doncques;
Croyez de moi le mal qui n'y fut oncques,
Croyez de moi, contre la vérité,
Tout le rebours de ce que ai mérité,
Jà n'en sera mon visage confus,
Car je sais bien quelle je suis et fus.

1. On lira pp. 131-132 l'épigramme de Marot à laquelle ces vers répondent et la réponse de Marot à ces vers.

En votre endroit, et hiver et été
Et quel aussi m'êtes et avez été.
J'ai le cœur net, et la tête levée,
Pleine d'amour très ferme et éprouvée.
Je puis aller, mais sus tout ne refuse
De mon bon droit faire jamais excuse.
Pensez de moi ce qu'il vous plaît penser;
Je ne vous veux courroucer ne offenser,
Puisque voulez notre amitié parfaite
Être soudain par soupçon [1] défaite.
C'est doncques vous, de cruelle nature,
Qui, sans propos, en faites la rupture.
Vous le voulez; garder ne vous en puis,
Bien que du tout en l'extrémité suis.
De désespoir, voyant mon innocence,
Ma vraie amour avoir pour récompense.
Un tel adieu, par lequel m'accusez,
Du méchant cas dont assez vous usez :
C'est d'en aimer un autre avecques vous.
Il n'est pas vrai, je le dis devant tous,
Et Dieu, qui voit le profond de mon cœur
Prends à témoin, lui priant que vainqueur
Par vérité soit de cette mensonge,
Qui en soi n'a force non plus qu'un songe.
Je lui remets mon droit entre les mains,
Lui suppliant que à vous, ami, au moins
Avant ma mort fasse voir clairement
Comme vous seul j'ai aimé fermement.
Il le vous peut dedans le cœur écrire,
Mais mon ennui ne me permet le dire;
Porter le veux, le mieux que je pourrai;
Si je ne puis par regret je mourrai.

1. Soupçon.

ANTOINE HEROËT

1492 ?-1568

Antoine Heroët naquit à Paris, on ne sait pas en quelle année, mais on pense que ce fut en 1492. Il était d'une ancienne et illustre famille, et, probablement à la mort de son père, il prit de quelque fief paternel le nom de La Maison-Neuve. Il fit ses études à Paris; il apprit le latin, peut-être le grec; il étudia la philosophie et surtout Platon. Il devint écrivain. Il eut des attaches avec le cercle littéraire lyonnais et fut pensionné par Marguerite de Navarre; nous avons dit, dans notre Introduction, dans quelles circonstances il composa son œuvre principale, *la Parfaite Amie*, dont le succès fut si considérable que cet ouvrage eut plus de vingt éditions. Heroët entra dans les ordres en 1543, et désormais ne composa presque plus de vers. Il fut abbé de Notre-Dame de Cercanceaux; en 1552 il fut nommé évêque de Digne. Il mourut dans cette ville vers la fin de l'année 1568. En dehors de *la Parfaite Amie*, dont nous donnons un fragment tiré du livre III, Heroët traduisit le *Banquet* et l'*Androgyne* et écrivit quelques petites pièces. On en trouvera quatre ci-après.

LA PARFAITE AMIE

(Fragment du livre III)

Mais maintenant achevons de répondre
A ceux qui ont, pour notre amour confondre,
Dit que c'était passion véhémente
Sur la raison de l'homme trop puissante.
Qu'il soit nommé passion, je l'accorde.
Passion est aussi miséricorde,
Et toutefois, pour être ainsi nommée,
Femme qui l'a ne doit être blâmée.
Notre terre est sujette aux passions,
A un millier de perturbations,
Dont y en a de mauvaises et bonnes.

Quand cette-là d'amour vient aux personnes,
Elle est si forte et a telle efficace
Qu'affections toutes autres efface.
Autres pourraient être en extrémité,
Toutes ensemble et d'une infinité
Troubler les sens de l'homme et jugement;
Mais si l'amour y passe seulement,
Il veut régner seul et sans compagnie.
O bon tyran! ô douce tyrannie!
Et, si c'est mal, ô heureuse malice,
Qui ne reçoit avec elle aucun vice!
Il vaut trop mieux à ce doux mal entendre,
Qui seul nous peut de tous autres défendre,
Puisqu'à tous maux notre faiblesse est née,
Qu'en demeurant en simplesse obstinée,
Aux ennemis laisser la porte ouverte
Et nous fâcher avecques notre perte.
Cela me plaît, dira quelque craintive;
Mais s'il me vient de volonté naïve
Désir d'aimer homme ailleurs engagé,
N'aurai-je point le cœur découragé?
N'aurai-je point tourments innumérables[1]?
Y en a-t-il au monde de semblables?
Répondons-lui que toute femme sage
De son amour prend conseil et présage,
Qu'elle s'enquiert à soi-même de soi,
De quelle force et constance est sa foi.
Si un long temps lui pourrait faire injure,
Si de durer obstinément s'assure,
Sonde son cœur; et, s'il est suffisant
De soutenir un fardeau si pesant
Comme est celui de sa persévérance,
Si jamais n'eut désir d'autre accointance,
Si tous les biens venant d'ailleurs refuse,
En s'excusant si un soupir l'accuse,
S'elle se sent si vivement atteinte,
Qu'elle ait ensemble et hardiesse et crainte,
Ne mette point en longueur son affaire;
Je ne vois point par quoi elle diffère.
Ce continu désir et obstiné
Montre l'ami lui être destiné
Qu'il ne pourrait, s'il voulait, s'exempter
De la servir et de la contenter.

1. Innombrables.

Pour vous donner de cela certitude,
Pensez qu'amour vient de similitude
Tant d'espérits que de complexions.
Si j'ai porté fermes affections
A mon ami, pour ce que lui ressemble,
Il faut qu'il ait (au moins il me le semble)
Lui ressemblant, à moi quelque semblance
Qui le contraigne à une bienveillance.
Pareille en lui, comme en moi, je la sens;
Pourrait-il bien entrer en aucun sens,
Que volonté fut d'aucune approchante,
Qui en serait lointaine et différente ?
Certes, nenni. Dames, je vous promets
Qu'il n'adviendra, et il n'advint jamais
Que vrai amour n'ait été réciproque.
Ne craignez point, les fois qu'il vous provoque,
D'entrer en tant horrible et dur service.
Faites à lui de vos cœurs sacrifice,
Laissez-lui en tout le gouvernement,
Et s'il ne fait bien et heureusement
Vivre chacune en ses amours contente,
Ne m'appelez jamais parfaite amante.

ÉPITAPHE DE MARGUERITE DE NAVARRE

Si la mort n'est que séparation
D'âme et de corps, et que la connaissance
De Dieu s'acquiert par élévation
D'esprit, laissant corporelle alliance,
Entre la mort et vie différence
De Marguerite aucune ne peut être,
Sinon que, morte, a parfaite science
De ce que, vive, eût bien voulu connaître.

RONDEAU [1]

Cœur prisonnier, je vous le disais bien,
Qu'en la voyant vous ne seriez plus mien :
Si j'eusse eu lors le sens de vous entendre...

1. Ce rondeau a été attribué aussi à Mellin de Saint-Gelais. M. Prosper Blanchemain l'a imprimé dans les *Œuvres* de ce poète. M. F. Gohin donne de bonnes raisons de le restituer à Heroët.

Moi qui eût pu deviner ni attendre
Qu'un si grand mal advînt d'un si grand bien ?

Puisqu'ainsi est, bienheureux je vous tien
D'être arrêté à si noble lien,
Pourvu aussi qu'elle vous veuille prendre
                Cœur prisonnier.

Mais si vous laisse, aussi ne vous retien,
Et si sais bien qu'ailleurs n'aimerez rien ;
Ainsi mourrez n'ayant à qui vous rendre ;
Dont elle et moi serons trop à reprendre,
Mais elle plus, que plus vous êtes sien,
                Cœur prisonnier.

M'AMIE A SOI...

M'amie à soi non aux autres ressemble :
Car se voyant naturelle beauté,
A tant acquis de chaste loyauté
Qu'en elle sont deux contraires ensemble.
Je crois qu'amour lui-même l'aimera :
Car il la touche et craint de la blesser.
S'il en est pris, je crois qu'il forcera
Elle d'aimer ou moi de la laisser.

CHANSON

Qui la voudra souhaite que je meure ;
Puis, s'il connaît son grand deuil apaisé,
La serve bien ; mais il est mal aisé,
Mort son ami, qu'elle, vive, demeure.

GUILLAUME LE ROUILLÉ

1494 ?-1550 ?

Guillaume Le Rouillé, qui s'intitule Guillaume Le Rouillé d'Alençon, dut naître en cette ville. On pense que ce fut en 1494. On ne sait presque rien de sa vie. Il avait le titre de licencié ès lois, il fut lieutenant-général de Beaumont et de Fresnay, dans le Maine, puis conseiller de l'échiquier d'Alençon. Il est l'auteur de plusieurs ouvrages de jurisprudence et aussi de quelques pièces de vers; elles ne sont ni nombreuses ni importantes; ce sont, en général, des huitains ou des dizains; il faut mettre à part une épître qu'il composa en l'honneur de Marguerite de Navarre, pour sa venue à Alençon, le 25 avril 1544; il suppose que les rossignols du parc d'Alençon souhaitent la bienvenue à leur souveraine. Il les fait parler. C'est une idée gracieuse et ingénieuse et le grave légiste l'a heureusement rendue. Nous donnons un assez long passage de cette pièce, qui, comme le dit Prosper Blanchemain, « semble avoir été fort bien reçue de son temps » car son auteur « l'a répétée non seulement dans les deux éditions » de son *Recueil de l'antique préexcellence de Gaule et des Gaulois...*, « mais encore dans son édition commentée du *Grand Coutumier de Normandie* ». On ignore la date de la mort de Le Rouillé. Il vivait encore en 1550.

ÉPÎTRE

AU NOM DES ROSSIGNOLS DU PARC D'ALENÇON

A LA

REINE DE NAVARRE, DUCHESSE D'ALENÇON

Par cette épître en style rude écrite,
Princesse illustre, ô reine Marguerite,
Puisque plus loin ne t'ont pu convoyer,
Humble salut te veulent envoyer,
Ceux qui pour toi ont dit mainte chanson,
Les rossignols de ton Parc d'Alençon.

O quelle joie! ô quel plaisir nous vint
Quand jusqu'à nous la nouvelle survint
De ta venue en ton Parc, qui peut être
A peu nommé un Paradis terrestre.
Lors ciel et terre, oiseaux, arbres et bêtes,
Pour t'honorer menaient grand'joie et fêtes.
Le ciel fut doux et en température,
Sans offenser aucune créature.
Vesta [1] d'hiver rudement mise nue
Fut revêtue à ta belle venue
D'un beau vert gai, semé épaissement
De toutes fleurs, odorant doucement.
Quant aux oiseaux, chacun se vint vanter
A son pouvoir de doucement chanter.
Nous les premiers, comme c'était raison,
Trop mieux chantants, et sans comparaison,
Avisâmes ensemble de pourvoir
A notre fait, pour mieux te recevoir.
Tout consulté fut avisé qu'aux champs
A peine orrois [2] nos mélodieux chants
Pour le grand bruit que lors on démenait
De la grand'joie : et que mieux convenait
Ici t'attendre en accordant les sons
De nos motets et joyeuses chansons,
En dégoisant notre plaisant ramage.
D'une autre part, le bestial sauvage
Sautait, jouait, ayant moult grand désir
A son pouvoir, augmenter ton plaisir.
Quant aux arbres, un chacun se para
De feuille et fleur et bien se prépara :
Nouvelle vint tantôt de ta venue
De quoi la ville en joie fut émue.
Honnêtement chacun se mit avant
Pour t'honorer et aller au-devant.
Lors oyait-on l'artillerie tonner,
Cloches partout à carillon sonner.
Feux sont de joie, et les maisons tendues,
Fleurs et odeurs par les rues épandues.
Dizains, quatrains, épigrammes, distiques,
A ta louange, on met ès voies publiques,
Noël de joie ont crié mille voix,
Dont Écho fit résonance en ce bois.

1. Vesta, non pas déesse du feu, mais déesse de la terre.
2. Entendrais.

Bien semble au peuple et pas n'en est déçu,
Qu'avecques toi un grand bien a reçu.
Droit à l'Église, ainsi qu'était raison,
Voulut aller faire à Dieu oraison.
Les prêtres, lors, *Te Deum* haut chantèrent,
Où les orgues doucement accordèrent.

   A ton retour de l'Église on t'amène
Dedans ton Parc, en ton plaisant domaine.
Entrant tu vis arbres fleuris et verts
Te saluant par beaux carmes [1] et vers.
Telle vertu oncques ne fut donnée
Au divin chêne étant en Dodonée,
Ou a l'ormeau qui fit parler apert
Tespesion, gymnosophiste expert,
Les Dryades, Hamadryades gentes,
Rire on voyait par rimules [2] et fentes,
Des écorces des bois où sont cachées,
Et d'être vues de toi ne sont fâchées,
Muses aussi, et nymphes de Bruyante [3]
Font résonner sa très claire eau courante.
L'air était doux, sans chaleur ou froidure,
Vesta montrait sa robe de verdure
Que le printemps lui a donnée sans feinte
D'herbe menue entrelacée et peinte
De toutes fleurs que l'on pourrait chercher,
Pour te servir de tapis à marcher.
Les biches font sauts, courses et brisées
Quand ont connu que les a avisées,
Les cerfs semblent faire tournois et joutes;
Et les faonneaux gambades, virevoustes [4],
Petits connils [5], courants à la traverse,
Puis çà, puis là, l'un l'autre bouleverse.
Bref chacun fait du mieux dont il s'avise.
Quant aux oiseaux, chacun chante à sa guise,
Du mieux qu'il peut, mélodieusement;
Mais nous, sur tous, harmonieusement,
Notre salette avions lors disposée
A jour et nuit chanter sans reposée,

1. Chants.
2. Petites fentes.
3. Le poète veut parler des nymphes de La Briante, rivière qui se jette dans la Sarthe à Alençon.
4. Virevoltes.
5. Lapins.

Tantôt en bien et puis en mieux changer,
Sans avoir soin de dormir ou manger,
Faisant toujours nouveau ton de musique,
De quoi très bien nous savons la pratique
En plusieurs lieux épars, pour être ouïs :
Et que les tiens en fussent réjouis
Avecque toi, ainsi que de ta part,
Du tien leur fais très volontiers départ.
A ton réveil bien nous pouvais ouïr
Par tous moyens, pensant te réjouir,
Et si oiseaux et hôtes font devoir,
Si font les gens comme tu as pu voir.
Car tu as vu (ô dame d'excellence)
Par chacun jour jouer en ta présence
Grands et petits, chacun en son pouvoir,
Dont ta bonté contente est du vouloir.
Suppliant ce qu'ils ne peuvent parfaire
Et qu'envers toi ne pourraient satisfaire.
. . . .

Écrit au Parc, pour ton esprit ébattre,
L'an quinze cent quarante avecques quatre,
Le jour saint Marc en avril gracieux,
Tes Rossignols, de te voir soucieux.

FRANÇOIS Iᵉʳ

1494-1547

Non seulement François Iᵉʳ, qui mérita le surnom de *Père des lettres*, fut le protecteur des artistes, des écrivains et des poètes, mais il fut poète lui-même. Il a écrit, pendant sa captivité en Espagne et après, des épîtres, des ballades, des rondeaux, dont une partie, si elle présente un réel intérêt historique, n'offre pas un grand attrait littéraire ; dans ses longues épîtres il est souvent ennuyeux, mais dans ses rondeaux et ses ballades, et particulièrement dans celle qui commence par le vers :

> Étant seulet auprès d'une fenêtre

il a fort joliment exprimé ses sentiments d'amour. Les pièces ci-après sont extraites du recueil de ses poésies publiées par M. Champollion-Figeac, qui les a ainsi tirées de l'oubli où elles étaient ensevelies depuis la mort de leur auteur.

BALLADES

I

Triste penser, en prison trop obscure,
L'honneur, le soin, le devoir et la cure
Que je soutiens des malheureux soudards,
Devant mes yeux desquels j'ai la figure,
Qui par raison et aussi par nature
Devaient mourir entre piques et dards,
Plutôt que voir fuir leurs étendards,
Quand de te voir j'ai perdu l'espérance.
Me font perdre de raison l'attrempance [1].

1. La mesure, la modération.

Toujours Amour par fermeté procure
Qu'à désespoir point ne fasse ouverture;
Mais tous malheurs viennent de tant de parts
Qu'ils me rendent indigne créature,
Tant que d'erreur à mon chef fais ceinture.
Ces yeux baignés vers toi font les regards,
Ne faisant plus contre ennui les remparts;
Si n'est avoir ton nom en révérence,
Quand de te voir j'ai perdu l'espérance.

Mais je ne sais pourquoi tourna l'augure
En mal sur moi : car ma progéniture
Eut tant de bien, qu'en tous lieux fut épars.
Plaisir pour deuil était lors leur vêture;
Plaisante et douce y semblait nourriture
De leurs sujets gardant brebis ès parcs,
Toujours battirent lions et léopards;
Mais j'ai grand'peur n'avoir tel heur en France,
Quand de te voir j'ai perdu l'espérance.

Oh! grande Amour, éternel, sans rompture [1],
Dont l'infini est juste la mesure,
Dis-moi, perdrai-je à jamais ta présence ?
Donc, brief verras sur moi la sépulture :
L'esprit à toi, pour le corps pourriture,
Quand de te voir j'ai perdu l'espérance.

II

Étant seulet auprès d'une fenêtre,
Par un matin comme le jour poignait,
Je regardais Aurore à main senestre
Qui à Phébus le chemin enseignait.
Et, d'autre part, ma mie qui peignait
Son chef doré; et vis ses luisants yeux,
Dont me jeta un trait si gracieux
Qu'à haute voix je fus contraint de dire :
« Dieux immortels, rentrez dedans vos cieux,
Car la beauté de Ceste vous empire ».

Comme Phébé quand ce bas lieu terrestre
Par sa clarté la nuit illuminait,
Toute lueur demeurait en séquestre,

1. Rupture.

Car sa splendeur toutes autres minait ;
Ainsi ma dame en son regard tenait
Tout obscurci le soleil radieux,
Dont, de dépit, lui triste et odieux
Sur les humains lors ne daigna plus luire,
Pourquoi lui dis : « Vous faites pour le mieux,
Car la beauté de Ceste vous empire. »

O que de joie en mon cœur sentis naître,
Quand j'aperçus que Phébus retournait,
Déjà craignant qu'amoureux voulût être,
De la douceur qui mon cœur détenait.
Avais-je tort ? Non, car s'il y venait
Quelque mortel, j'en serais soucieux ;
Devais-je pas doncques craindre les Dieux,
Et d'espérer, pour fuir un tel martyre,
En leur criant : « Retournez en vos cieux,
Car la beauté de Ceste vous empire ? »

Cœur qui bien aime a désir curieux
D'étranger ceux qu'il pense être envieux
De son amour, et qu'il doute lui nuire,
Pourquoi j'ai dit aux Dieux très glorieux :
« Que la beauté de Ceste vous empire ! »

RONDEAU

Malgré moi vis, et en vivant je meurs ;
De jour en jour s'augmentent mes douleurs,
Tant qu'en mourant trop longue m'est la vie.
Le mourir crains et le mourir m'est vie :
Ainsi repose en peines et douleurs !

Fortune m'est trop douce en ses rigueurs,
Et rigoureuse en ses feintes douceurs,
En se montrant gracieuse ennemie
        Malgré moi.

Je suis heureux au fond de mes malheurs,
Et malheureux au plus grand de mes heurs ;
Être ne peut ma pensée assouvie,
Fors qu'à rebours de ce que j'ai envie :
Faisant plaisir de larmes et de pleurs
        Malgré moi.

Plus j'ai de bien, plus ma douleur augmente;
Plus j'ai d'honneur et moins je me contente;
Car un reçu m'en fait cent désirer.
Quand riens je n'ai, de riens ne me lamente,
Mais ayant tout, la crainte me tourmente,
Ou de le perdre ou bien de l'empirer.
Las! je dois bien mon malheur soupirer,
Vu que d'avoir un bien je meurs d'envie,
Qui est ma mort, et je l'estime vie.

HUITAIN

Celle qui fut de beauté si louable
Que pour sa garde elle avait une armée,
A autre plus qu'à vous ne fut semblable
Ni de Pâris, son ami, mieux aimée,
Que de chacun vous êtes estimée;
Mais il y a différence d'un point :
Car à bon droit elle a été blâmée
De trop aimer et vous de n'aimer point.

CLÉMENT MAROT

1497 ?-1544

Nous ne donnerons pas de longs détails sur Clément Marot. Nous avons, dans notre Introduction, parlé de ses œuvres et de son importance dans l'histoire de notre poésie. Sa biographie a été souvent écrite et on la trouve dans tous les manuels d'histoire littéraire. Nous en rappellerons seulement les dates principales. Clément Marot, fils du poète Jean Marot de Caen, naquit en 1496 ou 1497, à Cahors. Il étudia sous la direction de son père, et il avait une dizaine d'années quand celui-ci l'amena à Paris. Il fut clerc de basoche, puis page au service de messire Nicolas de Neuville, seigneur de Villeroi; en 1513 il entra comme valet de chambre au service de Marguerite de Valois, duchesse d'Alençon et sœur de François Ier. Il fit la campagne de 1521 sous les ordres du duc d'Alençon, et celle de 1524 en Italie, où il fut blessé à la bataille de Pavie. Rentré en France et accusé d'hérésie, il fut emprisonné; libéré en 1526, il perdit son père et obtint de le remplacer dans l'office de valet de chambre du roi; emprisonné une deuxième fois parce qu'il avait fait échapper un prisonnier, que des archers conduisaient, il sollicita sa grâce et l'obtint; peut-être cette équipée lui coûta-t-elle son titre; puis il se rendit à Nérac auprès de la princesse Marguerite qui, devenue veuve, avait épousé le roi de Navarre. En 1535, il se trouvait à Blois avec la cour; inquiété de nouveau comme suspect d'hérésie, il s'éloigna, d'abord en Béarn, puis à Ferrare, enfin à Venise; c'est pendant son exil qu'il fut attaqué par Sagon et que commença le fameux différend dont nous avons parlé et qui divisa en deux camps les poètes de l'époque. Marot rentra en France en 1536, après avoir abjuré le calvinisme. Il retrouva la faveur de François Ier et jouit d'une grande renommée littéraire; mais, en 1543, la Sorbonne censura la traduction qu'il avait faite des *Psaumes;* chat échaudé, dit-on, craint l'eau froide; par crainte peut-être, peut-être par lassitude, Marot se rendit à Genève; dans cette cité austère, ses façons de vivre firent scandale; il dut fuir de cette ville et se réfugia à Turin, où il mourut « pauvre et obscur » en 1544. Nous donnons un certain nombre de pièces de lui de genres divers; s'il sut écrire de tendres chansons, il fut surtout un satirique et un épigrammatiste à la plume acérée, ainsi qu'on le verra, et, partant, un polémiste redoutable.

ÉPÎTRES

I

A SON AMI LYON

Je ne t'écris de l'amour vaine et folle :
Tu vois assez s'elle sert ou affolle;
Je ne t'écris ni d'armes, ni de guerre :
Tu vois qui peut bien ou mal y acquerre;
Je ne t'écris de fortune puissante :
Tu vois assez s'elle est ferme ou glissante;
Je ne t'écris d'abus trop abusant :
Tu en sais prou et si n'en vas usant;
Je ne t'écris de Dieu ni sa puissance :
C'est à lui seul t'en donner connaissance;
Je ne t'écris des dames de Paris :
Tu en sais plus que leurs propres maris;
Je ne t'écris qui est rude ou affable,
Mais je te veux dire une belle fable,
C'est à savoir du lion et du rat.

Cettui lion, plus fort qu'un vieux verrat,
Vit une fois que le rat ne savait
Sortir d'un lieu, pour autant qu'il avait
Mangé le lard et la chair toute crue;
Mais ce lion (qui jamais ne fut grue)
Trouva moyen et manière et matière,
D'ongles et dents, de rompre la ratière,
Dont maître rat échappe vitement,
Puis met à terre un genou gentement,
Et en ôtant son bonnet de la tête,
A mercié mille fois la grand'bête,
Jurant le Dieu des souris et des rats
Qu'il lui rendrait. Maintenant tu verras
Le bon du compte. Il advint d'aventure
Que le lion, pour chercher sa pâture,
Saillit dehors sa caverne et son siège,
Dont (par malheur) se trouva pris au piège,
Et fut lié contre un ferme poteau.

Adonc le rat, sans serpe ni couteau,
Y arriva joyeux et esbaudi,
Et du lion (pour vrai) ne s'est gaudi,

Mais dépita chats, chattes, et chatons
Et prisa fort rats, rates et ratons,
Dont il avait trouvé temps favorable
Pour secourir le lion secourable,
Auquel a dit : « Tais-toi, lion lié,
Par moi seras maintenant délié :
Tu le vaux bien, car le cœur joli as;
Bien y parut quand tu me délias.
Secouru m'as fort lionneusement;
Or secouru seras rateusement. »

    Lors le lion ses deux grands yeux vertit [1],
Et vers le rat les tourna un petit
En lui disant : « O pauvre verminière
Tu n'as sur toi instrument ni manière,
Tu n'as couteau, serpe ni serpillon,
Qui sût couper corde ni cordillon,
Pour me jeter de cette étroite voie.
Va te cacher, que le chat ne te voie.
— Sire lion, dit le fils de souris,
De ton propos, certes, je me souris :
J'ai des couteaux assez, ne te soucie,
De bel os blanc, plus tranchants qu'une scie;
Leur gaine, c'est ma gencive et ma bouche;
Bien couperont la corde qui te touche.
De si très près, car j'y mettrai bon ordre. »

    Lors sire rat va commencer à mordre
Ce gros lien : vrai est qu'il y songea
Assez longtemps; mais il le vous rongea
Souvent, et tant, qu'à la parfin tout rompt,
Et le lion de s'en aller fut prompt,
Disant en soi : « Nul plaisir, en effet,
Ne se perd point quelque part où soit fait. »
Voilà le conte en termes rimassés :
Il est bien long, mais il est vieil assez,
Témoin Ésope, et plus d'un million.

    Or viens me voir pour faire le lion,
Et je mettrai peine, sens et étude
D'être le rat, exempt d'ingratitude,
J'entends, si Dieu te donne autant d'affaire
Qu'au grand lion, ce qu'il ne veuille faire.

1525.

1. Remua.

II

AU ROI POUR LE DÉLIVRER DE PRISON

Roi des Français, plein de toutes bontés,
Quinze jours a (je les ai bien comptés)
Et dès demain seront justement seize
Que je fus fais confrère au diocèse
De Saint-Merry, en l'église Saint-Prix :
Si vous dirai comment je fus surpris
Et me déplaît qu'il faut que je le die.
Trois grands pendards vinrent à l'étourdie
En ce palais, me dire en désarroi :
« Nous vous faisons prisonnier par le Roy ».
Incontinent qui fut bien étonné ?
Ce fut Marot, plus que s'il eût tonné.
Puis m'ont montré un parchemin écrit
Où n'y avait seul mot de Jésus-Christ :
Il ne parlait tout que de plaiderie,
De conseillers et d'emprisonnerie.
« Vous souvient-il, ce me dirent-ils lors,
Que vous étiez l'autre jour là dehors,
Qu'on secourut un certain prisonnier
Entre nos mains ? » Et moi de le nier :
Car soyez sûr, si j'eusse dit : oui,
Que le plus sourd d'entre eux m'eût bien ouï,
Et d'autre part j'eusse publiquement
Été menteur : car pour quoi et comment
Eussé-je pu un autre recourir,
Quand je n'ai su moi-même secourir ?
Pour faire court je ne sus tant prêcher
Que ces paillards me voulussent lâcher.
Sur mes deux bras ils ont la main posée,
Et m'ont mené ainsi qu'une épousée,
Non pas ainsi, mais plus roide un petit.
Et toutefois j'ai plus grand appétit
De pardonner à leur folle fureur
Qu'à celle-là de mon beau procureur :
Que male mort les deux jambes lui casse!
Il a bien prins de moi une bécasse,
Une perdrix et un levraut aussi;
Et toutefois je suis encore ici,
Encor je crois, si j'en envoyais plus,
Qu'il le prendrait, car ils ont tant de glus

Dedans leurs mains, ces faiseurs de pipée,
Que toute chose où touchent est grippée.
Mais pour venir au point de ma sortie :
Tout doucement j'ai chanté ma partie,
Que nous avons bien accordé ensemble,
Si que n'ai plus affaire, ce me semble,
Sinon à vous. La partie est bien forte;
Mais le droit point, où je me réconforte,
Vous n'entendez procès non plus que moi;
Ne plaidons point : ce n'est que tout émoi.
Je vous en crois, si je vous ai méfait,
Encor posé le cas que l'eusse fait,
Au pis aller n'y cherrait qu'une amende.
Prenez le cas que je vous la demande;
Je prends le cas que vous me la donnez;
Et si plaideurs furent onc étonnés
Mieux que ceux-ci je veux qu'on me délivre,
Et que soudain en ma place on les livre.
Si vous supplie, Sire, mander par lettre
Qu'en liberté vos gens me veuillent mettre;
Et si j'en sors j'espère qu'à grand'peine
M'y reverront si on ne m'y ramène.
Très humblement requérant votre grâce
De pardonner à ma trop grande audace
D'avoir emprins [1] ce sot écrit vous faire,
Et m'excusez si pour le mien affaire
Je ne suis point vers vous allé parler :
Je n'ai pas eu le loisir d'y aller.

1527.

III

AU ROI POUR AVOIR ÉTÉ DÉROBÉ

On dit bien vrai, la mauvaise fortune
Ne vient jamais qu'elle n'en apporte une
Ou deux ou trois avecques elle, Sire,
Votre cœur noble en saurait bien que dire;
Et moi, chétif, qui ne suis Roi ni rien,
L'ai éprouvé, et vous conterai bien
Si vous voulez comment vint la besogne.

1. Entrepris.

J'avais un jour un valet de Gascogne,
Gourmand, ivrogne et assuré menteur,
Pipeur, larron, joueur, blasphémateur,
Sentant la hart de cent pas à la ronde,
Au demeurant, le meilleur fils du monde...
Ce vénérable hillot [1] fut averti
De quelque argent que m'aviez départi,
Et que ma bourse avait grosse apostume;
Si se leva plus tôt que de coutume,
Et me va prendre en tapinois icelle
Puis vous la met très bien sous son aisselle,
Argent et tout, cela se doit entendre,
Et ne crois point que ce fût pour la rendre
Car oncques puis n'en ai ouï parler.
Bref, le vilain ne s'en voulut aller
Pour si petit; mais encore il me happe
Saye [2] et bonnet, chausses, pourpoint et cape;
De mes habits, en effet, il pilla
Tous les plus beaux, et puis s'en habilla
Si justement, qu'à le voir ainsi être
Vous l'eussiez pris, en plein jour, pour son maître.
Finallement, de ma chambre, il s'en va
Droit à l'étable, où deux chevaux trouva;
Laisse le pire, et sur le meilleur monte,
Pique et s'en va. Pour abréger le conte,
Soyez certain qu'au partir du dit lieu
N'oublia rien, fors à me dire adieu.
Ainsi s'en va, chatouilleux de la gorge,
Le dit valet, monté comme un Saint-George,
Et vous laissa monsieur dormir son soûl,
Qui au réveil n'eût su finer d'un sou.
Ce monsieur-là, Sire, c'était moi-même,
Qui, sans mentir, fus au matin bien blême
Quand je me vis sans honnête vêture
Et fort fâché de perdre ma monture;
Mais de l'argent que vous m'aviez donné
Je ne fus point de le perdre étonné;
Car votre argent, très débonnaire Prince,
Sans point de faute est sujet à la pince.
Bientôt après cette fortune-là,
Une autre pire encore se mêla
De m'assaillir, et chaque jour m'assaut
Me menaçant de me donner le saut,

1. Compagnon, drôle, chenapan.
2. Sorte de casaque assez semblable à une blouse.

Et de ce saut m'envoyer à l'envers,
Rimer sous terre et y faire des vers.
C'est une lourde et longue maladie
De trois bons mois, qui m'a tout étourdie
La pauvre tête, et ne veut terminer,
Ains [1] me contraint d'apprendre à cheminer,
Tant affaibli m'a d'étrange manière,
Et si m'a fait la cuisse héronnière [2]...

Que dirai plus ? au misérable corps
Dont je vous parle il n'est demeuré fors
Le pauvre esprit, qui lamente et soupire
Et en pleurant tâche à vous faire rire.
Et pour autant, Sire, que suis à vous
De trois jours l'un, viennent tâter mon pouls
Messieurs Braillon, Le Coq, Akaquia
Pour me garder d'aller jusqu'à quia.
Tout consulté, ont remis au printemps
Ma guérison : mais à ce que j'entends,
Si je ne puis au printemps arriver,
Je suis taillé de mourir en hiver,
Et en danger, si en hiver je meurs,
De ne pas voir les premiers raisins meurs [3].
Voilà comment, depuis neuf mois en ça,
Je suis traité. Or, ce que me laissa
Mon larronneau, longtemps a l'ai vendu,
Et en sirops et juleps dépendu;
Ce néanmoins, ce que je vous en mande
N'est pour vous faire ou requête ou demande :
Je ne veux point tant de gens ressembler
Qui n'ont souci autre que d'assembler;
Tant qu'ils vivront, ils demanderont, eux;
Mais je commence à devenir honteux,
Et ne veux plus à vos dons m'arrêter.
Je ne dis pas, si voulez rien prêter,
Que ne le prenne. Il n'est point de prêteur,
S'il veut prêter, qui ne fasse un debteur.
Et savez-vous, Sire, comment je paie ?
Nul ne le sait, si premier ne l'essaie;
Vous me devrez, si je puis, de retour,
Et vous ferai encores un bon tour,

1. Mais.
2. Sèche, décharnée, comme celle d'un héron.
3. Mûrs.

A cette fin qu'il n'y ait faute nulle,
Je vous ferai une belle cédule
A vous payer, sans usure s'entend,
Quand on verra tout le monde content;
Ou si voulez, à payer ce sera
Quand votre los et renom cessera.
Et si sentez que suis faible des reins
Pour vous payer, les deux princes Lorrains
Me pleigeront [1]. Je les pense si fermes,
Qu'ils ne fauldront [2] pour moi à l'un des termes.
Je sais assez que vous n'avez pas peur
Que je m'enfuie ou que je sois trompeur;
Mais il fait bon assurer ce qu'on prête.
Bref, votre paye, ainsi que je l'arrête,
Est aussi sûre, advenant mon trépas,
Comme advenant que je ne meure pas.
Avisez donc si vous avez désir
De rien prêter : vous me ferez plaisir,
Car, puis un peu, j'ai bâti à Clément,
Là où j'ai fait un grand déboursement;
Et à Marot qui est un peu plus loin,
Tout tombera qui n'en aura le soin.

  Voilà le point principal de ma lettre;
Vous savez tout; il n'y faut plus rien mettre.
Rien mettre ? Las! Certes, et si ferai,
Et ce faisant, mon style j'enflerai,
Disant : « O Roi amoureux des neuf Muses,
Roi en qui sont leurs sciences infuses,
Roi plus que Mars d'honneur environné,
Roi le plus roi qui fut onc couronné,
Dieu tout puissant te doint [3] pour t'étrenner
Les quatre coins du monde à gouverner,
Tant pour le bien de la ronde machine,
Que pour autant que sur tous en es digne. »

1521.

---

1. Me cautionneront.
2. Ne manqueront.
3. Te donne.

IV

FRIPELIPES, VALET DE MAROT, A SAGON

Par mon âme, il est grand foison,
Grand'année et grande saison
De bêtes qu'on dut mener paître,
Qui regimbent contre mon maître.
Je ne vois point qu'un Saint-Gelais,
Un Heroët, un Rabelais,
Un Brodeau, un Scève, un Chappuy
Voisent [1] écrivant contre lui.
Ni Papillon pas ne le point,
Ni Thénot ne le tanne point.
Mais bien un tas de jeunes veaux,
Un tas de rimasseurs nouveaux
Qui cuydant [2] élever leur nom
Blâmant les hommes de renom;
Et leur semble qu'en ce faisant
Par la ville on ira disant :
« Puisqu'à Marot ceux-ci s'attachent,
Il n'est possible qu'ils n'en sachent ».

Et vu les fautes infinies
Dont leurs épîtres sont fournies
Il convient de deux choses l'une,
Ou qu'ils sont troublés de la lune
Ou qu'ils cuident qu'en jugement
Le monde, comme eux, est jument;
De là vient que les pauvres bêtes,
Après s'être rompu les têtes
Pour le bon bruit d'autrui briser,
Eux-mêmes se font dépriser [3],
Et que mon maître sans médire
Avecques David peut bien dire :
« Or sont tombés les malheureux
En la fosse faite par eux;
Leur pied même s'est venu prendre
Au filet qu'ils ont voulu tendre. »

1. Aillent.
2. Croyant.
3. Mépriser.

Car il ne faut pour leur répondre
D'autres écrits à les confondre.
Que ceux-là mêmes qu'ils ont faits,
Tant sont grossiers et imparfaits ;
Imparfaits en sens et mesures,
En vocables et en césures,
Au jugement des plus fameux,
Non pas des ignorants comme eux.

L'un est un vieux rêveur normand,
Si goulu, friand et gourmand
De la peau du pauvre latin,
Qu'il l'écorche comme un mâtin.
L'autre un Huet de sotte grâce,
Lequel voulut voler la place
De l'absent : mais le demandeur
Eut affaire à un entendeur.
O le Huet en bel arroi
Pour entrer en chambre de roi !

Ce Huet et Sagon se jouent ;
Par esprit l'un l'autre se louent,
Et semblent, tant ils s'entreflattent,
Deux vieux ânes qui s'entregrattent.
Or, des bêtes que j'ai sus dites,
Sagon, tu n'es des plus petites ;
Combien que Sagon soit un mot
Et le nom d'un petit marmot.
Et sache qu'entre tant de choses
Sottement en tes dits encloses,
Ce vilain mot de concluer,
M'a fait d'ahan [1] le front suer.
Au reste de tes écritures
Il ne faut vingt ni cent ratures
Pour les corriger. Combien donc ?
Seulement une tout du long.
Aussi monsieur en tient tel compte
Que de sonner il aurait honte
Contre ta rude cornemuse
Sa douce lyre ; et puis sa muse,
Parmi les princes allaitée
Ne veut point être valetée.

---

1. De fatigue, d'effort.

Hercule fit-il nuls efforts
Sinon encontre les plus forts ?
Pensez qu'à Ambres bien serait
Ou à Canis, qui les verrait
Combattre en ordre et équipage
L'un un valet et l'autre un page.

J'ai pour toi trop de résistance;
Encor ai-je peur qu'il me tance
Dont je t'écris, car il sait bien
Que trop pour toi je sais de bien.
Vrai est qu'il avait un valet,
Qui s'appellait *Nihil valet*,
A qui comparer on t'eût peu;
Toutefois il était un peu
Plus plaisant à voir que tu n'es,
Mais non pas du tout si punais,
Il avait bien tes yeux de rane [1]
Et si était fils d'un Marrane [2],
Comme tu es au demeurant;
Ainsi vedel [3] et ignorant,
Sinon qu'il savait mieux limer
Les vers qu'il faisait imprimer.
Tu penses que c'est celui-là
Qui au lit de monsieur alla
Et fit de sa bourse mitaine [4].
Et va, va : ta fièvre quartaine !
Comparer ne t'y veux ni dois :
Il valait mieux cent fois que toi.
Mais viens çà : qui t'a mû à dire
Mal de mon maître en si grand'ire ?

Vraiment, il me vient souvenir
Qu'un jour vers lui te vis venir
Pour un chant royal lui montrer,
Et le prias de l'accoutrer,
Car il ne valait pas un œuf.
Quand il l'eut refait tout de neuf,
A Rouen en gagnas (pauvre homme)
D'argent quelque petite somme...

1. Grenouille.
2. « Nom donné par les Espagnols aux Arabes et Juifs convertis et devenu une injure signifiant traître, perfide » (Littré).
3. Veau.
4. Faire mitaine; mettre la patte sur.

Mais pour un sueur, quand j'y pense,
Tu en rends froide récompense;
Il semble pourtant en ton livre
Qu'en le faisant tu fusses ivre :
Car tu ne sus tant marmonner
Qu'un nom tu lui susses donner :
Si n'a il couplet, vers, n'épître
Qui vaille seulement le titre.
Dont ne sois glorieux ni rogue,
Car tu le grippas [1] au prologue
De l'Adolescence à mon maître;
Et qu'on lise à dextre ou senestre,
On trouvera, bien je le sais,
Ce petit mot de Coup d'essai,
Ou Coups d'essai que je ne mente.

O la sottise véhémente!
A peine sera jamais craint
Le combattant qui est contraint
D'emprunter, quand vient aux alarmes,
De son adversaire les armes.

Ha! rustre, tu ne pensais pas
Que jamais il dût faire un pas
Dedans la France; tu pensais
Sans pitié ce bon roi François,
Et le plaignais en ton cerveau
Aussi tigre que tu es veau.

C'est pourquoi les cornes dressas :
Et quand tes écrits adressas
Au Roi, tant excellent poète,
Il me souvint d'une chouette
Devant le rossignol chantant
Ou d'un oison se présentant
Devant le cygne pour chanter.

Je ne veux flatter ni vanter;
Mais, certes, monsieur aurait honte
De t'allouer dedans le compte
De ses plus jeunes apprentis.

1. Tu le saisis.

Venez, ses disciples gentils,
Combattre cette lourderie;
Venez, mon mignon Borderie,
Grand espoir des muses hautaines;
Rocher, faites saillir Fontaines,
Lavez tous deux aux veaux les têtes;
Lyon, qui n'est pas roi des bêtes,
Car Sagon l'est, sus, haut la patte,
Que du premier coup on l'abatte.

Sus, Gallopin, qu'on le gallope!
Redressons cet âne qui choppe;
Qu'il sente de tous la pointure :
Et nous aurons Bonaventure [1]
A mon avis assez savant
Pour le faire tirer avant.

Viens, Brodeau [2], le puîné son fils,
Qui si très bien le contrefis
Au huitain des *Frères mineurs*,
Que plus de cent beaux devineurs
Dirent que c'était Marot même;
Témoin le griffon d'Angoulême,
Qui répondit argent en poupe
En lieu d'ivre comme une soupe.

Venez donc ses nobles enfants,
Dignes de chapeaux triomphants
De vert laurier : faites merveilles
Contre Sagon, digne d'oreilles
A chaperon. Non, ne bougez,
Pour le vaincre, rien ne forgez;
Laissez cet honneur et estime
A la dame Anne Philetime,
De qui Sagon pourrait apprendre,
Si la peine elle daignait prendre
De l'enseigner. Trembles-tu point,
Coquin, quand tu ois en ce point
Hucher tant d'esprits dont le moindre
Sait mieux que toi louer et poindre ?

Je laisse un tas d'ivrogneries
Qui sont en tes rimasseries,

1. Bonaventure des Périers.
2. Victor Brodeau.

Comme de tes quatre raisons,
Aussi fortes que quatre oisons;
De ces deux sœurs savoisiennes
Que tu cuidais parisiennes,
Et de mainte autre grand'folie
Dont il n'a grand'mélancolie.

Mais, certes, il se dut grammment [1]
De t'ouïr irrévéramment
Parler d'une telle princesse
Que de Ferrare la duchesse,
Tant bonne, tant sage et bénigne.
O quantes fois en sa cuisine
Ton dos a été souhaité
Pour y être bien fouetté;
Dont, peut-être, elle eût fait défense,
Tant bien pardonne à qui l'offense.

Mais moi je ne me puis garder
De t'en battre et te nazarder [2];
Ta méchanceté m'y convie
Et m'en faut passer mon envie.

Zon dessus l'œil, zon sur le groin,
Zon sur le dos du Sagouyn,
Zon sur l'âne de Balaan!

Ha! vilain, vous petez d'ahan :
Le feu saint Antoine vous arde!
Ça ce nez, que je le nazarde,
Pour t'apprendre avecques deux doigts
A porter honneur où tu dois.

Enflez, vilain, que je me joue;
Sus, après, tournez l'autre joue.
Vous criez : je vous ferai taire,
Par Dieu, monsieur le secrétaire
De beurre frais. Hou le mâtin!
Plût à Dieu que quelque matin
Tu vinsses à te revenger :
L'abbé serait en grand danger
De voir par manière de rire
Monsieur mon maître lui écrire,

1. Grandement.
2. Donner des nasardes.

Et d'être de lui mieux traité
Que de moi tu ne l'as été,
Car il sait tout, et sait comment
Te fit exprès commandement
De t'en aller mettre en besogne
Pour composer ton coup d'ivrogne,
Ce que lui accordas, pourvu
Qu'en après tu serais pourvu
De la cure de Soligny.
Quant à celle de Sotigny,
Longtemps a, par élection
Tu en pris la possession.

Que je donne au diable la bête !
Il me fait rompre ici la tête
A ses mérites collauder [1],
Et les bras à le pellauder,
Et si ne vaut pas le tabut [2].

Mieux vaut donc ici mettre but,
T'avisant, sot, t'advisant, veau,
T'avisant, valeur d'un naveau [3]
Que tu ne te vis recevoir
Oncques tant d'honneur que d'avoir
Reçu une épître à outrance
D'un valet du Maro de France.

Et crains d'une part qu'on t'en prise ;
Puis, d'avoir tant de peine prise,
J'ai peur qu'il me soit reproché
Qu'un âne mort j'ai écorché.

1537.

1. Louer.
2. Tabut : bruit, trouble, peine. — *N'en vaut pas le tabut* : n'en vaut pas la peine.
3. Navet.

BALLADES

I

DE FRÈRE LUBIN

Pour courir en poste à la ville
Vingt fois, cent fois, ne sais combien;
Pour faire quelque chose vile,
Frère Lubin le fera bien;
Mais d'avoir honnête entretien
Ou mener vie salutaire,
C'est à faire à un bon chrétien,
Frère Lubin ne le peut faire.

Pour mettre, comme un homme habile,
Le bien d'autrui avec le sien,
Et vous laisser sans croix ni pile,
Frère Lubin le fera bien :
On a beau dire, je le tien :
Et le presser de satisfaire,
Jamais ne vous en rendra rien,
Frère Lubin ne le peut faire.

Pour débaucher par un doux style
Quelque fille de bon maintien,
Point ne faut de vieille subtile,
Frère Lubin le fera bien.
Il prêche en théologien,
Mais pour boire de belle eau claire,
Faites-la boire à votre chien,
Frère Lubin ne le peut faire.

ENVOI

Pour faire plutôt mal que bien,
Frère Lubin le fera bien;
Et si c'est quelque bonne affaire,
Frère Lubin ne le peut faire.

II

DE S'AMIE BIEN BELLE

Amour, me voyant sans tristesse
Et de le servir dégoûté,
M'a dit que fisse une maîtresse,
Et qu'il serait de mon côté.
Après l'avoir bien écouté,
J'en ai fait une à ma plaisance
Et ne me suis point mécompté :
C'est bien la plus belle de France.

Elle a un œil riant, qui blesse
Mon cœur tout plein de loyauté,
Et parmi sa haute noblesse
Mêle une douce privauté.
Grand mal serait si cruauté
Faisait en elle demeurance;
Car, quant à parler de beauté,
C'est bien la plus belle de France.

De fuir son amour qui m'oppresse
Je n'ai pouvoir ni volonté,
Arrêté suis en cette presse
Comme l'arbre en terre planté.
S'ébahit-on si j'ai plenté [1]
De peine, tourment et souffrance ?
Pour moins on est bien tourmenté :
C'est bien la plus belle de France.

ENVOI

Prince d'amours, par ta bonté
Si d'elle j'avais jouissance,
Onc homme ne fut mieux monté :
C'est bien la plus belle de France.

1527.

1. Si j'ai quantité, si j'ai beaucoup.

RONDEAUX

I

A UN CRÉANCIER

Un bien petit de près me venez prendre
Pour vous payer; et si devez entendre
Que je n'eus onc Anglais de votre taille
Car à tous coups vous criez : baille, baille,
Et n'ai de quoi contre vous me défendre.

Sur moi ne faut telle rigueur étendre;
Car de pécune un peu ma bourse est tendre,
Et toutefois j'en ai, vaille que vaille,
    Un bien petit.

Mais à vous voir (ou l'on me puisse pendre)
Il semble avis qu'on ne vous veuille rendre
Ce qu'on vous doit; beau sire, ne vous chaille [1];
Quand je serai plus garni de cliquaille [2]
Vous en aurez; mais il vous faut attendre
    Un bien petit.

II

A UN POÈTE IGNORANT [3]

Qu'on mène aux champs ce coquardeau [4]
Lequel gâte, quand il compose,
Raison, mesure, texte, glose,
Soit en ballade, ou en rondeau.

Il n'a cervelle ni cerveau,
C'est pourquoi si haut crier j'ose :
Qu'on mène aux champs ce coquardeau.

S'il veut rien faire de nouveau
Qu'il œuvre hardiment en prose

1. Ne vous importe.
2. De monnaie.
3. Ce rondeau est contre Sagon.
4. Badeau, lourdeau.

> (J'entends s'il en sait quelque chose)
> Car en rime ce n'est qu'un veau
>   Qu'on mène aux champs.

1536.

III

DE L'AMOUR DU SIÈCLE ANTIQUE [1]

> Au bon vieux temps un train d'amour régnait
> Qui sans grand art et dons se démenait.
> Si qu'un bouquet donné d'amour profonde
> C'était donner toute la terre ronde;
> Car seulement au cœur on se prenait.

> Et si, par cas, à jouir on venait
> Savez-vous bien comme on s'entretenait ?
> Vingt ans, trente ans, cela durait un monde
>   Au bon vieux temps.

> Or est perdu ce qu'amour ordonnait.
> Rien que pleurs feints, rien que changes on oit.
> Qui voudra donc qu'à aimer je me fonde,
> Il faut premier que l'amour on refonde
> Et qu'on le mène ainsi qu'on le menait
>   Au bon vieux temps.

1525.

CHANSONS

I

> Je suis aimé de la plus belle
> Qui soit vivant dessous les cieux,
> Encontre tous faux envieux
> Je la soutiendrai être telle.

> Si Cupido doux et rebelle
> Avait débandé ses deux yeux,
> Pour voir son maintien gracieux,
> Je crois qu'amoureux serait d'elle.

---

1. V. p. 151 un rondeau de Victor Brodeau en réponse à celui-ci.

Vénus, la déesse immortelle,
Tu as fait mon cœur bien heureux,
De l'avoir fait être amoureux
D'une si noble demoiselle.

1524.

II

Puisque de vous je n'ai d'autre visage,
Je m'en vais rendre ermite en un désert,
Pour près Dieu, si un autre vous sert,
Qu'autant que moi en votre honneur soit sage.

Adieu amours, adieu gentil corsage,
Adieu ce teint, adieu ces friands yeux,
Je n'ai pas eu de vous grand avantage,
Un moins aimant aura peut-être mieux.

1524.

DE LA ROSE

La belle Rose, à Vénus consacrée,
L'œil et le sens de grand plaisir pourvoit;
Si vous dirai, dame qui tant m'agrée,
Raison pourquoi de rouges on en voit.

Un jour Vénus son Adonis suivait
Parmi jardin plein d'épines et branches,
Les pieds sont nus et les deux bras sans manches,
Dont d'un rosier l'épine lui méfait;
Or étaient lors toutes les roses blanches,
Mais de son sang de vermeilles en fait.

De cette rose ai jà [1] fait mon profit
Vous étrennant, car plus qu'à autre chose,
Votre visage en douceur tout confit,
Semble à la fraîche et vermeillette rose.

1. Déjà.

ÉPITAPHE DE JEAN SERRE

EXCELLENT JOUEUR DE FARCES

Ci-dessous gît et loge en serre,
Ce très gentil fallot Jean Serre,
Qui tout plaisir allait suivant;
Et grand joueur de son vivant,
Non pas joueur de dés, ni quilles,
Mais de belles farces gentilles,
Auquel jeu jamais ne perdit,
Mais y gagna bruit et crédit,
Amour et populaire estime,
Plus que d'écus, comme j'estime.
Il fut en son jeu si adestre
Qu'à le voir on le pensait être
Ivrogne quand il se y prenait,
Ou badin, s'il l'entreprenait;
Et n'eût su faire en sa puissance
Le sage; car à sa naissance
Nature ne lui fit la trogne
Que d'un badin ou d'un ivrogne.
Toutefois je crois fermement
Qu'il ne fit onc si vivement
Le badin qui se rit ou mord
Comme il fait maintenant le mort.
Sa science n'était point vile,
Mais bonne; car en cette ville
Des tristes tristeur [1] détournait
Et l'homme aise en aise tenait.
Or bref, quand il entrait en salle,
Avec une chemise sale,
Le front, la joue et la narine
Toute couverte de farine,
Et coiffé d'un béguin d'enfant
Et d'un haut bonnet triomphant
Garni de plumes de chapons,
Avec tout cela je réponds
Qu'en voyant sa grâce niaise,
On n'était pas moins gai ni aise
Qu'on est aux Champs Elysiens.
O vous, humains Parisiens!

1. Tristesse.

De le pleurer, pour récompense,
Impossible est; car, quand on pense
 A ce qu'il soulait faire[1] et dire,
On ne peut se tenir de rire.
Que dis-je, on ne le pleure point?
Si fait-on; et voici le point :
On en rit si fort, en maints lieux,
Que les larmes viennent aux yeux;
Ainsi en riant on le pleure,
Et en pleurant on rit à l'heure.
Or pleurez, riez votre soûl,
Tout cela ne lui sert d'un sou;
Vous feriez beaucoup mieux en somme
De prier Dieu pour le pauvre homme.

ÉPIGRAMMES

I

DU LIEUTENANT-CRIMINEL ET DE SAMBLANÇAY

Lorsque Maillard, juge d'enfer, menait
A Monfaucon, Samblançay, l'âme rendre,
A votre avis, lequel des deux tenait
Meilleur maintien? Pour le vous faire entendre,
Maillard semblait homme que mort va prendre,
Et Samblançay fut si ferme vieillard,
Que l'on cuydait pour vray qu'il menât pendre
A Monfaucon le lieutenant Maillard.

1527.

II

DE L'ABBÉ ET DE SON VALET

Monsieur l'abbé et monsieur son valet
Sont faits égaux, tous deux comme de cire :
L'un est grand fou, l'autre petit follet;
L'un veut railler, l'autre gaudir et rire;
L'un boit du bon; l'autre ne boit du pire.
Mais un débat le soir entr'eux s'émeut :
Car maître abbé toute la nuit ne veut
Être sans vin, que sans secours ne meure,

1. Souler : avoir coutume.

Et son valet jamais dormir ne peut
Tandis qu'au pot une goutte demeure.

1536.

III

A MELLIN DE SAINT-GELAIS

Ta lettre, Mellin, me propose
Qu'un gros sot en rime compose
Des vers pour lesquels il me point;
Tiens-toi sûr qu'en rime n'en prose,
Celui n'écrit aucune chose
Duquel l'ouvrage on ne lit point.

IV

ÉPIGRAMME

QU'IL PERDIT CONTRE HÉLÈNE DE TOURNON

Pour un dizain que gagnâtes mardi,
Cela n'est rien, je ne m'en fais que rire,
Et fut très aise alors que le perdis,
Car aussi bien je voulais vous écrire
Et ne savais bonnement que vous dire,
Qui est assez pour se tenir tout coi.
Or, payez-vous, je vous baille de quoi,
D'aussi bon cœur que si je le donnaie;
Que plût à Dieu que ceux à qui je dois
Fussent contents de semblable monnaie.

V

RÉPLIQUE A LA REINE DE NAVARRE [1]

Mes créanciers, qui de dizains n'ont cure,
Ont lu le vôtre, et sur ce, leur ai dit :
« Sire Michel, sire Bonaventure,
« La sœur du roi a fait pour moi ce dit. »
Lors eux, cuidant que fusse en grand crédit,

---

1. La reine de Navarre avait fait, au nom d'Hélène de Tournon,
une réponse à l'épigramme précédente; nous avons cité cette réponse,
p. 95.

M'ont appelé monsieur à cri et cor,
Et m'a valu votre écrit autant qu'or,
Car promis ont, non seulement d'attendre,
Mais d'en prêter, foi de marchand, encor,
Et j'ai promis, foi de Clément, d'en prendre.

VI

AU ROI DE NAVARRE

Mon second Roi, j'ai une haquenée
D'assez bon poil, mais vieille comme moi
A tout le moins; long temps est qu'elle est née,
Dont elle est faible et son maître en émoi;
La pauvre bête, aux signes que je vois,
Dit qu'à grand'peine ira jusqu'à Narbonne;
Si vous voulez en donner une bonne,
Savez comment Marot l'acceptera;
D'aussi bon cœur comme la sienne il donne
Au fin premier qui la demandera.

VII

DE SOI-MÊME

Plus ne suis ce que j'ai été,
Et ne le saurais jamais être,
Mon beau printemps et mon été
Ont fait le saut par la fenêtre.
Amour, tu as été mon maître;
Je t'ai servi sur tous les dieux.
Oh! si je pouvais deux fois naître,
Comme je te servirais mieux!

MICHEL MAROT

? - ?

Il était le fils de Clément Marot. De sa vie on ne sait presque rien ; on ignore même la date et le lieu de sa naissance, le lieu et la date de sa mort. On sait seulement qu'en 1534 il fut page de Marguerite de Navarre. C'est à cette princesse qu'il adressa l'ode que nous reproduisons ci-après. Elle constitue, avec quelques dizains, de peu de valeur, toute son œuvre poétique. Nous l'avons placée ici pour que soit représentée dans ce recueil toute la descendance des Marot, et bien qu'il soit de beaucoup inférieur à Clément Marot, son père.

ODE A LA FLEUR DES PRINCESSES
LA REINE DE NAVARRE

Ma princesse,
Ma maîtresse,
Je suis le fils de Clément,
Qui, sans ruse,
Par ma muse
Salue la reine humblement.

Je n'ai grâce
Ni l'audace
Telle que mon père avait,
Ni la veine
Souveraine
Dont si bien chanter soulait.

Qui me garde
Et retarde
De m'offrir devant tes yeux ?
La peur forte
Que je porte
De ne pouvoir faire mieux.

Ma pensée
Offensée
Sans fin tourmente mon cœur,
Dont j'endure
Peine dure,
Et n'en puis être vainqueur.

La fortune
M'importune
Par plus de cent mille maux,
Si toi, dame,
Que je clame,
Ne mets fin à mes travaux.

Mon mérite
Ne mérite
De toi ni faveur ni bien;
Ta puissance,
Sans distance,
Peut faire beaucoup de rien.

A la voie
Qu'on m'envoie
Sans toi ne puis parvenir;
Je me fâche,
Je me cache,
Inconnu pour l'avenir.

Mes études
Seront rudes,
Mal fréquentes désormais;
Et l'emprise
Que j'ai prise
Ne s'achèvera jamais.

La personne
Sainte et bonne
Qui à toi m'avait donné,
Par loi grande
Te commande
Que ne soie abandonné.

Ce fut elle
Qui, sous l'aile,
De ton ferme appui m'a mis,

Quand la perte
Fis, aperte,
Du plus grand de mes amis.

S'il fut oncque
Lieu quelconque
A filiale amitié,
Prends courage
Davantage
Et me regarde en pitié.

Grosses rentes,
Bien venantes,
Je ne pourchasse d'avoir ;
Car l'envie
De ma vie
Requiert plus science avoir.

Si, sans vice,
Mon service
Te peut plaire et contenter,
Dès cette heure,
Sans demeure
Suis hardi me présenter.

CHARLES BOURDIGNÉ

? - ?

Charles Bourdigné, ou Bordigné, naquit à Angers. On ignore à quelle date. On ne connaît pas non plus la date de sa mort. Tout ce qu'on sait de lui, c'est qu'il était prêtre et qu'il vivait en 1531. Il écrivit un livre curieux, *La Légende de Pierre Faifeu*, composé de quarante-neuf contes. Ce Pierre Faifeu, dont on ne sait s'il exista réellement ou s'il est une création de Bourdigné, est un écolier débauché, larron et facétieux, et sa légende est le récit de ses bons tours. Ces récits ne sont pas toujours aussi plaisants qu'ils voudraient l'être; et le ton en est souvent assez grossier. Nous en donnons un, à la fois bref et convenable. Bourdigné est donc un conteur plutôt qu'un poète et sa verve bourgeoise s'alimente à la double source de Jean Bouchet et de Villon, à qui il est du reste fort inférieur; il n'a ni relief, ni élan. A noter qu'il est l'un des premiers versificateurs français qui ont fait, non pas toujours, mais assez souvent, alterner les rimes masculines et féminines. La légende de Pierre Faifeu a eu plusieurs éditions au XVIe et au XVIIIe siècle.

PIERRE FAIFEU

(XXXe CONTE)

Au temps d'hiver qu'il faisait fâcheux temps
Et très grand froid, ainsi comme j'entends,
Nouvelleter lui prit en fantaisie
Un certain jour devant la bourgeoisie.
Car sa chemise au soir il fit tremper
Et mettre au vent pour de mieux l'attromper;
Dont lendemain était toute glacée,
Et de glaçons partout entrelacée.
Or en ce point il la prit et vêtit,
Et puis après ses jambes revêtit
De clochetons et petites sonnettes.
Or, sans plus prendre hardes ou besognettes,
La tête nue, en chemise et pieds nus,

Pour mieux danser et faire sauts menus
Ayant o [1] lui un ménétrier habile
Alla danser parmi toute la ville;
Dont fut bien ri. C'est tout ce qu'acquêta
Pour celui fait; rien plus ne conquêta.
Nul bien ne veut, mais qu'il puisse complaire;
Onc ne voulut à personne déplaire.
Fors quand n'avait argent, trouvait moyen
En recouvrer de chanoine ou doyen,
Ou autres gens, sans le rober ou prendre
Sans leur vouloir; doncques il faut apprendre
Nécessité par esprit secourir.
Rien impossible à nul, sinon mourir.

1. Avec.

ROGER DE COLLERYE

?-1536

On ignore la date et même le lieu de sa naissance, mais on pense qu'il naquit à Paris. C'était un gai compagnon, aimant à rire, à boire et à flâner. Il fut secrétaire de Jean Baillet, puis de François de Dinteville, qui furent l'un et l'autre évêque d'Auxerre, et c'est dans cette ville de la gaillarde Bourgogne qu'il passa la plus grande partie de sa vie. Il écrivait des vers joyeux, allègres et francs d'allure, dans lesquels retentit comme un écho de la verve de François Villon. Il est le disciple littéraire des poètes du moyen âge; mais l'amour vint, le poète chanta sa dame et il voulut la chanter comme on chantait l'amour dans son temps. Comme le remarque Ch. d'Héricault, la nouvelle manière de chanter la passion attaqua la vieille poésie amoureuse; Collerye n'adopta pas tout à fait la manière déclamatoire et langoureuse d'alors, mais il dut faire un mélange savoureux des deux poétiques. Il avait quelque notoriété comme poète et il vint à Paris, centre des lettres. Il y vécut parmi les basochiens et les enfants sans-souci, pauvre d'argent, riche de bonne humeur; il avait oublié ses premières amours, mais il fut frappé d'une amour nouvelle, dont il ne lui resta que la tristesse de se voir abandonné. Il retourna à Auxerre; il était misérable; la maladie vint; une tendance à la poésie morale se développait en lui, il se tourna vers Dieu, et il mourut en 1536 après avoir eu la grande et suprême satisfaction de voir imprimer le recueil de ses œuvres. Il était, dit-on, entré dans les ordres, on ne sait à quelle époque, et était devenu clerc.

Ses œuvres au style vif, coloré, naturel, se composent de dialogues, de rondeaux, de monologues, de complaintes, d'épîtres, d'épithetons et de dictons. Nous donnons, avec un de ses rondeaux, la célèbre ballade de *Bon Temps* et la *Complainte de l'Infortuné*, qui est regardée comme sa meilleure pièce.

COMPLAINTE DE L'INFORTUNÉ
ET DE REGRETS IMPORTUNÉ

Considérant le cours de vie humaine,
Mon simple état, train tel que et domaine,
Qu'il n'est besoin le mettre en inventaire,
N'enregistrer, mais trop mieux de le taire,
Certain je suis que des biens terriens
Après la mort n'emporte en terre rien
Le riche et plain, soit-il gras ou mesgret,
Fors un linceul. Posé qu'il soit esgret [1]
Passer le pas, où le grand, le petit,
Comme je crois, n'y prend nul appétit,
Ce néanmoins, sans avoir ordonné [2],
Du Créateur a été ordonné
Qu'il nous convient tous mourir sans appel
Et de laisser en la terre la pel [3].
Où l'âme va, je n'en saurais juger;
A Dieu en est, non à autre, adjuger
Si Paradis la dite âme possède,
Car lui tout seul le permet et concède.
Et pour autant que écus, ducats à voir
Sont fort plaisants, il en fait bon avoir,
Pareillement revenus et offices,
Meubles foison, et aussi bénéfices,
Sans les avoir injustement acquis,
Et en user ainsi qu'il est requis,
Car à la fin il n'y a si ni qua,
Rendre il en faut le compte et reliqua.

Trop mieux vaudrait se voir berger ès champs
Que d'être au rang et nombre des méchants,
Et mal mourir. O terreur merveilleuse!
O pauvre fin! o fin très périlleuse,
De ceux qui sont ainsi prédestinés
Vivre en péchés et en mal obstinés.
Hélas! hélas! qui bien y penserait
Fier et hautain le pécheur ne serait.

---

1. Pénible.
2. Sans richesses rassemblées.
3. La peau.

Nul, quel qu'il soit, n'a le ciel hérité,
Si par vertu il ne l'a mérité;
Car par avant que le ciel on hérite
Faut que premier précède le mérite;
Ne pensons point l'acquérir autrement :
Sans ce point-là, on perd l'entendement.
Le bien vivant va à salvation,
Le mal vivant va à damnation;
Rien n'emportons de ce monde terrestre.
Que le bien fait, et le corps en terre être.

Préméditant mes dessus dits propos,
En un matin, tôt après mon repos,
Ma plume pris pour mettre par écrit
Comme et comment Fortune m'a prescrit :
Car tant ai eu sur ma personne envie
Que suis privé de tous biens pour ma vie;
Et m'a contraint de me destituer
Du bien qu'ai eu, pour autre instituer.
Or, pour narrer ma fortune invincible
Est que j'ai mis en moi tout le possible
De fréquenter les gens dignes d'honneur,
Et supplier Jésus, le grand donneur,
De me pourvoir ou de près ou de loin
De ce qui m'est nécessaire au besoin
A l'âme et corps, avant finir mes jours,
Et délaisser du monde les séjours,
Le requérant m'être miséricors
A l'âme plus qu'il ne convient au corps.
Nonobstant ce, ma requête signée
Encores n'est, n'aussi entérinée.

Las! je ne sais si c'est pour mon péché
Que n'ai été ouï et dépesché,
Ou que mon cœur n'a voulu consentir
De ne fleurer ce qu'il devait sentir.
Or pauvreté joyeuse et volontaire,
Sûre vie est, et très fort salutaire,
Mais tant y a, avant que s'y offrir,
Comme l'on dit, elle est grive à souffrir.

Peu de gens a qui aujourd'hui la quièrent,
Ni de l'avoir le bon Dieu ne requièrent;
Ce néanmoins, pour mon cas avérer
Délibéré je suis persévérer

De le prier de très bon cœur, afin
D'être pourvu de lui avant ma fin.
Plus ne me faut attendre à mes amis,
Décédés sont, et en la terre mis,
Qui m'a été une excessive perte
Que j'ai connu et connais bien aperte,
Car j'ai depuis leur trépas et décès
De pauvreté enduré les excès.
Nécessité tant m'a importuné
Que me voyant ainsi infortuné
Et dénué d'amis de grand'valeur,
Avec lesquels souventes fois va l'heur,
Avis m'est pris de tout point me tirer
Devers quelqu'un (et de moi retirer)
Plein de valeur et de noble vouloir
Qui puissance a de me faire valoir;
Et lequel m'a doucement accueilli
Et de bon cœur reçu et recueilli
Dont et de quoi en rends grâces à Dieu,
Le suppliant lui donner place et lieu
Lassus ès cieux, au partir de ce monde,
Où tout soulas et toute joie abonde,
Et inspirer le dit seigneur prédit
De me pourvoir, comme autrefois m'a dit,
De quelque bien, sans y contrevenir,
Comme il verra, pour le temps advenir.
Faire le peut, s'il s'y veut employer,
Sans son trésor nullement déployer;
S'il me fallait, je n'ai aucune attente
De nul qui soit, de quoi ne me contente.

Mais attendant sa grâce expectative
Pleine d'amour et très consolative
Je vacquerai en dévote oraison
Prier Jésus de lui toute saison
Si que de cœur et de bonne amitié
L'infortuné y regarde en pitié.

BON TEMPS

Or qui m'aimera, si me suive,
Je suis Bon Temps, vous le voyez;
En mon banquet nul n'y arrive

Pourvu qu'il [1] se fume ou étrive,
Ou ait ses esprits fourvoyés.
Gens sans amour, gens dévoyés
Je ne veux ni ne les appelle,
Mais qu'ils soient jetés à la pelle.

Je ne semons [2] en mon convive [3]
Que tous bons rustres avoyés [4];
Moi, mes supports, à pleine rive,
Nous buvons, d'une façon vive,
A ceux qui y sont convoyés.
Danseurs, sauteurs, chantres, oyez,
Je vous retiens de ma chapelle
Sans être jetés à la pelle.

Grognards, hongnards, fongnards, je prive,
Les biens leurs sont mal employés;
Ma volonté n'est point rétive,
Sur toutes est consolative,
Frisque, gaillarde, et le croyez;
Jureurs, blasphémateurs, noyez;
S'il vient que quelqu'un en appelle,
Qu'il ne soit jeté à la pelle.

Prince Bacchus, tels sont rayés,
Car d'avec moi je les expelle [5];
De mon vin clairet essayez
Qu'on ne doit jeter à la pelle.

MISÈRE DU PAUVRE INFORTUNÉ

Par ce temps cher mon corps est consumé,
J'ai peu mangé, encore moins humé;
Et si je suis d'être en ce monde las
La cause y est; faim me tient en ses lacs;
Souvent à Dieu l'ai dit et résumé.

Que l'on ait vu mon foyer enfumé
De gros tisons, serait mal présumé,

1. A moins que.
2. Je n'invite, je ne convie.
3. Repas.
4. Avoués.
5. Expeller : chasser.

Je ne fais feu que de vieils échalas
Par ce temps cher.

Quand dîner veux, mon pot n'est écumé,
Mauprest [1] me sert, qui n'a accoutumé
De souhaiter le relief des prélats.
Faute d'argent me fait crier : « Hélas ! »
Piteusement d'estomac enrhumé,
Par ce temps cher.

1. Mal prêt, jamais prêt.

PIERRE GROGNET

?-1540

Pierre Grognet naquit à Toucy, à quelques lieues d'Auxerre; on ignore à quelle date; son existence même est peu connue. Il étudia le droit, et il se qualifie de « maître ès arts et de licencié en chacun droit »; il entra ensuite dans les ordres et il se qualifie aussi de « prêtre et humble chapelain ». On l'a rapproché de Collerye, qu'il connut vraisemblablement, car Collerye passa une grande partie de sa vie à Auxerre. Si l'on peut découvrir entre eux quelque ressemblance et si certaines pièces, comme le *Rondeau contre les taverniers*, y invitent, on trouve dans les poésies descriptives de Pierre Grognet une raideur et, comme on l'a dit, une lourdeur qui le montrent différent de Collerye et bien inférieur. Pierre Grognet a beaucoup écrit. Il a composé notamment la description de plusieurs villes du royaume de France. Nous avons cité quelques vers sur Auxerre, sa patrie, et sur Paris, la capitale. Il mourut en 1540.

DESCRIPTION DE LA NOBLE VILLE ET CITÉ D'AUXERRE

Cité d'Auxerre, aimée et renommée,
Ceux de Paris souvent t'ont habitée
Pour le beau lieu et aussi pour la grume
Dont ton haut bruit plus vaut qu'on ne le plume.

Tu as bon vin, bonne eau, bon blé, bon pain,
Aussi tu as le corps de saint Germain,
Et cil qui veut dévotement s'ébattre
Soudain verra l'église saint Amatre;
D'autres corps saints assez vous trouverez,
Avec les tours saint Étienne verrez.
Après visez [1] le grand tour du château
Où est assis l'horloge moult beau;

1. Visitez.

Les fontaines ne faut laisser derrière,
Ni l'excellent grand commun cimetière.
Pour faire fin or trouvés et argent
Que vous pourrez bien gagner par art gent
Y a aussi maintes autres richesses
Dont je me tais et toutes gentillesses.

Conclusion : de tous biens a assez,
Et mêmement plusieurs vins amassés,
Dont chacun dit que la ville d'Auxerre
Sert au commun sans le tenir en serre.

BLASON DE LA NOBLE VILLE ET CITÉ
DE PARIS

Je suis Paris, cité de renommée,
Rien ne me fault; de Dieu suis gouvernée
Auprès des blés suis, et près des prairies,
De beaux jardins, bois et forêts fleuries;
Dessous y a la rivière de Seine,
Laquelle on tient à un chacun bien saine.
Outre, visez le noble Parlement,
Où l'on peut voir faire bon jugement;
De nuit le guet punit les malfaiteurs,
Met en prison ceux qui sont leurs fauteurs;
Des criminels verrez punition,
Et d'un chacun on fait correction.
Biens temporels viennent de toutes parts,
Et les beaux murs sont garnis de remparts;
Outre voyez les tours et grands églises
Qui sont bâtis par somptueuses guises;
Sachez pour vrai que l'on fait pénitence,
Compassion par moult grand excellence;
Dedans Paris avec toute science,
Toutes vertus avecque sapience,
Finalement, c'est paradis terrestre,
Ne reste plus que paradis céleste.

AUTRE SUR LE MÊME SUJET

Paisible domaine,
Amoureux verger,
Repos sans danger,
Justice hautaine,
C'est Paris entier.

RONDEAU

CONTRE LES TAVERNIERS QUI BROUILLENT LES VINS

Brouilleurs de vins, malheureux et maudits,
Gens sans amour, faux en faits et en dits,
Qui ne tendez qu'en damnable avarice,
Soyez certains que divine justice
Vous punira de bien brief, je le dis,
Les vins nouveaux vous seront interdits,
Point n'en boirez; car des fois plus de dix,
Dieu qui nous voit connaît votre malice,
   Brouilleurs de vins.

Sur ces vendeurs de vivres trop hardis,
Bailli, prévots, ne soyez point tardifs,
Besognez-y exerçant votre office;
Ou autrement si n'y mettez police;
Enfer vous suit, et non pas paradis,
Brouilleurs de vins, malheureux et maudits.

PIERRE VACHOT

? - ?

Ce poète est très peu connu. Pierre Grognet le nomme dans la
Déploration des États de la France (1513). Pierre Vachot est l'auteur
d'une ballade patriotique : *Le Cimetière des Anglais*, dont le style
n'est ni aisé ni très poétique, mais dont le ton est vigoureux et le
sentiment ardent, et que, à ce titre, nous avons reproduite.

LE CIMETIÈRE DES ANGLAIS

Le mandement par Prudence transmis
Aux trois états réponse doit avoir.
Elle nous mand' qu'avons des ennemis,
C'est très bien fait nous le faire assavoir.
Puisqu'à tout mal on voit Anglais mouvoir
Contre Français, par la foi qu'à Dieu dois,
De résister contre eux ferai devoir,
Car France est cimetière aux Anglais.

Elle nous mand' qu'ils ne sont endormis
A nous piller et rober notre avoir,
Et qu'ils ne sont trop lâches ni démis [1]
Et que de bref nous doivent venir voir.
C'est très bien fait nous le ramentevoir [2]
Devant qu'en France viennent faire effrois ;
A cette fin par bon ordre y pourvoir,
Car France est cimetière aux Anglais.

De tout bienfait Anglais ont cœur remis [3].
D'ainsi vouloir trahison concevoir,

1. Découragés.
2. Remettre en mémoire, rappeler.
3. Dédaigneux.

Et pour ce faire ils ont tous leurs arts mis ;
Mais qu'ils se gard' Français venir revoir,
Car, si la mort y devrons recevoir,
Ils comparront le mal fait aux Français.
Je leur conseill' non bouger ni mouvoir,
Car France est cimetière aux Anglais.

Prince qu'on note qui si devait pleuvoir,
Pierre, cailloux, fleurira blanche croix.
Ne tâchent plus Anglais nous décevoir,
Car France est cimetière aux Anglais.

VICTOR BRODEAU

?-1540

On a très peu de détails sur la vie de ce poète; on ignore la date de sa naissance, on sait qu'il fut valet de chambre et secrétaire de Marguerite de Navarre et qu'il mourut en septembre 1540, l'année même de l'édition du seul petit recueil de vers qu'il ait laissé : *Les Louanges de Jésus-Christ*. On trouve aussi trois petites pièces de lui conservées par Clément Marot et par Mellin de Saint-Gelais, dont il fut l'ami. Marot semble même avoir eu pour Brodeau, qui était un de ses disciples en poésie, et peut-être le mieux doué de tous, une affection très grande, car il l'appelait son fils. C'est lui qui nous a transmis le huitain « A deux frères mineurs, par le jeune Brodeau », et le rondeau qui commence par le vers :

> Au bon vieux temps que l'amour par bouquets,

que Brodeau composa en réponse au rondeau : *De l'Amour du siècle antique*, de Marot, que l'on a pu lire p. 127 de ce recueil. Mellin de Saint-Gelais nous a transmis le quatrain que Victor Brodeau adressa à une dame qu'il aimait.

RONDEAU

Au bon vieux temps que l'amour par bouquets
Se démenait, et, par joyeux caquets,
La femme était trop sotte et trop peu fine :
Le temps depuis qui tout fine et affine
Lui a montré à faire ses acquêts.

Lors les seigneurs étaient petits nacquets[1] :
D'aulx et d'oignons se faisaient des banquets;
Et n'était bruit de ruer en cuisine,
Au bon vieux temps.

---

1. Laquais, valets.

Dames aux huis n'avaient clés ni locquets ;
Leur garde-robe était petits paquets
De canevas ou de grosse étamine ;
Or, diamants on laissait en leur mine,
Et les couleurs porter aux perroquets
        Au bon vieux temps.

HUITAIN

A DEUX FRÈRES MINEURS

Mes beaux pères religieux,
Vous dînez pour un grand merci ;
O gens heureux ! ô demi-dieux !
Plût à Dieu que je fusse ainsi !
Comme vous, vivrais sans souci ;
Car le vœu qui l'argent vous ôte,
Il est clair qu'il défend aussi
Que vous payiez jamais votre hôte.

QUATRAIN

A UNE DAME QU'IL AIMAIT

Si la beauté se perd en si peu d'heure,
Faites m'en don tandis que vous l'avez ;
Ou s'elle dure hélas ! vous ne devez
Craindre à donner un bien qui vous demeure.

SIMON BOUGOING

? – ?

Encore un poète dont l'existence nous est inconnue. Il était valet de chambre de Louis XII. C'est un poète de cour. Il a traduit plusieurs traités de Lucien, composé des pièces de théâtre et une poésie allégorique : *l'Espinette du jeune prince conquérant le royaume de bonne renommée.* Simon Bougoing place la morale au-dessus de l'amour; il a tracé en quelques vers le modèle, à ses yeux, du véritable amant, cet amant fidèle au-delà du tombeau, selon les conceptions amoureuses de la Renaissance. Ces vers, que nous donnons ci-après, sont tirés de *l'Espinette du jeune prince.*

LE VÉRITABLE AMANT

Les bons amants deux cœurs en un assemblent,
Penser, vouloir, mettent en un désir,
Un chemin vont, jamais ne se dessemblent;
Ce que l'un veut, l'autre l'a à plaisir.
Point ne les vient Jalousie saisir
En vrai amour, car de mal n'ont envie :
Amour est bonne; jaloux ont male [1] vie.

En telle amour l'un l'autre ne mécroit,
Jamais entre eux n'a aucun contredit,
Ce que l'un dit, pour vrai l'autre le croit;
Nul refus n'a entre eux, en fait ni dit;
L'un pense bien que l'autre n'a rien dit
Que vérité, et que point ne ferait
Aucune chose que faire ne devrait.

---

1. Malheureuse.

Si par fortune adversité advient
A celle dame qui en amour le tient,
Ou si malade soudainement devient
De meilleur cœur il l'aime et l'entretient;
La douleur d'elle en son cœur il soutient.
Plus l'aimera ainsi par vérité,
Qu'il ne fera en sa prospérité.

Et si, par mort, l'un d'eux est départi,
Le survivant jà autre n'aimera,
Ni ne prendra jamais autre parti
Car en son cœur l'amour de l'autre aura;
Comment haïr l'ami soudain pourra [1]
Ce qu'il aimait de cœur si doucement!
Possible n'est de le faire aucunement.

Voyez la teurtre [2], qui tant ce fait escorte;
Quand l'une d'elles sa compagne tôt perd,
La survivante toujours sur branche morte
Prendra repos en grand regret expert [3].
Chacun connaît que c'est un fait apert
Car sa nature à telle amour ouverte
Qu'el' ne s'assied plus dessus branche verte.

1. Pourrait.
2. Tourterelle.
3. Experte en grand regret.

BONAVENTURE DES PÉRIERS

?-1544?

Bonaventure des Périers naquit vers la fin du XVe siècle, à Arnay-
le-Duc, en Bourgogne. On n'a pas de renseignements sur sa famille
et on en a peu sur lui-même. On a des raisons de penser qu'il s'appelait, non pas Bonaventure des Périers, mais tout simplement Jean
Bonaventure. Il était sans fortune. Il vécut d'abord modestement, se
bornant à l'étude comparée des littératures anciennes; il fut lecteur
dans quelque collège, on ignore lequel, et maître ès arts à une université, on ignore laquelle. Par la suite, vers 1535, il rencontra Marguerite de Valois, sœur de François Ier, dont il devint le pensionnaire
avec le titre de valet de chambre et de secrétaire. Il avait une belle
écriture; il fut chargé de transcrire les ouvrages de sa protectrice,
qu'il revoyait, en outre, au point de vue de l'orthographe et même
de la langue. Il subit l'influence littéraire de la *Marguerite des princesses* et sans doute lui dut-il l'expression du sentiment religieux dont
plusieurs de ses pièces, de celles surtout qu'il adressa à sa bienfaitrice,
sont animées. Au fond, il était gaulois et caustique, et il y avait en lui
quelque chose de Clément Marot. Il fut l'auteur d'un recueil de contes
gaillards : les *Nouvelles Récréations et joyeux devis*, écrits dans une
langue fort agréable; mais dans un sonnet que l'on trouvera ci-après
et qu'il adressait aux lecteurs de ce livre, il laisse percer quelque mélancolie. Il était sympathique aux idées de la Réforme et sans doute il
en adopta les doctrines. On le trouve parmi les amis de Marot qui
défendirent ce poète lorsque, étant en Italie, il fut attaqué par Sagon.
Nous donnons une alerte et jolie pièce qu'il dédia précisément à
Clément Marot, « prince des poètes français », et la délicieuse pièce
Des Roses, qu'il adressa à Jane, princesse de Navarre. Le *Cantique de
la Vierge*, sa satire de *l'Avarice*, une *chanson* d'amour à une jeune
Dauphinoise, et le rondeau *A Mathieu de Quatre*, qui est l'un des
meilleurs qu'il ait écrits, suffiront, pensons-nous, à donner une idée
du talent varié de ce poète, qui n'est certes pas un grand poète, mais
qui a de l'élégance, de la délicatesse et de l'esprit. On ignore à quelle
date il mourut. On sait seulement qu'il n'était plus de ce monde à
la fin d'août 1544. Ses œuvres, à l'exception du *Cymbalum mundi*, ne
furent publiées qu'après sa mort, par les soins d'Antoine du Moulin,
qui était son compatriote, son ami, son confrère en poésie, et qui,
comme lui, portait le titre de valet de chambre de la reine de Navarre.

DES ROSES

A Jane, princesse de Navarre.

Un jour de mai, que l'aube retournée
Rafraîchissait la claire matinée
D'un vent tant doux, lequel semblait semondre [1]
A prendre l'heure, ains que [2] se laisser fondre
A la chaleur du soleil advenir,
Je me levai afin de prévenir
Et voir le point du temps plus acceptable
Qui soit au jour de l'été délectable.
Pour donc un peu recréer mes esprits,
Au grand verger tout le long du pourpris [3],
Me promenais par l'herbe fraîche et drue,
Là où je vis la rosée épandue,
Et sur les choux ses rondelettes gouttes
Courir, couler, pour s'entrebaiser toutes;
Puis, tout soudain devenir grosselettes
De l'eau tombée à primes gouttelettes
Du ciel serein. Là vis semblablement
Un beau laurier accoutré noblement
Par art subtil, non vulgaire ou commun,
Et le rosier de maître Jean de Meun [4],
Ayant sur soi mainte perle assortie,
Dont la valeur devait être amortie
Au premier rai du chaud soleil levant,
Qui jà tâchait à se mettre en avant.
Le rossignol, ainsi qu'une buccine,
Par son doux chant faisait au rosier signe
Que ses boutons à rosée il ouvrît,
Et tous ses biens au beau jour découvrît,
L'aube duquel avait couleur vermeille,
Et vous était aux roses tant pareille,
Qu'eussiez douté si la belle prenait
Des fleurs le teint, ou si elle donnait
Le sien aux fleurs, plus beau que nulles choses.
Un même teint avaient l'aube et les roses,
Une rosée, un même avènement,

1. Inviter.
2. Plutôt que.
3. Enceinte, enclos.
4. L'un des auteurs du *Roman de la Rose*.

Sous d'un clair jour le même avancement,
Et ne servaient qu'une même maîtresse :
C'était Vénus, la mignonne déesse,
Qui ordonna que son aube et sa fleur
S'accoutreraient d'une même couleur.
Possible aussi que (comme elles tendaient
Un même lustre) ainsi elles rendaient
Un même flair de parfum précieux.
Quant à celui des roses, gracieux,
Que nous touchions, il était tout sensible;
Mais celui-là de l'aube intelligible,
Par l'air épars, çà bas ne parvint point.
Les beaux boutons étaient jà sur le point
D'eux épanouir, et leurs ailes étendre :
Entre lesquels l'un était mince et tendre,
Encor tapi sous sa coëffe[1] verte;
L'autre montrait sa crête découverte,
Dont le fin bout un petit rougissait;
De ce bouton la prime rose issait;
Mais cettui-ci démêlant gentement
Les menus plis de son accoutrement,
Pour contempler sa charnure refaite,
En moins de rien fut rose toute faite,
Et déploya la divine denrée
De son paquet, où la graine dorée
De la semence, était épaissement
Mise au milieu pour l'embellissement
Du pourpre fin de la fleur estimée,
Dont la beauté, naguère tant aimée,
En un moment devint sèche et blémie
Et n'était plus la rose que demie.
Un tel méchef, me complaignis de l'âge
Qui me sembla trop soudain et volage,
Et dis ainsi : « Las! à peine sont nées
Ces belles fleurs qu'elles sont jà fanées! »
Je n'avais pas achevé ma complainte,
Qu'incontinent, la chevelure peinte,
Maintenant vue en la rose excellente,
Tomba aussi par chute violente
Dessus la terre étant gobe[2] et jolie
D'ainsi se voir tout à coup embellie
Du teint des fleurs chutes à l'environ

1. Coëffe : coiffe.
2. Fière, orgueilleuse, glorieuse.

Sur son chef brun et en son vert giron.
Mais la rosée, encor, les lui souillait,
Car le rosier que le jour dépouillait,
Vu l'accident de si piteux vacarme,
La distillait, en bien d'amères larmes.

Tant de joyaux, tant de nouveautés belles,
Tant de présents, tant de beautés nouvelles,
Bref, tant de biens que nous voyons fleurir;
Un même jour les fait naître et mourir!
Dont nous, humains, à vous, dame Nature,
Plainte faisons de ce que si peu dure
Le port des fleurs, et que, de tous les dons
Que de vos mains longuement attendons
Pour en goûter la jouissance due,
A peine, las! en avons-nous la vue.

Des roses l'âge est d'autant la durée
Comme d'un jour la longueur mesurée,
Dont faut penser les heures de ce jour
Entre les ans de leur tant bref séjour,
Qu'elles sont jà de vieillesse coulées
Ains qu'elles soient de jeunesse accollées.

Celle qu'hier le soleil regardait
De si bon cœur, que son cours retardait
Pour la choisir parmi l'épaisse nue,
Du soleil même a été méconnue
A ce matin, quand plus n'a vu en elle
Sa grand'beauté, qui semblait éternelle.

Or, si ces fleurs de grâces assouvies,
Ne peuvent pas être de longues vies
(Puisque le jour qui au matin les peint,
Quand vient le soir, leur ôte leur beau teint
Et le midi, qui leur rit, leur ravit),
Ce néanmoins chacune d'elles vit
Son âge entier. Vous donc, jeunes fillettes,
Cueillez bientôt les roses vermeillettes
A la rosée, ains que le temps les vienne
A dessécher; et, tandis, vous souvienne
Que cette vie, à la mort exposée,
Se passe ainsi que roses ou rosée.

CANTIQUE DE LA VIERGE

L'âme de moi, sous cette chair enclose,
En nul vivant ores plus ne se fie :
Car elle estime, honore et magnifie
Le Seigneur Dieu par-dessus toute chose.

Et mon esprit, pour la bonne assurance
De voir la fin d'ennuyeuse tristesse,
Se réjouit et fonde sa liesse
En Dieu, mon bien et ma sûre espérance,

Qui a daigné, par douceur amoureuse,
Jeter les yeux sur son humble servante,
Dont à jamais, de toute âme vivante,
Dite serai la plus que bienheureuse.

Un très grand bien, de grâce incomparable,
M'a fait Celui qui a telle puissance
Que tout chacun lui rend obéissance
Pour son saint nom à toujours mémorable.

Et sa clémence et pitié paternelle,
Toujours montrée aux siens de race en race,
Qui sont craintifs devant sa sainte face,
Demeurera à jamais éternelle.

Il a haussé, par vaillante surprise,
Son puissant bras, tout orné de victoire,
Et, pour montrer sa souveraine gloire,
Des orgueilleux a rompu l'entreprise.

Ceux qui avaient l'autorité plénière,
Contraint les a de leurs sièges descendre,
Pour pleinement restituer et rendre
Aux plus petits la dignité première.

Aux affligés de famine et grevances [1],
Qui se paissaient de langueurs et détresses,
Il a donné les plus grandes richesses,
Et renvoyé les riches sans chevances [2].

1. Grevance, de grever : frapper, alourdir, blesser.
2. Gains, profits.

Étant records [1] de sa pitié louable,
Dont ses plus chers il reçoit et embrasse,
Nouvellement lui a plu faire grâce
A Israël, son servant variable,

En ensuivant la promesse assurée
Qu'il fit aux chefs de notre parentage,
A Abraham et à tout son lignage,
Lequel sera d'immortelle durée.

A CLÉMENT MAROT,

PRINCE DES POÈTES FRANÇAIS

Mon père,
J'ai vu mon frère
Accoutré mignonnement;
Que je m'en taise,
De l'aise,
Je ne pourrais bonnement.

Il passe
De telle grâce
Les cuidant [2] lui ressembler,
Que mainte muse
S'amuse
A le souvent contempler.

Son style
Coulant distille
Un langage pur et fin,
Dont sont puisées
Risées
Où l'on se baigne sans fin.

La tante
Tant florissante
S'en contente désormais;
Sa renommée
Nommée
En sera à tout jamais.

1. Étant records : se souvenant.
2. Croyant.

Envie
Jour de ma vie
Ne lui portai en mon cœur;
Ne sais à quelle
Querelle
Il me tient tant de rigueur

De dire
Qu'il marche et tire
Tout outre ou plus près de moi,
Sans qu'il me rie
Ni die
Mot dont je suis en émoi.

Fortune
Tant importune
Fait donc qu'on ne m'est plus rien.
Pur'calomnie
Qui nie
Au pauvre innocent le sien.

Vrai juge,
Certain refuge
D'innocence à tout endroit,
Tiens-toi encontre,
Remontre
Aux ignorants mon bon droit.

L'AVARICE

A Hélias Boniface, d'Avignon.

Voyant l'homme avaricieux,
Tant misérable et soucieux,
Veiller, courir et tracasser,
Pour toujours du bien amasser
Et jamais n'avoir le loisir
De s'en donner à son plaisir,
Sinon quand il n'a plus puissance
D'en percevoir la jouissance,
Il me souvient d'une alumelle [1],
Laquelle, étant luisante et belle,

1. Lame d'épée ou de couteau.

Se voulut d'un manche garnir,
Afin de couteau devenir,
Et, pour mieux s'emmancher de même,
Tailla son manche de soi-même.
En le taillant, elle y musa,
Et, musant, de sorte s'usa
Que le couteau, bien emmanché,
Étant déjà tout ébréché,
Se vit grandi par plus de neuf
D'être ainsi usé tout fin neuf;
Dont fut contraint d'en rire aussi
Du bout des dents, et dit ainsi :
« J'ai bien ce que je souhaitais,
Mais pas ne suis tel que j'étais,
Car je n'ai plus ce doux trancher,
Pour quoi tâchais à m'emmancher. »
Ainsi vous en prend-il, humains,
Qui nous avez entre vos mains,
Hormis qu'on put le fil bailler
Au tranchant qui ne veut tailler;
Mais à vieillesse évertuée
Vertu n'est plus restituée.

CHANSON

A Claude Bectone, Dauphinoise.

Si Amour n'était tant volage
Ou qu'on le pût voir en tel âge
Qu'il sût les labeurs estimer,
On pourrait bien sans mal aimer.

Si Amour avait connaissance
De son invincible puissance,
Laquelle il oit tant réclamer,
On pourrait bien sans mal aimer.

Si Amour découvrait sa vue
Aussi bien qu'il fait sa chair nue,
Quand contre tous se veut armer,
On pourrait bien sans mal aimer.

Si Amour ne portait les flèches
Dont aux yeux il fait maintes brèches

Pour enfin les cœurs consommer,
On pourrait bien sans mal aimer.

Si Amour n'avait l'étincelle,
Qui plus couverte et moins se celle,
Dont il peut la glace enflammer,
On pourrait bien sans mal aimer.

Si Amour, de toute coutume,
Ne portait le nom d'amertume,
Et qu'en soi n'eût un doux amer,
On pourrait bien sans mal aimer.

RÉPONSE

Si chose aimée est toujours belle,
Si la beauté est éternelle,
Dont le désir n'est à blâmer,
On ne saurait que bien aimer.

Si le cœur humain qui désire
En choisissant n'a l'œil au pire,
Quand le meilleur sait estimer,
On ne saurait que bien aimer.

Si l'estimer naît de prudence,
Laquelle connaît l'indigence,
Qui fait l'amour plaindre et pâmer,
On ne saurait que bien aimer.

Si le bien est chose plaisante,
Si le bien est chose duisante [1],
Si au bien se faut conformer,
On ne saurait que bien aimer.

Bref, puisque la bonté bénigne
De la sapience divine
Se fait charité surnommer,
On ne saurait que bien aimer.

A MATHIEU DE QUATRE DE LA MASTRE

Les aveugles et violeurs
Pour ôter aux gens leurs douleurs

1. Convenable.

Chantent toujours belles chansons;
Et toutefois par chants et sons
Ils ne peuvent chasser les leurs.

Ce qu'ils chantent en leurs malheurs,
Ils aiment mieux que les couleurs
Ou moins qu'enfants longues leçons,
          Les aveugles.

En chantant ils pensent ailleurs,
Mêmement aux biens des bailleurs,
Autrement chants leurs sont tansons [1],
Et n'en prisent point les façons
Si leurs bissacs n'en sont meilleurs,
          Les aveugles.

SONNET

AU LECTEUR DES *Nouvelles Récréations et joyeux devis.*

Hommes pensifs, je ne vous donne à lire
Ces miens devis, si vous ne contraignez
Le front maintien de vos fronts rechignés;
Ici n'y a seulement que pour rire.

Laissez à part votre chagrin, votre ire,
Et vos discours de trop loin désignés [2].
Une autre fois vous serez enseignés;
Je me suis bien contraint pour les écrire.

J'ai oublié mes tristes passions,
J'ai intermis [3] mes occupations,
Donnons, donnons quelque lieu à folie.

Que maugré nous ne nous vienne saisir,
Et en un jour plein de mélancolie,
Mêlons au moins une heure de plaisir.

---

1. Tanson ou tenson : Dispute poétique entre plusieurs poètes sur une question de galanterie. « Ces pièces de poésie, dit Littré, avaient parfois aussi pour objet des plaintes langoureuses ou des reproches amers. »
2. Désignés : dessinés.
3. Interrompu.

LAZARE DE BAÏF

1496 ?-1547

Il naquit vers la fin du quinzième siècle, au château des Pins, près de la Flèche, d'une ancienne et noble famille angevine. Il étudia les lettres antiques, et, afin de se perfectionner dans cette étude, il se rendit à Rome, où il passa plusieurs années. Il fut abbé de Charroux et de Gonetière et devint maître des requêtes et conseiller du roi François Ier, qui le chargea de diverses missions diplomatiques. Lazare de Baïf fut envoyé en qualité d'ambassadeur à Venise, où il resta deux années et où, en février 1532, naquit son fils Jean-Antoine de Baïf, le poète de la Pléiade. En 1540, Lazare de Baïf fut envoyé comme ambassadeur en Allemagne, et dans sa suite se trouvait le jeune Ronsard. Il était donc un personnage considérable et, de plus, un homme de grand savoir. Bon jurisconsulte, dit-on, et habile orateur, il était aussi poète. Il traduisit en vers français l'*Électre* de Sophocle, en 1537, et, vers 1540, l'*Hécube* d'Euripide. Il composa quelques poésies, qui ont été publiées à la suite de cette dernière traduction. Nous y avons pris les pièces qui suivent. Lazare de Baïf, comme poète français, est rude et peu élégant; il est plus à l'aise lorsqu'il écrit en latin, et c'est dans cette dernière langue qu'il a composé ses meilleurs ouvrages. Il mourut en 1547.

ÉPIGRAMMES

I

Amour, voyant l'ennui qui tant m'oppresse
Et la douleur secrète qui me tue,
N'a pas longtemps, en lui vidé de presse,
Me dit : « Ami, il faut que t'évertue.
Ton mal est grand, mais ta foi est connue,
Qui par souffrir plus vient en évidence;
Puis tu sais bien que souvent est issue
De long travail heureuse récompense. »

II

Si ce qui est enclos dedans mon cœur
Je pense au vrai par écrit vous dépeindre,
Je suis certain que votre grand rigueur
Serait semonce à lamenter et plaindre.
Car si pitié peut noblesse contraindre,
Et tout bon cœur voyant un grief [1] martyre,
J'endure, las! tant et tant que le dire
N'est rien au mal que j'ai sous joie feinte;
Et si n'ai rien qui à confort m'attire,
Fors que ma foi qui d'espérance est ceinte.

ADIEU

Faire ne puis sans deuil et déplaisir
Ce qu'il convient et force est que je fasse.
Devoir requiert ce qu'empêche désir;
Amour retient ce que raison pourchasse.
Un bien me rit et l'autre me menace;
Dont entre deux convient que je soupire.
Las! je veux trop; mais crainte me retire,
Qui ne permet que mon mal je découvre.
En ce tourment adieu je viens vous dire,
La larme à l'œil, sans que ma bouche s'ouvre.

AUTRE ADIEU

O quel ennui à ceux de départir [2]
Où ferme amour ne peut être offensée;
Laquelle vient toutefois nous partir
Joie et douleur en secrète pensée.
Il est bien vrai que n'est pas compensée
La joie au mal qu'un chacun de nous porte.
Mais sûre foi de tant nous réconforte
Qu'il n'y a temps, longue absence ou demeure
Qui puisse clore à nos désirs la porte,
Car, sans nous voir, nous voyons à toute heure.

1. Douloureux.
2. Séparer.

Voyant souffrir celle qui me tourmente,
J'oublie mon mal pour consoler le sien.
Car son ennui trop plus me mécontente
Que celui-là que pour elle soutien;
Et toutefois elle savait combien
J'ai de travaux pour elle supportés;
De nos deux maux pourrait former un bien
Dont elle et moi serions réconfortés.

La venimeuse et trop poignante épine
En quelque temps voit-on belle et fleurie,
Le fort venin confit en médecine
Réduit souvent l'homme de mort à vie :
Le feu par qui toute chose est ravie
Restreint tel fois plaie bien violente.
Si donc tel vivre en confort se varie
Salut j'espère au mal qui me tourmente.

Puisque je n'ai de me plaindre raison,
Raison voudrait que ma douleur je tusse;
Et que si j'ai des ennuis à foison,
Secrètement supporter je les dusse.
Car je ne vois qu'amour blâmer je pusse,
Ni ses effets qu'on dit pleins de rudesse;
Vu que des biens dont il me fit promesse
J'en ai reçu plus honnête partage
Que je ne vaux, il faut que le confesse.
Mais c'est la mort qu'un autre a davantage.

Main, plume et bouche entendaient s'excuser
D'eux employer en ce que sais nous plaire;
Disant qu'avez vers eux voulu user
De toute aigreur, et toujours leur déplaire,
Ma main premier montre bien et déclaire
Le mal qu'elle a de vos ongles reçu.
Ma bouche et plume ont assez aperçu
Que peu ou rien faut que de vous s'attende.
Mais pour cela faire n'ont pu ni su
Qu'ils n'obéissent où le cœur leur commande.

Si vous avez tel désir de me voir
Que le chantez, pour me rendre content
Et vous aussi; sauriez très bien prouvoir
A ce peu là que je désire tant.

Mais je vois bien que celui qui attend
Jusqu'à minuit, et qui chauffe la cire,
Aura ce bien; que, s'il est mal content,
Pour le guérir vous n'en ferez que rire.

Qui veut d'amour savoir tous les ébats
S'adresse à moi; car je suis bien appris.
Premier, ce sont accords pleins de débats,
Chasse pénible où le veneur est pris,
C'est le métier dont le maître est repris,
Aigre plaisir mêlé de douce rage,
L'honneur aussi qui se tourne à dépris [1]
Où plus est sot celui qui est plus sage.

Vénus partout cherche son fils perdu;
Mais lui caché dedans mon cœur se cèle.
Affollé suis, car, tout bien entendu,
Apre est le fils et la mère cruelle :
En le celant, de sa vive étincelle,
Tous mes os brûle et le mien cœur enflamme;
Le décelant, pour se venger du blâme,
Pis me fera; or doux fugitif dieu,
Sois cy caché; mais tempère ta flamme,
Et tu n'auras jamais un plus sûr lieu.

1. Mépris.

MICHEL D'AMBOISE

?-1547

Il était le fils naturel de Charles Chaumont d'Amboise, amiral de France, et lieutenant-général de Charles VIII en Lombardie. Il naquit à Naples dans le commencement du XVIᵉ siècle. Il fit ses études en compagnie de Georges d'Amboise, fils légitime de Charles Chaumont; on le destinait au barreau; il fut donc mis chez un procureur, mais le droit ne l'intéressait guère, et, en dépit de ses parents, il s'adonna à la poésie. Abandonné à lui-même et sans fortune, il épousa une femme qui n'était pas riche non plus et qui mourut au bout de deux années. Sa pénurie et ses malheurs le menèrent au tombeau en 1547. Il a écrit avec plus de fécondité que de bonheur; sa poétique incertaine est à la fois asservie à la rhétorique ancienne de l'école de Marot et sollicitée par la renaissance poétique qui déjà se manifestait. Nous n'avons pris dans son œuvre que quelques vers sur *le Printemps* et une pièce, *le Blason de la dent*, qui parut en 1536 dans le recueil collectif des *Blasons anatomiques des parties du corps féminin*.

LE PRINTEMPS

Au temps de Ver qu'un chacun prend plaisance
A écouter la musique accordance
Des oisillons qui par champs, à loisir,
A gergonner [1] prennent joie et plaisir
Voyant les fleurs en verdures croissantes,
Arbres vêtus de feuilles verdoyantes,
Prendre Cérès sa robe jà couverte
Totalement de branche ou herbe verte,
Dame Nature aorner les branchettes
De prunes, noix, cerises et pommettes
Et d'autres biens qui servent de pâture
A toute humaine et fragile facture,

1. Gergonner ou jargonner : crier, en parlant des oiseaux.

Le Dieu Priape, en jardins cultiveur,
Donnait aux fleurs délicate saveur,
Faisait herbette hors des boutons sortir,
Dont mettent peine amoureux s'assortir
Pour présenter à leurs dames frisquettes
Quand en secret sont dedans leurs chambrettes;
Pan, le cornu, par forêt umbrifère,
Commençait jà ses maisons à refaire
Par froid hiver et gelée démolies,
Et les avait alors tant embellies
Que chose était par leur grande verdure,
Consolative à toute regardure;
Les champs étaient verts comme papegay [1]
De quoi maint homme était joyeux et gai,
Et bien souvent aucun, par sa gaieté,
Lors d'amourette hantait l'aménité
Faisant rondeaux, chansonnette et ballades,
Dames menaient par jardins et feuillades
Et leur donnaient souvent sur le pré vert
Ou une œillade ou un baiser couvert
Dont ils étaient résolus comme pape;
Un autre ôtait son manteau ou sa cape
Pour faire sauts et pour bondir en l'air
A cette fin que de lui fît parler.

En ce temps-là, si propre aux amoureux,
Moi qui étais pensif et douloureux
Et qui n'avais du plaisir une goutte
Non plus que ceux que tourmente la goutte,
Vouloir me prit de ma chambre laisser
Pour un petit aller le temps passer
En un vert bois qui près de moi était,
Le plus souvent où personne n'était,
Afin que pusse un mien deuil étranger,
Pour un petit m'ébattre et soulager.

En ce vert bois doncques m'acheminai
Et ci et là, seulet, me promenai
Dessous rameaux et branches verdelettes;
Me promenant, pensais mille chosettes.

1. Perroquet.

LE BLASON DE LA DENT

Dent, qui te montres en riant
Comme un diamant d'Orient
Dent précieuse et déliée,
Que nature a si bien liée
En celui ordre où tu reposes
Qu'on ne peut voir plus belle chose :
Dent blanche comme cristal, voire
Ainsi que neige, ou blanc ivoire;
Dent qui sens bon comme fait baume,
Dont la beauté vaut un royaume;
Dent qui fais une bouche telle
Comme fait une perle belle
Un bien fin or bouté en œuvre;
Dent que souvent cache et découvre
Cette belièvre purpurine,
Tu fais le reste être divine,
Quand on te voit à découvert.
Mais, dent, quand ton pris est couvert
Le demeurant moins beau ressemble,
Car son honneur est, ce me semble,
Luisant ainsi que perle nette,
Qui reluit comme une planète,
Encore plus fort que la lune;
En tout le monde n'en est une
Qui soit si parfaite que toi.
Je te promets quand je te vois,
Comme au premier que je te vis,
Je suis tout transi et ravi,
Et cuide au vrai, te regardant,
Que ce soit un soleil ardent
Qui se découvre des nuées.
De l'odeur qui belle dent rache,
Garde-toi bien qu'on ne t'arrache,
Car pour vrai qui t'arracherait,
Plusieurs et moi il fâcherait :
Pourtant que l'arracheur méchant
Arracherait en t'arrachant,
La beauté de toute la face,
Qui n'a sans toi aucune grâce.

EUSTORG DE BEAULIEU

?-1552

Il naquit à Beaulieu-sur-Mémoire, dans le bas Limousin. On ne connaît pas la date de sa naissance. Il faut la placer sans doute tout au commencement du XVIᵉ siècle ou dans les dernières années du XVᵉ. Il eut une existence assez mouvementée. Il perdit, étant encore tout enfant, son père et sa mère. Il étudia la musique, devint organiste, puis il se fit prêtre; plus tard il adopta la religion réformée, mais s'il renonça au catholicisme, il ne renonça pas à l'état ecclésiastique et il devint ministre de sa nouvelle religion. De son œuvre, nous avons cité plusieurs pièces de genres divers : rondeaux, ballades et chansons, qui sont vives et gracieuses et dont le tour aisé fait songer aux pièces du même genre de Clément Marot, dont Eustorg de Beaulieu était le disciple. Il mourut à Bâle le 8 janvier 1552.

D'UN GOURMAND, IVROGNE ET PARESSEUX

Pour dormir et boire et manger,
Prendre ébat et me soulager,
Je ne crains homme de ma taille
A qui ne présente bataille,
Fût-il aussi vaillant qu'Ogier.

Il n'est que moi pour engorger
Pain, vin, viande et puis chercher
Quelque étable fourni de paille
Pour dormir.

Je ne vaux rien à me charger
De souci, ni pour ménager
Et moins à rien où l'on travaille,
Fors que pour tirer la ventraille
D'un flacon, et puis me coucher
Pour dormir.

A LA LOUANGE DE LA FORÊT

En la forêt a mainte chose;
En la forêt on se repose,
En la forêt fait bon chasser,
Beau chanter, beau le temps passer,
Beau composer en rime et prose.

Tous mots joyeux on y propose,
On y rit, on raille, on marmose
Et s'il pleut on vient s'adresser
En la forêt.

Maint connin [1] y est en sa crose [2]
Et maint ruisseau que l'herbe arrose.
Sur laquelle on se vient coucher
Au temps nouveau, sans se fâcher,
Où mainte pensée est déclose
En la forêt.

DE L'OMBRE DE LA TREILLE

Il n'est que l'ombre de la treille
Pour se rafraîchir plaisamment
Et n'y a ombre sa pareille
Ni qui tienne plus fraîchement,
Et si est saine grandement.
Puis troncs, branches, fruits et la feuille
(Mais qu'en leur saison on les cueille),
Tout est à l'homme secourable,
Et (qui est plus grande merveille)
Leur liqueur est très profitable.

1. Connin ou connil : lapin.
2. Son creux, son terrier.

BALLADE D'AUCUNES MAUVAISES COUTUMES
QUI RÈGNENT MAINTENANT

Le temps est changé grandement
Si chacun bien y considère
Et nul ne sait plus bonnement
Comme il se pourra contrefaire;
On ne vit oncq telle misère;
(Dieu nous veuille de pis garder!)
Car nul n'est qui craigne à méfaire
Contre Dieu ni ses père et mère
Chacun veut chacun gourmander.

On n'estime plus maintenant
Un homme, eût-il le sens d'Homère
S'il n'est riche et grands biens tenant
Quoi qu'il soit trompeur et faussaire.
Et ce sont ceux-là qu'on révère
Sans qu'on les ose brocarder,
Mais quelque pauvre de bon aire [1]
Soit noble, clerc ou mercenaire,
Chacun veut chacun gourmander.

Maints châtient tant doucement
Leurs enfants qu'enfin leur font faire
Maints jeûnes sans commandement
Et les chassent de leur repaire,
Et peut-on voir à vue claire
Tel enfant qui devrait téter,
Qui est jureur, menteur, trichaire [2],
Ivrogne, orgueilleux, fier, austère;
Chacun veut chacun gourmander.

Prince, notre cas ne vaut guère
Si nous voulons bien regarder,
Et c'est pitié de notre affaire
Voyant que, par grand impropère,
Chacun veut chacun gourmander.

1. De bon air.
2. Tricheur.

CHANSONS

I

SUR LE TEMPS PRÉSENT

Le temps n'est plus tel comme il soulait être :
Loyale amour ne règne qu'en écus,
Foi est malade, on sert le dieu Bacchus
Et les brebis font plusieurs moutons paître.

L'église a mis la tête hors du chevêtre,
Vérité dort, faveur tient droit reclus,
Justice est morte et ne s'en parle plus,
Et charité ne vient point comparaître.

Tous les bienfaits se sont allés remettre
En Paradis où seront mieux repus,
Mais leur absence a les gens corrompus
Si très avant qu'on n'y peut ordre mettre.

II

CHANSON EN FORME DE DIALOGUE

— Bon jour, bon an et bonne étrenne
Et dieu gard' de mal mes mignons.
D'où venez-vous ? qui vous amène ?
— Bon jour, bon an et bonne étrenne,
Nous venons de la verte plaine,
De dire motets et chansons.
— Bon jour, bon an et bonne étrenne
Et Dieu gard' de mal mes mignons.

III

CHANSON A DIRE LA NUIT PAR LES RUES, AU LIEU DE :
RÉVEILLEZ-VOUS, RÉVEILLEZ

Réveillez-vous, dame Nature,
Votre cœur à Dieu adressez
Et pensez à votre décès,
Car vous viendrez en pourriture.

JACQUES GOHORRY

?-1576

Jacques Gohorry naquit dans le commencement du XVIᵉ siècle, à Paris, d'une famille originaire de Florence. Il étudia les sciences, devint professeur de mathématiques et s'occupa de chimie; il avait quelque chose d'un alchimiste et d'un astrologue; l'esprit peuplé d'idées bizarres, il se retira du monde et vécut seul avec ses rêveries; lui-même se surnommait : *le solitaire, solitarius, leo suavius.* Il ne garda de relations qu'avec quelques amis dévoués. Son activité intellectuelle était considérable : il s'est occupé non seulement de mathématiques et de sciences naturelles, mais encore d'histoire et de poésie; il a traduit plusieurs ouvrages, dont *le Prince* de Machiavel. Ses œuvres poétiques consistent en un recueil de poèmes publié en 1572; nous en donnons deux pièces, dont la stance où il compare la jeune fille à la rose; Sainte-Beuve la trouvait si heureuse qu'il l'a citée dans une note de son *Tableau de la poésie française au* XVIᵉ *siècle,* et qu'il l'a mentionnée au t. III, p. 84, de ses *Portraits littéraires.* Gohorry en prit le thème dans l'*Amadis,* dont il traduisit quelques livres. Ce poète, qui était de l'école de Marot, mourut à Paris le 15 mars 1576.

CHANSON

La jeune fille est semblable à la rose,
Au beau jardin, sur l'épine naïve,
Tandis que sûre et seulette repose,
Sans que troupeau ni berger y arrive.
L'air doux l'échauffe et l'aurore l'arrose;
La terre, l'eau par sa faveur l'avive.
Mais jeunes gens et dames amoureuses
De la cueillir ont les mains envieuses.
La terre et l'air qui la soulaient nourrir,
La quittent lors et la laissent flétrir.

LA PUISSANCE DE L'AMOUR

L'âge d'or précieux
Délaissant la terre ronde,
Saturne, chassé des cieux,
Laissa l'empire du monde.

Et lors ses trois fils pervers,
Avançant leur héritage,
Départirent l'univers
Chacun selon son partage.

Jupiter eut par hasard
Le ciel tournoyant la terre,
Et fortifia sa part
Des foudres et du tonnerre.

Neptune fut président
Des mers pleines de naufrages,
Et s'arma d'un fort trident
De tempêtes et d'orages.

A Pluton, le sort donna
L'enfer plein de félonies,
Lequel il environna
D'eaux noires et de furies.

Il semblait qu'à Cupidon
La terre fut réservée
Mais, non content de ce don,
Il prit tout gai sa volée.

Et vint, au milieu des cieux,
A Jupiter mener guerre,
De son feu domptant les feux
Des foudres et du tonnerre.

De là, vers le président
Des mers vint ce dieu volage,
Et fit ardre son trident
Sa tempête et son orage.

Puis, ès enfers ténébreux
Il vint élancer ses flammes,
Malgré tout le peuple ombreux,
Mâtant le fier roi des âmes.

Ainsi tu peux enflammer,
Amour, de tes étincelles,
Le ciel, l'enfer et la mer,
Et les choses plus rebelles.

Donc, à bon droit, nous humains,
Adorerons ta puissance,
Vu que les dieux souverains
Te rendent obéissance.

ANNE DES MARQUETS

?-1588

On ignore la date de sa naissance. On pense qu'elle naquit dans le commencement du XVIe siècle. Elle était d'origine normande. Sa vie, qui n'est pas connue, dut s'écouler fort paisiblement. Anne des Marquets embrassa la profession religieuse; elle entra dans l'ordre de saint Dominique, et vécut dans un couvent de Poissy. Elle était lettrée; elle composa des poésies chrétiennes : hymnes, prières, méditations et surtout de nombreux sonnets spirituels, qui furent édités seulement après sa mort. Nous en donnons quelques-uns. Ils sont très bien construits, la langue en est ferme et claire, et ils sont animés d'un véritable sentiment poétique. Anne des Marquets mourut à Poissy le 11 mai 1588.

SONNETS SPIRITUELS

I

Prenez ores [1] courage, ô craintifs, car voici
Votre Dieu qui vient faire ici son domicile,
Lequel vous sauvera de la puissance hostile,
Et par lui se feront ces belles œuvres-ci :

Les aveugles verront, les sourds oiront aussi,
Le boiteux marchera d'un pied ferme et agile,
La langue des muets sera prompte et facile,
Et vous serez en paix hors de crainte et souci.

Si qu'il faudra changer en coutre les épées,
Pour bêches et hoyaux lances seront coupées,
Ne se trouvant plus lors qui nous vienne assaillir :

1. Maintenant.

Bref, nous serons certains d'être heureux à toute heure :
Quelle félicité, quel bien peut défaillir
A l'homme, auprès duquel Dieu choisit sa demeure ?

II

Afin que le Seigneur nous soit doux et propice
Alors qu'il nous viendra pousser au dernier port,
Ayons toujours en main pour conduite et support,
Avec l'ardente foi, les œuvres de justice.

Hé ! qui pourrait penser le tourment, le supplice,
L'angoisse, la frayeur, le regret et remord
Qu'ont ceux qui, se voyant accablés de la mort,
Sont vides de vertus et remplis de tout vice ?

Las ! nous n'emportons rien que les biens ou méfaits
Dont la vie ou la mort pour jamais nous demeure.
Tous ces biens donc qu'alors nous voudrions avoir faits,

Pour n'être point surpris, faisons-les dès cette heure,
Et ne nous promettons jamais de lendemain,
Car tel vit aujourd'hui qui sera mort demain.

III

Voici le beau printemps qui jà déjà commence,
Chassant le triste hiver obscur et froidureux :
Jà se montre Phébus plus clair et chaleureux,
Dont la terre amollie à produire s'avance.

La glace ore se fond, l'eau court en abondance :
Ce qui semblait tout mort redevient vigoureux :
On oit jà des oiseaux les doux chants amoureux,
Et les plaisantes fleurs prennent ores naissance.

Il nous faut donc tâcher, imitant la saison,
De produire un bon fruit : jeûne, aumône, oraison,
Et ramollir nos cœurs jetant larmes non feintes,

Ressusciter en Dieu, son saint los résonner,
Et des célestes fleurs de vertu nous orner,
Vu que Dieu fait sur nous luire ses grâces saintes.

IV

Voici ores ton roi, ô fille de Sion,
Qui te vient visiter en grand' mansuétude,
Pour bientôt t'affranchir de toute servitude,
Et te donner salut, grâce et rémission.

Ce bon prince est assis sur l'ânesse et l'ânon,
Ayant autour de soi une grand' multitude,
Qui, pour mieux honorer sa haute celsitude [1],
Le bénit, le caresse et célèbre son nom,

L'appelant de David la semence et la face,
Et faisant tel devoir que les lieux où il passe
Sont tapissés d'habits et de beaux rameaux verts :

Puis les voix jusqu'aux cieux par louange résonnent,
Dont les princes des Juifs en murmurant s'étonnent :
Car toujours un bon œuvre est blâmé des pervers.

V

Lève-toi promptement, m'amour, ma toute belle,
Disait Dieu à la Vierge en ses divins écrits,
Je suis de ta beauté divinement épris,
Hâte-toi de venir, ma douce colombelle.

La terre reverdit et prend robe nouvelle,
Produisant maintes fleurs de valeur et de prix :
Jà la pluie et l'hiver ennuyant les esprits
Sont passés, et voici le temps qui renouvelle.

Ce pluvieux hiver c'était l'antique loi,
Ce gracieux printemps c'est la grâce et la foi,
Qui les fleurs de vertu ont fait par tout reluire,

Desquelles a été ornée excellemment
Celle que le grand Dieu a chéri tellement
Que pour épouse et mère il la voulut élire.

1. Hauteur, élévation, grandeur.

GUILLAUME DU SABLE

? - ?

Guillaume du Sable fut élevé à la cour du roi François Ier et servit sept rois. Dans le recueil de ses poésies, qu'il publia seulement en 1611, il se qualifie de « l'un des plus anciens gentilshommes de la vénerie du roi »; sa poésie est souvent sans couleur et sans relief; il a, bien entendu, chanté sa dame, laquelle était une demoiselle d'Agen : Armoise ou Armaise de Loumagne; il a écrit pour elle beaucoup de sonnets; mais tous ses vers ne sont pas des vers d'amour; fervent huguenot, violent ennemi de la Ligue, il a composé aussi des pièces satiriques qui, poétiquement, ne sont guère intéressantes, mais qui présentent un intérêt historique. Nous donnons de lui deux sonnets seulement : un sonnet amoureux et un sonnet politique. On ignore les dates de la naissance et de la mort de ce poète.

SONNETS

I

Si ce brave Toscan vivait pour le jour d'hui,
Et que connaissance eût de ma nymphe agenaise,
Je crois qu'il quitterait sa Laure avignonaise
Pour m'ôter et ravir ce bien que je poursuis.

Lors, ainsi qu'un jaloux douteux et plein d'ennui,
Contre ce Florentin prendrais querelle et noise;
Car lui, la connaissant tant aimable et courtoise,
Si avare en serait qu'il voudrait tout pour lui.

Je veux bien l'avouer, ô excellent Pétrarque!
Qu'en ton vivant, tu fus le vrai prince ou monarque
De ceux qui, en aimant, n'ont point faussé leur foi;

Nous en avons encore ici-bas la mémoire;
Ne pense toutefois sur tous avoir victoire;
J'en connais aujourd'hui d'aussi loyaux que toi.

II

SUR LES DÉVOTIONS PRÉTENDUES DE HENRI III

D'être amateur de paix, aux pauvres charitable;
A la veuve assister, consoler l'affligé;
Défendre l'orphelin, qui du riche est mangé;
Toujours être au public utile et profitable;

Aux bons se montrer bon, aux méchants redoutable;
Ne souffrir aucun tort sans être corrigé;
A chacun faire droit, comme on est obligé,
C'est du devoir d'un roi, pour se rendre équitable.

Non pas se conformer aux capucins pouilleux,
Ni aux jésuites feints, ligueurs et scandaleux,
Lesquels ont inventé ce maudit monopole :

De pratiquer la Ligue à leur dévotion,
Pour planter à la France une inquisition,
Et les faire sur nous régner à l'espagnole.

GUILLAUME HAUDENT

? -1557

Guillaume Haudent est peu connu. Il était d'origine normande et naquit probablement à Rouen; il prit part à plusieurs palinods, ou concours littéraires, qui avaient lieu dans cette ville; il y fut régent de grammaire à la maîtrise ou au bas chœur de la cathédrale. Il écrivait sous François Iᵉʳ. Il a laissé un recueil d'apologues d'Ésope et un poème moral, en vers décasyllabiques, le *Variable discours de la vie humaine*, dans lequel il décrit les aptitudes, les goûts et les ambitions des mortels, lesquels se donnent beaucoup de peine pour acquérir des biens périssables au risque de compromettre leur bonheur éternel. Ce poème est une traduction d'un ouvrage latin dont l'auteur n'est pas connu. Nous en donnons un fragment, que nous faisons suivre de deux de ses apologues. On ignore les dates de la naissance et de la mort de Guillaume Haudent; on sait seulement qu'il vivait encore en 1557.

LE VARIABLE DISCOURS DE LA VIE HUMAINE

(FRAGMENT)

O cœur mondain, ô humaine pensée
Trop aveuglée, encor plus insensée,
Sur un appui de petite assurance
Et fort fragile a mis ton espérance;
Tu n'aperçois qu'un chacun temps se passe
Légèrement et en bien peu d'espace
Tu n'aperçois temps et siècle tourner
Par monuments sans jamais retourner.

Ne vois-tu pas toutes choses finer [1]
Et en peu d'heure un chacun définer [2]

1. Finir.
2. Finir.

Ses jours, ses ans, sans en excepter âme,
Soit faible ou fort, pauvre ou riche, homme ou femme.
En quel lieu est maintenant la cohorte
Et ost [1] des Grecs qui Troyens en main forte
Ont débellé et détruit Ilion ?
Où est Hector plus hardi qu'un lion
Tant redouté et bien provu [2] aux armes,
Qui fit jadis sur les Grecs maints alarmes,
Lorsque Troie en grande magnificence
De ses forts murs avait encor l'essence ?
Où est Turnus le prince belliqueux ?
Et Achilles aux armes fort et preux
Auquel les Grecs avaient toute espérance
Pour sang troyen répandre en abondance ?
Où est le grand et vaillant Alexandre,
Qui put jadis son nom et bruit épandre
Et dilater par toute nation
Le sien empire et domination ?
Qu'est devenu le bon poëte Homère ?
Virgile aussi, lesquels mort tant amère
A fait passer et partir de ce monde ?
Qu'est devenu d'éloquence et faconde
Le parangon qui fut Tulle nommé [3] ?
Maint autre aussi jadis bien renommé
Pour sa vertu et [pour] son grand savoir
Desquels les corps, comme l'on peut savoir,
Réduits en cendre en terre sont pourris,
Et dont les vers se sont pais et nourris ?
Où est pour lors l'abondante richesse
De Salomon qui fut plein de sagesse ?
Où est pour lors le palais tant superbe
Du roi Priam où croît maintenant l'herbe ?

O quel douleur, quel diverse fortune
De voir ainsi par piteuse infortune
Ces choses-là jadis tant bien dressées
Être muées et du tout renversées !
Le temps ne veut endurer ni permettre
Aucune chose au monde toujours être;
Ains tout consomme et fait à fin venir,
Et puis à rien pour certain devenir.

1. Armée.
2. Pourvu.
3. Tullius Cicéron.

Tout ce qui fut, qui est et qui sera,
A trait de temps son être cessera.

APOLOGUES D'ÉSOPE

I

D'UN RENARD ET D'UN BOUC

Un fin renard et subtil par nature
Avec un bouc se trouva d'aventure
Au bord de l'eau, de quelque puits si haut
Qu'il en faillait issir [1] à double saut,
Ce que voyant le renard, fine bête,
Lors dit au bouc : « Dresser convient ta tête
Et l'estocquer encontre la paroi;
Par ce moyen je saillirai [2] sur toi,
Et par après dessus le bord du puits,
Facilement pourrai saillir, et puis
Je te promets de t'en tirer dehors. »
Le pauvre bouc crut ce renard alors,
Par quoi s'est pris à estocquer de front
Les pieds en haut et ce renard fort prompt
Dessus le col lui saut du premier coup,
Et du second se jeta bien acoup
Outre le bord de ce puits ainsi haut;
Par ce moyen le renard fin et cault [3]
Échappa lors sautant et goguetant
Dessus le bord de ce puits; entretant
Le pauvre bouc lui va crier d'en bas :
« Ah! faux renard je vois que tu t'ébats
Lassus, n'ayant aucun souci de moi.
En toi ni à promesse qui ait foi,
Quand ainsi est que d'aider à me mettre
Hors de ce lieu tu m'as bien su promettre,
Mais maintenant ne t'en chaut quand tu vois
Être échappé par tes fins ambigeois [4]. »

A quoi répond le renard : « Pauvre bête,
S'autant de sens tu avais en la tête

1. Sortir.
2. J'irai, je sauterai, sans manquer.
3. Rusé.
4. Ambages, finesses.

Comme de poil as sous gorge pendu,
Pas en ce lieu ne fusses descendu. »

II

D'UN CORBEAU ET D'UN RENARD

Comme un corbeau, plus noir que n'est la poix,
Était au haut d'un arbre quelquefois
Juché, tenant à son bec un fromage,
Un faux renard vint quasi par hommage
A lui donner le bonjour; cela fait,
Il est venu à l'extoller [1] à fait
En lui disant : « O triomphant corbeau
Sur tous oiseaux me sembles de corps beau
Et pour autant les ceux qui noir te disent
Très méchamment de ta couleur médisent
Vu que tu es par très apparent signe
De trop plus blanc que ne fut oncques cygne,
Et que le paon en beauté tu excèdes,
S'ainsi est donc que la voix tu possèdes
Correspondant à ta beauté de corps,
C'est assavoir, fondée en doux accords
Pour bien chanter, entends pour vrai et croi
Que des oiseaux es digne d'être roi;
A cette cause j'aurais bon appétit
D'ouïr ta voix déployer un petit [2],
Quand pour certain quelque chose qu'on nie
Ton chant me semble être plein d'harmonie. »

Par tels propos adulatifs et feints
Qu'a ce renard cauteleux et atteints,
Le sot corbeau fut tant de gloire épris
Qu'incontinent à chanter il s'est pris,
Dont par sa gloire il encourut dommage
Quand hors du bec lui en chut le fromage,
Que ce renard tout exprès attendait
Car autre chose avoir ne prétendait
Vu qu'aussitôt qu'il en fut jouissant
Il s'enfuit, voire en se gaudissant
De ce corbeau, ainsi pris par son art
Bien lui montrant qu'il était vrai conard.

1. Exalter, louer.
2. Un peu.

ROLAND BETHOLAUD

Il naquit à Loudun, on ne sait à quelle date. Il composa des poésies françaises et des poésies latines. En tête de ses poésies latines, il se donne le titre de jurisconsulte à Limoges. Ses poésies françaises sont peu nombreuses : quelques sonnets, quelques épigrammes et pièces diverses, et surtout deux églogues funèbres. Nous citons une partie de celle qu'il fit sur la mort de son compatriote et confrère en poésie latine, Joseph Macrin. La date de la mort de Roland Bétholaud n'est pas plus connue que celle de sa naissance.

ÉGLOGUE SUR LE TOMBEAU DE
SALMONIUS MACRINUS [1]

(FRAGMENTS)

Cher Macrin, de ma part tu auras à cette heure
Ces larmes, que pour toi misérable je pleure
Et ces vers douloureux, que mes justes regrets
Font voir derrière nous gravés dans le cyprès.
O ciel, père de tout, et vous, ondes coulantes,
Dont toute chose naît; terre, mère des corps,
Prenez ces petits vers; et si les hommes morts,
Leur premier sentiment comme nous ont encore,
Envoyez à Macrin ce peu dont je l'honore.
Et toi, mon cher Macrin, si encore tu sens,
Saintement reposant, ce que font les vivants,
Si du monde meilleur quelque part la plus belle
Dans le ciel éternel a ton âme éternelle,
Regarde de bon œil ces miens humbles fredons,
Que tu as, les ayant quelquefois trouvés bons.

1. Jean Salmon Macrin, de Loudun (1490-1557), poète latin, valet de chambre de François Ier.

Autant longue que belle ayant vécu ta vie,
Voire autant qu'honorable et sûre de l'envie,
Tu fais pleurer les yeux des bergers larmoyants,
Non moins que si la Parque, en la fleur de tes ans,
Te coupant le filet, t'eût coupé l'espérance
D'être, comme on te voit, des premiers de la France.

Les nymphes t'ont pleuré à l'envi des neuf Sœurs
(Les coudres et les eaux en témoignent les pleurs)
Quand ton fils, se jetant sur ton corps pitoyable,
Disait les dieux cruels, et Jupiter coupable
D'un trop lâche forfait. Le simple pastoureau
A, sans guide, lâché par les champs le troupeau.
Le troupeau se plaignant, a ta mort regrettée
Sans que, de tout le jour, il ait l'herbe goûtée
Ni touché tant soit peu la liqueur des ruisseaux.
Les épaisses forêts, les sauvages coupeaux [1]
Des plus horribles monts hautement retentissent,
Ou même les lions de Carthage rugissent
Pour le deuil de ta mort. Macrin, tu savais bien
Accoupler en nos champs le tigre arménien
En l'honneur de Bacchus, renouveler sa danse,
Ses thiases[2] vineux, et recouvrir sa lance
De feuillards tout autour. Macrin, tu nous montrais,
Pour tromper nos ennuis, d'assembler à la voix,
Alors que des bergers la fortune se joue,
Les tuyaux de Sicile et ceux-là de Mantoue.
Tu n'as laissé languir d'un séjour paresseux
Ni ta race, ni moi, ni Macrin, ni tous ceux
Que la muse appelait à boire en Hippocrène
Les meilleures liqueurs de la sainte fontaine.
Pour nous donner courage après avoir chanté,
Tu nous récompensais du loyer mérité,
Comme la grappe honore une vigne tortisse,
Et la vigne un ormeau, le troupeau la génisse,
Et les blés le beau champ; ainsi quand tu vivais
Tu fus l'honneur des tiens et l'honneur de nos bois.

Après que le ciseau de la Parque meurtrière
T'eut fait perdre en mourant notre belle lumière,

1. Coupeau : sommet d'une montagne, d'une colline.
2. Thiase : nom d'associations religieuses chez les Grecs, « particulièrement pour les cultes où l'on célébrait des cérémonies orgiastiques » (Littré.)

Palès quitta nos champs aussitôt qu'Apollon.
En lieu d'orge semé, maintenant le sillon
Jette l'averon [1] et la fougère drue,
La malheureuse ivraie et la triste ciguë;
En lieu de violette, et de rouge narcis [2],
De pâquerette blanche, et de rose, et de lys,
La ronce, le chardon, la groseille et l'ortie
Tiennent de nos jardins le meilleure partie.
Pastoureaux, ombragez les fontaines de fleurs,
Sur la terre semez les flairantes odeurs,
Élevez un tombeau à Macrin qui souhaite
Que pour l'amour de lui telle chose soit faite,
Et que sur le tombeau l'on engrave ceci :
Je, Macrin, suis bien mort et tu mourras aussi,
Car, contre le destin et la mort outrageuse,
De rien ne m'a servi ma verve harmonieuse.
Adieu, doncque, Macrin, Apollon perruquier
Te fait un beau présent de l'odeur du laurier;
Les faunes ont cueilli tout ce qu'ils pouvaient prendre
De meilleur pour t'offrir, de l'arbre le fruit tendre,
Du froment espigé [3] les grains et le tuyau.
Palès verse du lait sur ton sacré tombeau,
Les Nymphes du miel roux et Flore des guirlandes!
Encore des neuf Sœurs un honneur tu demandes,
Chère âme, le plus grand qu'elles puissent donner
Aux hommes qui sont morts : des vers pour résonner,
Dans leur temple divin, sur leur harpe d'ivoire,
De Macrin Loudunois l'immortelle mémoire!
Les Muses savent bien combien tu méritas
De lauriers verdoyants, alors que tu chantas
La mort de Gelonis de voix sicilienne,
Si bien qu'elles pleuraient ta fortune et la sienne.

1. Folle avoine.
2. Narcisse.
3. Dépiqué.

HUGUES SALEL

1504- ?

Hugues Salel naquit vers 1504, à Casals, en Quercy. On ne sait rien de la première partie de sa vie; son talent poétique lui valut la protection du roi François Ier, qui le nomma son valet de chambre et, plus tard, son maître d'hôtel. Hugues Salel reçut aussi l'abbaye de Saint-Chéron. C'est là qu'il se retira lorsque, après la mort de son bienfaiteur, survenue en 1547, il quitta la cour. Il avait été lié avec la plupart des poètes de son temps, qui faisaient un grand cas de son talent, et principalement, semble-t-il, avec son compatriote Olivier de Magny. C'est une lettre d'Olivier de Magny, précisément, qui nous apprend que Hugues Salel, dont on ne sait à quelle date il mourut, vivait encore à fin mars 1553. Les poésies de Hugues Salel sont peu nombreuses; elles tiennent presque toutes en un volume, dans lequel on trouve quelques poèmes assez étendus, et notamment une *Chasse royale*, puis une *Églogue marine*, des épitaphes, des épigrammes, des dizains et des pièces diverses. Hugues Salel était un savant homme; il savait très bien le grec et il a traduit en vers les dix premiers livres de *l'Iliade*. Le mérite de ce poète est bien au-dessous de la réputation qu'il eut de son temps; sa muse, non seulement manque souvent d'élégance, mais encore de dignité; ses poésies amoureuses sont d'un ton fort libre. Nous avons cité de lui quelques pièces choisies parmi les plus courtes.

AU LECTEUR

ÉPIGRAMME

Il n'est pas dit que toujours faille écrire
Propos d'amour et matière joyeuse;
Communément l'homme changer désire
Et longue joie est souvent ennuyeuse.
Qui veut savoir combien paix est heureuse,
Hanter lui faut guerre, noise, et, contents,
L'on juge aussi jeunesse vigoureuse
Quand on est vieux : toute chose a son temps.

DE LA MAIN DE MARGUERITE

Plume, vous travaillez en vain
En voulant comparer la main
De ma dame à mortelle chose,
Soit lis, ivoire ou blanche rose,
Pour ce que, quand Amour prétend
De rendre l'œil humain content,
Ne peut montrer objet plus digne,
O main jolie, ô main divine,
Main, qui n'as ta pareille en terre,
Main, qui tiens la paix et la guerre,
Main propre pour le cœur ravir,
Et puis le contraindre à servir,
Main portant la clef pour fermer
Et ouvrir l'huis de bien aimer,
Main plaisante, main délicate,
Je n'oserais te dire ingrate;
Tu peux blesser, tu peux guérir,
Tu peux faire vivre et mourir,
Main qui retiens, main qui dépars [1],
Main qui fends mon cœur en deux parts,
Main pesant tout à la balance,
Main qui soutiens plus forte lance
Qu'Achilles (mon cœur l'a bien su),
Car onc de main ne fut reçu
Coup faisant si grande ouverture,
Touchant l'amoureuse pointure,
Que j'ai d'un seul coup soutenu
Depuis qu'elle m'a retenu.

EN PASSANT PAR UN BOIS ET REGRETTANT MARGUERITE

Rossignols qui faites merveilles
De jergonner par ces verts bois,
Ne remplissez plus mes oreilles
De si douce et plaisante voix.

---

1. Qui sépare.

Puisque voyez que je m'en vais
Aux lieux où joie est endormie,
Chantez, s'il vous plaît, cette fois
Le triste départ de m'amie.

DIZAIN

Un jour Vénus, désirant me fâcher
Pour un dépit piéça [1] sur moi conçu,
Fit à son fils Cupidon delâcher
Un trait sur moi, mais il fut bien déçu,
Car, aussitôt que j'eus le coup reçu,
Et que la plaie était fraîche et entière,
Pallas y mit tel onguent et matière
Que je me vis guéri le lendemain;
Arrière donc, Vénus rebelle et fière,
Puisque Minerve y met pour moi la main.

---

1. Piéça : il y a longtemps, pièce de temps il y a.

LA BORDERIE

1507– ?

La Borderie naquit en 1507. Il fut un des disciples de Marot, qui l'estimait beaucoup et qui l'appelait son *mignon*. Sa vie est peu connue ; la date de sa mort n'est pas connue non plus. Nous donnons un fragment de son poème *l'Amye de court*, auquel Heroët répliqua par *la Parfaite amye de court*, et dont nous avons parlé dans notre Introduction.

SUR LE CHOIX D'UN MARI,
RICHE OU PAUVRE

(Extrait de l'Amye de court.)

Toujours vertu me saura faire aller
Partout sans crainte, et franchement parler.
Il y en a tant qui font les sucrées,
Qui contrefont les vestales sacrées,
Tant qu'à parler à peine ouvrent la bouche ;
Et si quelqu'un du petit doigt les touche,
Vous jugerez, à voir leur mine étrange,
Qu'on a touché quelque précieux ange.
Mais au dehors femmes si difficiles,
Par le dedans je les crois plus faciles.
Je ne suis point difficile en devis,
A toutes gens je leur dis mon avis ;
Et s'il me vient un bon mot pour en rire,
Je le dirai, quoi qu'on en doive dire ;
Car n'étant point de mes serviteurs serve,
L'autorité sur eux je me réserve,
Et ne saurais plus grand heur demander
Qu'être obéie, et toujours commander.

Tandis que l'un m'appellera cruelle,
L'autre dira que je suis la plus belle

Dans tout le monde, et qu'en moi l'on peut voir
Combien nature a de grâce et pouvoir.
Ainsi me loue, et tantôt il m'accuse :
L'autre veut seul ce qu'à tous je refuse,
Et veut donner bien moins qu'il ne demande :
L'un se complaint, l'autre se recommande;
L'un de l'œil pleure alors que le cœur rit;
L'autre est malade, et soudain se guérit.
Mais en oyant leurs plaintes et clameurs
Aucunes fois de rire je me meurs.

Jeunes et vieux, petits, grands et menus,
En mon endroit sont tous les bienvenus;
En un chacun qui m'entretenir ose,
Sans aimer tout, j'aime bien quelque chose.
J'aime de l'un une grâce bien bonne,
Douce, agréable, et qui point ne s'étonne.
De l'autre j'aime une langue mectable [1],
Un parler prompt, fécond et délectable :
Beauté me plaît où qu'elle soit choisie;
Là, la douceur; ici, la courtoisie :
Chacun, de moi, en effet est loué,
Selon qu'il est par nature doué;
Jusques aux sots, leur sottise m'agrée,
Et avec eux, parfois, je me récrée.
Si c'est amour que d'aimer tout cela,
J'en aime plus de mille çà et là :
Mais le plaisir d'aimer ainsi finit
A mon oreille, à l'œil et à l'esprit.

Mais connaissant que le temps est mobile,
Faveur muable et jeunesse débile,
Et que beauté ne peut toujours durer,
Contre ce doute il me faut assurer :
Mon assurance est le seul mariage,
Qui est le but où toute femme sage
Doit, pour son bien, de bonne heure viser.
C'est un grand mal un fâcheux épouser,
Comme j'ai dit, filles, auparavant,
Et grand plaisir d'avoir mari savant,
Honnête, sage, et plein de bonne grâce :
Mais s'il fallait qu'un sot de bonne race,

1. Bien douée, capable, convenable.

Riche de biens, et pauvre de savoir,
Me demandât et me voulût avoir,
D'avis serais que plutôt on le prît,
Qu'un plus savant qui n'a rien que l'esprit.
Qu'autre femme aille, au riche préférant
L'honnête ami qui va son pain querant;
Et puis après, il faut vivre d'amours,
Ou bien apprendre à passer les longs jours
En peine extrême et langoureuse vie.
D'un tel malheur, je n'en ai point d'envie;
Car, étant là, plus froide je serais
Que n'est Vénus sans Bacchus et Cérès.
Quant à mari, je résous donc ce point,
De l'avoir riche, ou de n'en avoir point.

JEAN DORAT

1508?-1588

On ignore le lieu et la date exacte de sa naissance. Il mourut le 1er novembre 1588, mais ses contemporains ne sont pas d'accord sur l'âge qu'il pouvait avoir. Son épitaphe officielle lui donne quatre-vingts ans; en outre, dans l'édition de ses œuvres de 1586, on a un portrait de lui à l'âge de soixante-dix-huit ans. On peut donc conclure qu'il naquit vers 1508 et, vraisemblablement, en 1508 même. Il fut le maître des poètes de la Pléiade, et, ainsi qu'on l'a dit, ce sont ses élèves qui sont sa vraie gloire. Pour lui, il fit plus de vers latins que de vers français. Il fut un poète royal, c'est-à-dire dont l'office était de célébrer les événements de la vie du Prince. C'était un homme d'aspect rustique, d'un abord peu agréable, mais qui fut un excellent professeur. Disons aussi qu'il eut la bonne fortune de rencontrer des élèves particulièrement doués.

Ad Lutetiam, ob Henrici III. In Poloniam dissessum

Une Junon d'Autriche au Jupiter de France
Doit heureuse enfanter une race de Dieux :
Qui sauront imiter en prouesse et vaillance
Leur père et les aïeux de leurs nobles aïeux.

C'est Pallas du cerveau du grand Jupiter née,
Qui des Rois la jeunesse a conduite et menée :
Qui bonne par trois fois, trois guerres arrêta,
Qui l'arbre de la paix, l'olivier inventa.

***

Henri, ton front couvert
De laurier toujours vert,
Va régir la Sarmace :
O le grand roi guerrier,

L'honneur de ton laurier
Ne craint ni froid ni glace.

Charles, père des lois,
Rare honneur de nos Rois,
Éternellement vive,
Et lie étroitement
D'un nœud de diamant
La discorde captive.

HUITAIN A LA REINE, MÈRE DU ROI,
CATHERINE DE MÉDICIS

Si j'ai servi cinq Rois fidèlement,
Si quarante ans, lisant publiquement,
D'hommes lettrés j'ai rempli toute France,
Si l'étranger nous quitte l'excellence
Des grecs, latins, et vulgaires écrits,
Vous, l'espoir seul de tous les bons esprits,
Ne permettrez être dit : Par famine
D'Aurat est mort, régente Catherine.

SUR LA LOUANGE DE LA PAIX

SONNETS

I

Celui est sans parents, sans famille, sans lois,
(Dit Homère) lequel en son pays désire
Discord civil régner, un des discords le pire,
Horrible à toutes gens, mêmement aux Gaulois.

Les Gaulois ont senti n'aguère par trois fois,
Que c'est que de troubler un pacifique empire :
Mais voyant que le mal de jour en jour empire,
Charles y a pourvu, le meilleur Roi des rois.

Mû de l'esprit de Dieu, qui le cœur du Roi tient
En sa main enfermé, il a mis paix en France,
Que les bons désiraient voyant tant de souffrance.

Louons donc ce bon Roi, qui son peuple maintient
En bonne sauveté, ayant par sa prudence
Changé discord civil en civile alliance.

II

Pour bien chanter de paix et dire ses louanges
Aucun esprit ou voix humaine ne suffit :
Il nous faut rechanter ce que naissant le Christ,
Ce très grand Roi de paix, chantaient au ciel les Anges.

Gloire fait au plus haut par les chants des Archanges
Au Dieu seul, qui jadis et ciel et terre fit :
Mais soit en terre paix à tout homme qui mit
Ses pensées en Dieu de toute fraude étranges.

Ainsi nous faut la paix et louer et chanter,
Ainsi nous faut les cœurs doucement enchanter
De ceux qui haient la paix et désirent la guerre.

Car tout le plus grand bien qu'on puisse souhaiter,
Pour ou l'esprit divin ou humain contenter,
Est au ciel gloire à Dieu, aux humains paix en terre.

ÉTIENNE DOLET

1509-1546

Étienne Dolet naquit en 1509, à Orléans. Il fit ses études à Paris et se livra avec ardeur à l'étude des lettres. L'ardeur était le fond de sa nature. Il fut imprimeur, mais aussi et surtout humaniste, orateur et poète; il était orgueilleux, vindicatif, méprisant; il se fit beaucoup d'ennemis, fut emprisonné pour son irréligion, puis relâché sur l'intervention du savant Castellan et sur la foi de ses propres promesses, mais il ne put se tenir de dénoncer encore les abus qu'il constatait; emprisonné de nouveau, il fut condamné à être brûlé. Il subit son supplice à Paris, en 1546. Dans son cachot il composa des poèmes et il adressa de poétiques et d'humbles supplications à François Ier. Nous donnons un cantique qu'il écrivit ainsi l'année même de sa mort.

CANTIQUE D'ÉTIENNE DOLET,

PRISONNIER EN LA CONCIERGERIE DE PARIS, L'AN 1546,

SUR LA DÉSOLATION ET SUR LA CONSOLATION.

Si au besoin le monde m'abandonne
Et si de Dieu la volonté n'ordonne
Que libertés encores on me donne
    Selon mon veuil.

Dois-je en mon cœur pour cela mener deuil
Et de regrets faire amas et recueil ?
Non pour certain, mais au ciel lever l'œil
    Sans autre égard.

Sus donc, esprit, laissez la chair à part,
Et devers Dieu qui tout bien nous départ
Retirez-vous comme à votre rempart,
    Votre fortresse.

Ne permettez que la chair soit maîtresse,
Et que sans fin tant de regrets vous dresse,
Si vous plaignant de son mal et détresse
                    De son affaire.

Trop est connu ce que la chair sait faire,
Quant à son veuil c'est toujours à refaire,
Pour peu de cas elle se met à braire
                    Inconstamment.

De plus en plus elle accroît son tourment,
Se débattant de tout trop aigrement,
Faire regrets c'est son allègement
                    Sans nul confort.

Mais de quoi sert un si grand déconfort ?
Il est bien vrai qu'au corps il grève fort
D'être enfermé si longtemps en un fort
                    Dont tout mal vient.

A ferme corps grand regret il advient
Quand en prison demeurer lui convient,
Et jour et nuit des plaisirs lui souvient
                    Du temps passé.

Pour un mondain, le tout bien compassé,
C'est un grand deuil de se voir déchassé [1]
D'honneurs et biens pour un voirre cassé
                    Ains sans forfait.

A un bon cœur certes grand mal il faut
D'être captif sans rien savoir méfaut,
Et pour cela bien souvent, en effet,
                    Il entre en rage.

Grand'douleur sent un vertueux courage
(Ce fut ce bien du monde le plus sage)
Quand il se voit forclus du doux usage
                    De sa famille.

Voilà les goûts de ce corps imbécile
Et les regrets de cette chair débile,
Le tout fondé sur complainte inutile,
                    Plainte frivole.

1. Chassé, renvoyé, dépouillé.

Mais vous, esprit, qui savez la parole
De l'Éternel, ne suivez la chair folle,
Et en celui qui tant bien nous console
     Soit votre espoir.

Si sur la chair les mondains ont pouvoir,
Sur vous, esprit, rien ne peuvent avoir;
L'œil, l'œil au ciel, faites votre devoir
     De là entendre.

Soit tôt ou tard ce corps deviendra cendre,
Car à nature il faut son tribut rendre,
Et de cela nul ne se peut défendre,
     Il faut mourir.

Quant à la chair, il lui convient pourrir,
Et quant à vous, vous ne pouvez périr,
Mais avec Dieu toujours devez fleurir
     Par sa bonté.

Or dites donc, faites sa volonté;
Sa volonté est que ce corps dompté
Laissant la chair, soyez au ciel monté
     Et jour et nuit.

Au ciel monté c'est que premier déduit
Aux mandements du Seigneur qui conduit
Tous bons esprits, et à bien les réduit
     S'ils sont pervers.

Les mandements commandent ès briefs vers
Que si le monde envers nous est divers,
Nous tourmentant à tort et à travers
     En mainte sorte;

Pour tout cela nul ne se déconforte,
Mais constamment un chacun son mal porte,
Et en la main, la main de Dieu tant forte,
     Il se remette.

C'est le seul point que tout esprit délecte,
C'est le seul point que tout esprit affecte,
C'est où de Dieu la volonté est faite,
     C'est patience.

Ayant cela ne faut autre science
Pour supporter l'humaine insipience,
Nul mal n'est rien, nulle doute si en ce
            L'esprit se fonde.

Il n'est nul mal que l'esprit ne confonde
Si patience en lui est bien profonde;
En patience il n'est bien qui n'abonde,
            Bien et soulas.

En patience on voit coure, hélas!
De ce muni l'esprit n'est jamais las,
En tes vertus bien tu l'entremis, las!
            Dieu tout puissant.

De patience un bon cœur jouissant
Dessous le mal jamais n'est fléchissant,
Et désolant ou en rien gémissant
            Toujours vainqueur.

Sus, mon esprit, montrez-vous de tel cœur
Votre assurance au besoin fort connue.
Tout gentil cœur, tout constant belliqueur
Jusqu'à la mort sa force a maintenue.

HENRI II

1519-1559

Henri II aimait les lettres. Il ne fut pourtant pas poète comme son père François Ier. Il n'a écrit que quelques vers. Ils ont déjà été publiés d'après un manuscrit de la Bibliothèque nationale (fonds Béthune, nº 8.664).

VERS ADRESSÉS A DIANE DE POITIERS

Plus ferme foi ne fut oncques jurée
A nouveau prince, ô ma belle princesse,
Que mon amour qui vous sera sans cesse
Contre le temps et la mort assurée.
De fossés creux ou de tour bien murée
N'a pas besoin de ma foi la fortresse,
Dont je vous fis, dame, reine et maîtresse,
Parce qu'elle est d'éternelle durée.
Trésor ne peut sur elle être vainqueur :
Un si vil prix n'acquiert un gentil cœur.

GILLES CORROZET

1510-1568

Gilles Corrozet naquit le 4 juillet 1510, à Paris; il ne reçut pas une éducation bien sérieuse, mais il y suppléa lui-même plus tard, et il apprit, sans le secours de maîtres, le latin, l'italien, l'espagnol. Il fut admis dans la compagnie des libraires et, dès 1536, il tenait boutique dans la grand salle du Palais. Il ne se contenta pas d'éditer des ouvrages; il en composa lui-même, et de fort divers : traductions, compilations, poésies, etc. Ses principales œuvres poétiques sont *le Conte du rossignol*, regardée comme la meilleure de toutes, et que nous eussions reproduite si elle n'était trop longue pour être imprimée dans ce recueil; et une version en vers des *Fables* d'Ésope. C'est à ce livre que nous avons fait nos emprunts. Chacune des fables de Corrozet est précédée d'une gravure sur bois qui se rapporte à son sujet et qu'accompagne un quatrain contenant la morale de la fable qui suit. Cet écrivain laborieux n'avait pas un très grand talent poétique; néanmoins, sa place est marquée parmi les fabulistes de son siècle, bien qu'au-dessous de Guillaume Haudent. Nous signalerons encore, parmi les ouvrages de Corrozet, son livre sur les *Antiquités de Paris*, sorte de guide qui a été souvent réimprimé. Corrozet devint, en 1555, officier de la librairie; il mourut le 4 juillet 1568, étant âgé exactement de cinquante-huit ans.

FABLES D'ÉSOPE

I

FOLLE OPINION

Les choses qui sont à fuir
Volontiers nous les appetons [1],
Et bien souvent nous regrettons
Ce qui est bon pour en jouir.

1. Convoitons.

DU CERF QUI SE VOIT EN LA FONTAINE

En la claire fontaine
Un cerf se regardait,
Et la grandeur hautaine
Des cornes étendait.

Ses cornes donc prisa
Pour leur force et hautesse,
Ses jambes déprisa
Pour leur sèche maigresse.

En ce fol jugement
Le veneur vient bien vite;
Plus que vent véhément,
Le cerf se met en fuite.

Les chiens le vont suivant,
Mais, comme d'aventure
Le cerf se mit avant
En la forêt obscure,

Ses cornes se mêlèrent
Es branches de ce bois,
En ce lieu l'arrêtèrent
Suivi de tant d'abois.

Ses jambes loue alors,
Et ses cornes déprise,
Qui ont fait que son corps
Soit de ces chiens la prise.

Ainsi, où nous pensons
Avoir félicité,
Par contraires façons
Trouvons adversité.

II

REGARDER LA FIN DE SON ŒUVRE

Ce n'est pas tout que commencer,
Il faut voir si la fin est bonne :
Car lors n'est pas temps d'y penser,
L'œuvre par la fin se couronne.

DU RENARD ET DU BOUC

Un fin renard et un bouc s'en allèrent
Boire en un puits auquel ils dévalèrent;
Après avoir bien bu leur soûl tous deux,
De leur sortir furent assez douteux;
Mais le renard, garni de sa cautelle,
Dit à ce bouc une parole telle :
« Prenons courage après la peur reçue;
J'ai avisé le point de notre issue;
Fais mon conseil, ne le mets en arrière :
Si tu te veux sur tes pieds de derrière
Dresser debout et tes deux cornes joindre
Contre le mur, d'agilité non moindre
Qu'a un bon cerf, d'ici je sauterai,
Et, cela fait, dehors t'en jetterai. »
Le bouc le crut, le renard dehors saute,
Puis il reprit le bouc de sa grand'faute
En le moquant et lui niant secours,
Disant ainsi : « Si tu eusses recours
A la prudence, au savoir et usage,
Comme ta barbe en porte témoignage,
Penser devais, devant qu'entrer au puits,
Si tu pourrais sortir comme je suis :
Car le prudent, le bien sage et bien fin,
De tous ses faits il regarde la fin,
Et quand il a en son esprit conçu
La fin du fait, il n'est jamais déçu,
Comme en tous arts dont la fin est pensée
Avant que soit quelque œuvre commencée. »

III

PROVISION DE SAISON

La provision de saison
Soit bonne ou soit mauvaise année,
Quand elle est par droit ordonnée,
Elle fait la riche maison.

DES FOURMIS ET DE LA CIGALE OU GRILLON

Une grand'troupe de fourmis
Ensemble en un creux s'étaient mis,
Et avaient durant tout l'été
Amassé grande quantité
De blé, qu'ils avaient pu trouver
Pour se nourrir durant l'hiver;
Lequel venu, une cigale
De qui la cure principale
Est de chanter l'été durant,
Laquelle était faim endurant,
Vint aux fourmis, et leur pria
Lui donner si peu qu'il y a
De leur blé. Ce qu'ils refusèrent,
Et par rigueur lui demandèrent
Qu'elle avait fait l'été passé,
Sans avoir son pain amassé.
Dit la cigale : « Je chantais
Et par les blés je m'ébattais.
— Lors, dirent les fourmis ainsi,
Il faut que l'endures aussi :
Puisqu'ainsi est que tu as tant
Chanté l'été en t'ébattant,
Il te faut en hiver danser :
Ainsi te faut récompenser. »

Qui ne pourvoit en temps et heure
En grand'nécessité demeure.

IV

SAGESSE REQUISE AU PRINCE

Si un prince ou un gouverneur
Ne sait soi-même se conduire,
Comment pourra-t-il par honneur
A bien vivre les siens induire ?

DU RENARD ET DU SINGE

En un beau champ les bêtes s'assemblèrent
Afin d'élire et faire un nouveau roi;
Aucuns d'entre eux le concile troublèrent,
Voulant n'avoir prince, juge, ni loi.

Un singe y vint, qui fit mille souplesses,
Danses et sauts, dont fut si bien voulu
Que d'un accord, pour telles gentillesses,
Fut le grand roi par-dessus tous élu.

Quelque renard sur ce roi envieux,
Pour le tromper, lui dit ainsi : « Cher sire,
Je sais ci près un trésor précieux
Qui appartient à votre haut empire. »

Selon son dit, aux champs l'accompagna,
Où lui montra une fosse profonde.
« Là-bas, dit-il, le feu roi épargna
Tous les trésors et richesses du monde. »

Le singe y crut, et bas il descendit :
Tout aussitôt fut pris et arrêté,
Dont se plaignait et le renard lui dit,
En reprochant son instabilité :

« Toi, non sachant, nous veux-tu dominer,
Qui lâchement t'es laissé ainsi prendre ? »
Certes, qui veut son fait ainsi mener
Sans jugement, il est trop à reprendre.

MAURICE SCÈVE

1501 ?-1564 ?

Maurice Scève naquit vers 1501 à Lyon, où son père était docteur ès lois et échevin. Sa vie est peu connue. On ne sait s'il fut marié ou s'il demeura célibataire, ni s'il entra vraiment dans les ordres, ainsi que certains l'ont affirmé. Il étudia le droit canon à Avignon, et fit des recherches pour découvrir le tombeau de Laure de Noves, l'amante de Pétrarque. Il le retrouva dans la chapelle des Cordeliers. De retour à Lyon, ayant déjà une certaine notoriété, il commença d'écrire, et principalement des vers. Il composa d'abord une églogue sur le trépas du dauphin, fils de François Ier, dans laquelle on sent l'influence de Marot, puis une suite de dizains (il en fit quatre cent cinquante-huit) sous le titre de *Délie, objet de la plus haute vertu.* Ces quatrains érudits, obscurs, mystiques, et souvent ennuyeux, furent admirés des contemporains et la renommée de Maurice Scève devint considérable. Nous avons dit, dans notre Introduction, comment on vit en lui le chef d'une renaissance poétique lyonnaise. Il fut le maître de Louise Labé et l'ami de Marot. Nous préférons à sa trop longue et fastidieuse *Délie,* dont nous donnons cependant quelques dizains, son églogue de la vie solitaire : *Saulsaie,* dont nous avons détaché un fragment. Amoureux idéaliste, enclin à la mélancolie, il goûtait la solitude et il est tout naturel qu'il l'ait chantée. On ne sait pas à quelle époque il mourut. On pense que ce fut vers 1564.

DIZAINS

I

Dans son jardin Vénus se reposait
Avec Amour, sa douce nourriture,
Lequel je vis, lorsqu'il se déduisait [1],
Et l'aperçus semblable à ma figure :
Car il était de très basse stature,

1. S'ébattait, se divertissait.

Moi très petit; lui pâle, moi transi.
Puisque pareils nous sommes donc ainsi
Pourquoi ne suis second dieu d'amitié ?
Las! je n'ai pas l'arc et les traits aussi
Pour émouvoir ma maîtresse à pitié.

II

Vois que l'hiver tremblant en son séjour,
Aux champs tout nus sont leurs arbres faillis.
Puis le printemps ramenant le beau jour,
Leur sont bourgeons, feuilles, fleurs, fruits saillis.
Arbres, buissons, et haies, et taillis
Se crêpent lors en leur gaie verdure.
Tant que sur moi le tien ingrat froid dure,
Mon espoir est dénué de son herbe :
Puis, retournant le doux ver sans froidure,
Mon an se frise en son avril superbe.

III

Le peintre peut de la neige dépeindre
La blancheur telle à peu près qu'on peut voir;
Mais il ne sait à la froideur atteindre,
Et moins la faire à l'œil apercevoir.
Ce me serait moi-même décevoir,
Et grandement me pourrait-on reprendre,
Si je tâchais à te faire comprendre
Ce mal qui peut voire l'âme opprimer,
Que d'un objet comme peste on voit prendre,
Qui mieux se sent qu'on ne peut exprimer.

IV

Le doux sommeil de ses tacites eaux
D'oblivion [1] m'arrosa tellement
Que de la mère et du fils les flambeaux
Je pressentais éteints totalement,
Ou le croyais, et, spécialement,
Quand la nuit est à repos inclinée.
Mais le jour vint, et l'heure destinée,
Où revivant mille fois je mourus,
Lorsque vertu en son zèle obstinée
Perdit au monde Angleterre et Morus.

1. Oubli, du latin *oblivium*.

V

Délie aux champs, troussée et accoutrée
Comme un veneur, s'en allait ébattant.
Sur le chemin, d'Amour fut rencontrée,
Qui partout va jeunes amants guettant,
Et lui a dit, près d'elle voletant :
« Comment vas-tu sans armes à la chasse ?
— N'ai-je mes yeux, dit-elle, dont je chasse,
Et par lesquels j'ai maint gibier surpris ?
Que sert ton arc qui rien ne te pourchasse [1],
Vu mêmement que par eux je t'ai pris ? »

VI

Amour, brûlant de se voir en portrait,
Bien eût voulu qu'Appelle fût en vie;
A son défaut autre peintre il convie,
Lequel déjà achevait arc et trait,
Croyant avoir portraiture accomplie;
Quand je lui dis : « Ami, que fais-tu là ?
Pour le bien peindre efface tout cela,
Et seulement peins vite ma Délie. »

ÉPITAPHE DE PERNETTE DE GUILLET

L'heureuse cendre autrefois composée
En un corps chaste, où vertu reposa,
Est en ce lieu, par les Grâces posée,
Parmi ses os, que beauté composa.
O terre indigne! en toi son repos a
Le riche étui de cette âme gentille,
En tout savoir sur toute autre subtile,
Tant que les cieux, par leur trop grande envie,
Avant ses jours l'ont d'entre nous ravie,
Pour s'enrichir d'un tel bien méconnu,
Au monde ingrat laissant bien courte vie,
Et longue mort à ceux qui l'ont connu.

1. Ne te procure.

ÉGLOGUE DE LA VIE SOLITAIRE
(FRAGMENT)

Mais bien celui est très semblable aux Dieux,
Qui aux honneurs clôt et bande les yeux;
Lequel aussi n'est point de vaine gloire
Sollicité, ni de bien transitoire :
Mais laisse aller les jours sous coie sente,
Et vit paisible en sa vie innocente
Loin des cités vie tumultueuse,
Voire encore plus, certes, voluptueuse.
Et vit aux champs, n'ayant de rien besoin,
Comme qui n'a, fors de ses brebis, soin.
Il ne lui chaut de Royale couronne.
Il ne lui chaut à qui le sceptre on donne.
Il ne lui chaut de nom, ni titre insigne.
Il ne lui chaut que dénote le signe
Et la splendeur de la longue comète.
Il ne craint point que l'on l'élève, ou mette
En si haut lieu, puis que bas il descende.
Il ne craint point qu'on commande, ou défende,
Il se sent vide, et nette conscience,
Et prise plus sa rurale science,
Que le savoir, qui par labeur est quis.
Il ne craint point que pour ses biens acquis
Soit en danger des Tyrans, vrais Saturnes.
Il ne craint point que les larrons nocturnes
Viennent la nuit interrompre son somme,
Pour lui embler d'or ou d'argent grand'somme
Mais bien se dort en tranquille sûreté
Hors des aguets de mainte malheurté.

O du Pasteur la très douce richesse!
Heureux repos éloigné de tristesse,
Qui en hiver, printemps, automne, été
Nourrit en soi toute joyeuseté :
Car il ignore haine et déception.
Il est exempt de vaine ambition,
Vide de crainte, et d'espoir est délivre,
Qui nous abuse, et maints désirs nous livre.
Il vit à soi sans témoin, qui le juge.
Il pend de soi, comme qui est son juge
S'il n'a palais, superbes édifices,
Et somptueux d'ustensiles propices,

En son cœur haut méprise, et a en haine
L'avoir des Rois, richesse certes vaine.
Et vit content en sa logette honnête.
Sûre de vents, de pluie, et de tempête,
De terre close, et couverte de chaume,
Ceinte de fleurs plus odorants que baume,
Ou qu'autre odeur asienne, et lascive,
Humble, et sans art, ni dépense excessive
Pour son troupeau, et soi rendre contents
D'être couverts aux injures du temps;
Dedans laquelle auront crainte d'entrer
Cure, et frayeur, lesquels se vont ancrer
Jusques au lit, où dort tout-puissant Roi,
Sans redouter son magnifique arroi.

Il est seigneur des bois grands et épais,
Desquels il n'a que doux séjour et paix.
Autour de soi sa tourbe vigilante,
Très hardis chiens, au besoin travaillante,
Garde toujours qui ne diminuisse
Le nombre entier, ou que l'on ne ravisse
Quelque brebis de son laineux troupeau,
Duquel il garde, et tient chère la peau.

Les cailloux ronds lui donnent feu trisé,
Les fleuves, vin, avec la main puisé;
La terre, pain; arbres, fruit; chèvres, lait.
De quelque tronche, ou lieu peut-être laid,
Lui sort le miel très net, et copieux,
A savourer doux et délicieux.

Il a toujours au cœur les buissons verts,
Les papillons colorés et divers :
Ruisseaux bruyants, argentins et fluides :
Les rocs moussus : les cavernes humides :
Les bois fleuris : les poignants églantiers,
Les aubépins parfumants les sentiers;
Les vents souëfs [1], et les fontaines froides :
Combes aussi profondes et très roides;
Et n'a souci en son contentement,
Qu'à cueillir fleurs pour son ébattement,
En écoutant des oiseaux les doux sons.

1. Suaves.

Il fait les rocs répondre à ses chansons,
Ayant toujours flûte, ou musette au bec,
Qu'il aime plus que harpe ni rebec.

Mouches à miel lui causent doux sommeil.
Et quand il dort, son grand Dieu, Pan vermeil,
Prend de lui garde avec mainte Nymphette :
Sylvain cornu, et Faunus font la guette,
Quant à souhait il dort les membres nus,
Qui sont plaisirs aux villes inconnus.
Heureux pasteur, si se peut dire heureux
Homme, qui vive en ce val ténébreux.

CHARLES DE SAINTE-MARTHE

1512-1555

Il naquit en 1512, à Fontevrault en Poitou, de Gaucher de Sainte-Marthe, sieur de La Rivière, et l'un des médecins ordinaires de François Ier; il fit de solides études, fut professeur de théologie à Poitiers, enseigna ensuite les langues hébraïque, grecque, latine et française dans un collège de Lyon, puis il fut appelé à Alençon par Marguerite de Navarre, et remplit dans cette ville les fonctions de lieutenant-criminel. C'est à Alençon qu'il mourut d'une hémorragie, en 1555. Il avait composé des vers, dont il avait publié l'édition en 1540. On trouve dans son recueil des épigrammes, des rondeaux, des ballades, des chants royaux, des épîtres, des élégies. L'amour en est le principal inspirateur et la personne à qui ces vers sont adressés est une Arlésienne, que le poète désigne sous le nom de Beringue. Il était un disciple de Marot. C'est à Marot que sont adressées les deux épigrammes ci-après : l'une sur le bruit, qui avait couru, de la mort de Marot, l'autre après avoir été « dérobé » par son valet comme Marot l'avait été lui-même; nous donnons aussi, outre un dizain sur la fontaine de Vaucluse, deux fragments importants de la pièce la plus importante de Charles de Sainte-Marthe : *l'Élégie du Tempé de France*, où il nomme et caractérise les principaux poètes de son temps.

ÉPIGRAMMES

I

Il fut un bruit, ô Marot, qu'étais mort,
Et ce faux bruit un menteur assura :
L'un d'un côté se plaignait de ta mort,
Faisant regret qui longuement dura;
L'autre par vers piteux la déplora,
Jetant soupirs de dur gémissement.
Moi de grand deuil pleurant amèrement,
Duquel était ma triste âme saisie :

Las! dis-je, mort est notre ami Clément,
Morte donc est française poésie.

II

Ton serviteur le mien avait appris,
Ou tous deux ont été à même école.
J'y ai été comme toi si bien pris,
Qu'il ne m'est pas demeuré une obole.
Le tien était de fait et de parole
Un vrai gascon. Si le mien ne l'était,
A tout le moins bonne mine portait
D'être de mœurs au tien fort allié.
Gascon ne fut, mais son gascon sentait,
Jouant un tour d'un moine renié.

SUR LA FONTAINE DE VAUCLUSE
PRÈS LAQUELLE JADIS HABITA PÉTRARQUE

Quiconques voit de la Sorgue profonde
L'étrange lieu, et plus étrange source,
La dit soudain grand merveille du monde,
Tant pour ses eaux que pour sa raide course.
Je tiens le lieu fort admirable, pour ce
Qu'on voit tant d'eaux d'un seul pertuis sortir,
Et en longs bras divers se départir;
Mais encor plus, du gouffre qui bruit là,
Qu'oncques ne peut éteindre et amortir
Le feu d'amours qui Pétrarque brûla.

ÉLÉGIE DU TEMPÉ DE FRANCE
EN L'HONNEUR DE MADAME LA DUCHESSE D'ÉTAMPES

Jadis il fut un lieu en Thessalie,
Place estimée à merveilles jolie,
Cinq mille pas ayant en sa longueur,
Six mille aussi en patente largeur,
Champ délectant par plaisante verdure,
Champ produisant toute bonne pâture,
Champ, le vrai lieu de toute aménité.

Là y avait grande diversité
De toutes fleurs et verdoyants bocages,
Où l'on oyait les beaux et doux ramages
Des oisillons chantants suavement.

Là florissaient tous arbres noblement,
Si très épais, qu'ils semblaient forêts fortes,
Et produisaient des fruits de toutes sortes,
Aménité leur ombrage rendait,
Et de Phœbus très estuant gardait,
Gardait de vent, de pluie et de tempête.

Là n'y hantait aucune fère [1] bête,
Qui jour ou nuit peut celui dommager,
Lequel y fût allé se soulager.

Il y avait devers la main senestre,
Des petits monts et autant à la dextre,
Qui au beau lieu de défense servaient
Par leur circuit, duquel l'environnaient;
Fortifié ainsi fut, par la cure,
Et le grand soin qu'y avait mis nature.

Par le milieu, pour la perfection
De tout souhait et délectation,
Qui si très bien y était ordonnée,
Allait dormant le cristallin Penée,
De tous côtés de beaux arbres vêtu,
Lesquels étaient toujours en leur vertu;
Et ce lieu-là, garni de toute aisance,
Et lieu rempli d'incrédible plaisance,
Lieu sous un air si très bien attrempé,
Les anciens ont appelé Tempé.

Plusieurs auteurs, gens dignes de mémoire,
Le décrivant, ont voulu faire croire
Qu'oncques ne fut dessous le firmament
Lieu à celui semblable aucunement;
Et on dit plus, tant que serait durable
Ce monde-ci, qu'il n'aurait son semblable.

Mais ils n'avaient assez bien calculé :
Leur Tempé est maintenant reculé,

1. Féroce.

Leur vieil Tempé au nouveau Tempé cède;
Tempé, qui cil de Thessalie excède,
Tempé, qui est rempli de tout plaisir,
Que souhaiter, pourrait l'humain désir.
Ce beau Tempé, c'est le Tempé de France,
Avec plaisir, lieu de toute assurance,
Auquel habite un cœur si très loyal,
Qu'il est trouvé digne du lys royal.
Du vieil Tempé toute la grand'tenue,
En certains pas fut jadis contenue,
Et le plaisir que là on prétendait,
Tant seulement par termes s'étendait.
Notre Tempé, chose miraculeuse,
Quoi que ne soit place tant spacieuse,
Il comprend plus toutefois que celui
Que l'on disait n'avoir pareil à lui.
Le vieil Tempé était plein de fleurettes,
Que produisaient verdoyantes herbettes
En grand odeur, plein d'arbres fleurissants,
Et d'iceulx fruits de toute sorte issants,
Ce nonobstant, quoi que soit chose heurée,
Elle n'est point d'immortelle durée.
L'herbe flétrit et dessèche la fleur,
Et par le temps se perd suave odeur;
Les arbres verts perdent leurs vertes fouilles [1],
Perdent leurs fruits avecques leurs dépouilles,
Et n'ont plaisir que pour un certain temps;
Mais le Tempé, duquel parler j'entends,
N'a point ainsi plaisance définie,
Immortelle est la sienne et infinie...

Calliopé, la tant bien résonnante,
A, à sa voix, une voix consonnante;
C'est son Marot, le poète savant,
Lequel premier met sa plume en avant,
Plume de mots et sentences fertile,
Plume à trouver et à coucher subtile.
Clio après a son docte Colin,
Colin sonnant grec, français et latin,
Et pénétrant de l'érudite sonde,
La creuse mer de science profonde.
Puis Erato, un Saint-Gelais maintient,
Qui sa partie avec les autres tient,

_____
1. Feuilles.

Chantant des sons de sa sonnante lyre,
Plaisants à tous et utiles à lire,
Auprès duquel un Scève s'est assis,
Petit de corps, d'un grand esprit rassis,
Qui l'écoutant malgré qu'il en ait, lie
Aux graves sons de sa douce Thalie.
Avecques eux y a Melpoméné,
La Maison-Neuve, esprit gentil, mené,
Qui tellement de sa harpe résonne,
Que n'est aucun lequel ne s'en étonne.
Terpsichoré a près de soi Brodeau,
Lequel toujours invente chant nouveau,
Et de son chant il fait si grand'merveille,
Qu'il n'y a cœur que soudain ne réveille.
Là, Euterpé ne s'est mise en oubli
Ains le troupeau a très bien ennobli,
Par un Bouchet, qui tant de beaux dits couche,
Tous procédants de sa dorée bouche.
Et là, auprès Heroët le subtil,
Avecques lui Fontaines le gentil,
Deux, en leurs sons une personne unie,
Chantant auprès de l'haute Polymnie.
Là, Uranie à son Salel conduit,
Qui tous les jours ses factures produit,
Par juste droit accommodé à elle.
Uranie est, entre les Muses, celle
Qu'on dit céleste et de divinité;
Salel écrit de telle dignité,
Et ses écrits si sagement compasse,
Qu'il n'est aucun qui en ce l'outrepasse.

Outre ceux-ci, d'autres y sont venus,
Desquels les noms encor ne sont connus,
Qui quelque jour se feront apparaître
Si hautement, qu'on les pourra connaître.
Droit au milieu a un parc de plaisir,
Lequel Honneur pour soi voulut saisir,
Tout à l'entour, les vertus y consistent,
Qui vaillamment à tous vices résistent;
Force y est jointe à magnanimité,
Tenant sous soi pusillanimité;
Prudence y est, qui au haut degré monte,
Et par conseil témérité surmonte,
Avecques soi ayant pour son pouvoir
Douceur modeste et attrempé savoir.

Là tient ses rangs celle qu'on dit Justice,
Qui des bienfaits donne claire notice,
Qui donne aux bons rémunération
Et aux mauvais due punition ;
Qui ne permet à autrui faire injure,
Bref, qui fait tout par égale mesure.
Là, au dedans de ce parc, près d'Honneur,
Qui est du bien aux mérites donneur,
Est noblement une grand'dame assise
Belle, prudente, honorable et rassise,
Ayant regard à merveilles humain,
Couronnée est, et tient sceptre en sa main,
Et ce Tempé régente sans nul blâme,
Duquel elle est la souveraine dame.

O beau Tempé, lieu de félicité !
Comment sera ton plaisir récité ?
Qui pourra dire ou plaindre en une table
Ton hautain bien aux mortels inscrutable ?

CHARLES FONTAINE

1513-1588

Il naquit le 13 juillet 1513, à Paris. Son père, qui était commerçant, mais qui ne manquait pas de culture, fut son premier maître; Charles Fontaine fit ensuite ses études au Collège royal; après quoi, et malgré les pressantes instances de sa famille, il refusa d'entrer au barreau. La poésie seule l'attirait et le passionnait. C'est ce qu'il expliqua, dans une épître en vers, à un de ses oncles, avocat au Parlement de Paris. Il fut donc poète. Après un séjour à la cour de Ferrare, et un voyage en Italie, il se rendit à Lyon, où il se maria deux fois : la première en 1540, et la deuxième, étant devenu bientôt veuf, en 1544. C'est à Lyon qu'il mourut en 1588. Nous avons parlé, dans notre Introduction, de son intervention dans la querelle de Marot et de Sagon, où il prit contre Sagon et La Huetterie la défense de son maître et ami Clément Marot; ainsi que de la réponse qu'il fit à l'*Illustration de la langue française* de Du Bellay. Nous avons dit aussi comment il répondit par un poème, la *Contre-Amie de cour*, à l'*Amie de cour* de La Borderie. Il composa des pièces de vers des genres les plus divers: épîtres, élégies, odes, étrennes, énigmes, traductions en rimes françaises de poésies latines; il donna à ses recueils des titres tirés, par calembour, de son propre nom : la *Fontaine d'amour*, les *Ruisseaux de Fontaine*. Nous avons déjà eu l'occasion de remarquer que les amours des poètes de ce temps étaient une source à peu près intarissable de poésie. Charles Fontaine a de la facilité et du naturel, mais il n'a pas de beaux élans et ses vers ne sont pas d'une riche harmonie. Nous donnons une pièce considérée comme l'une de ses meilleures, le *Chant sur la naissance de Jean*, son second fils, et un passage de sa *Contre-Amie de cour*. Il y est traité de la richesse et de la pauvreté dans le mariage, et l'on pourra rapprocher ce passage de celui que nous avons extrait de l'*Amie de cour* de La Borderie, et qui a pour titre : *Sur le choix d'un mari riche ou pauvre*.

CHANT SUR LA NAISSANCE DE JEAN
SECOND FILS DE L'AUTEUR

Mon petit fils, qui n'as encor rien vu,
A ce matin ton père te salue;
Viens-t'en, viens voir ce monde bien pourvu
D'honneurs et biens qui sont de grant value;
Viens voir la paix en France descendue,
Viens voir François, notre roi et le tien,
Qui a la France ornée et défendue;
Viens voir le monde où y a tant de bien.

Viens voir le monde, où y a tant de maux;
Viens voir ton père en procès qui le mène;
Viens voir ta mère en de plus grands travaux
Que quand son sein te portait à grand'peine;
Viens voir ta mère, à qui n'as laissé veine
En bon repos; viens voir ton père aussi,
Qui a passé sa jeunesse soudaine,
Et à trente ans est en peine et souci.

Jean, petit Jean, viens voir ce tant beau monde,
Ce ciel d'azur, ces étoiles luisantes,
Ce soleil d'or, cette grand terre ronde,
Cette ample mer, ces rivières bruyantes,
Ce bel air vague et ces nues courantes,
Ces beaux oiseaux qui chantent à plaisir,
Ces poissons frais et ces bêtes paissantes;
Viens voir le tout à souhait et désir.

Viens voir le tout sans désir et souhait;
Viens voir le monde en divers troublements;
Viens voir le ciel qui notre terre hait;
Viens voir le combat entre les éléments;
Viens voir l'air plein de rudes soufflements,
De dure grêle et d'horribles tonnerres;
Viens voir la terre en peine et tremblements;
Viens voir la mer noyant villes et terres.

Enfant petit, petit et bel enfant,
Mâle bien fait, chef-d'œuvre de ton père,
Enfant petit, en beauté triomphant,
La grand'liesse et joie de ta mère,

Le ris, l'ébat de ma jeune commère
Et de ton père aussi, certainement,
Le grand espoir, et l'attente prospère,
Tu sois venu au monde heureusement.

Petit enfant, peux-tu le bien venu
Être sur terre, où tu n'apportes rien,
Mais où tu viens comme un petit ver nu ?
Tu n'as de drap, ne linge qui soit tien,
Or ni argent, n'aucun bien terrien ;
A père et mère apportes seulement
Peine et souci, et voilà tout ton bien.
Petit enfant, tu viens bien pauvrement !

De ton honneur ne veuil plus être chiche,
Petit enfant de grand bien jouissant,
Tu viens au monde aussi grand, aussi riche
Comme le roi, et aussi florissant.
Ton héritage est le ciel splendissant ;
Tes serviteurs sont les anges sans vice ;
Ton trésorier, c'est le Dieu tout-puissant :
Grâce divine est ta mère nourrice.

DE LA RICHESSE ET DE LA PAUVRETÉ
DANS LE MARIAGE

(Extrait de la Contre-Amie de cour*)*

On en voit trop qui, nouveaux mariés,
N'ont dix écus en leur bourse liés ;
Mais avec temps, amour et loyauté,
Acquièrent biens et richesse à planté.
Petit bien croît par amour et concorde.
Grand bien périt par haine et par discorde.
L'on voit souvent le pauvre vertueux
Haut élevé, le riche somptueux,
Tôt abattu, et mis en décadence,
Ou par fortune, ou par son imprudence.
Eh ! qui tira Ulysse des périls,
Auxquels ses gens ont été tous péris ?
L'or et l'argent ? l'opulence et richesse ?
Le haut état ? Non pas, mais sa sagesse,
Mais son esprit, mais sa grande science.
Prudence, force et longue expérience.

Bien fou qui rit de la pauvreté dure,
Qu'avecques soi apporte de nature;
Les riches gens, bien qu'ils ne la supportent,
Ce nonobstant, de naissance l'apportent.
Faut donc la prendre en gré, puisque tous nus,
En pauvreté sommes ici venus.

Mais plus de biens, plus d'amis t'acquerront;
S'il te vient mal, tes biens te secourront :
Par eux auras médecins, médecines,
Herbes, onguents et exquises racines.
Soit : mais parents, amis, voudraient d'abord
Qu'entre tes dents eussent la belle mort.

Où as-tu lu, d'ailleurs, que les biens fissent
Vivre les gens, et que guérir les puissent ?
Maisons, châteaux, d'or et d'argent amas,
Chaînes, anneaux, velours, satin, damas,
Ne guériront leur maître étant malade,
Ne rendront goût à sa bouche trop fade.
L'or et l'argent, instrument de tous maux,
Donne à l'esprit plus de mille travaux;
Crainte de perdre, et crainte d'y toucher,
Comme sacré, et comme surtout cher;
Crainte qu'on robe et pille la maison;
Crainte de glaive et crainte de poison.

Le cerf cornu et par mont et par val,
Gardait jadis de paître le cheval,
Et le chassait hors des communs herbages,
Tant qu'à la fin pour fuir de tels outrages,
Pour se défendre, à l'homme se rendit,
Adonc le frein premièrement mordit.
Mais quand fut loin de son ennemi fier,
Lui glorieux, voulant tout défier,
Demeura pris, et fut l'issue telle
Que frein aux dents, et au dos eut la selle.
Lors sur son dos l'homme d'armes monta,
Et de ses dents le dur frein ne jeta.
Ainsi est-il, en fuyant pauvreté :
Qui cherche l'or, trouve captivité.

NICOLAS DENISOT

1515-1559

Nicolas Denisot naquit en 1515, au Mans, de Jean Denisot, licencié ès lois. Sa première éducation fut médiocre; il fit de la peinture et s'occupa de sciences, mais il ne montrait pas de vocation pour les lettres. Il ne fit pas preuve d'un bon esprit critique en préférant les vers de Sagon à ceux de Marot, mais peut-être les raisons d'ordre moral plutôt que d'ordre littéraire qui le firent se mêler à la polémique des deux poètes et de leurs amis, faussèrent-elles son jugement. Dans cette bataille il reçut quelques coups. Aussi renonça-t-il à ces luttes stériles et montra-t-il par la suite un esprit de plus en plus tolérant. Il rêvait de réconcilier les protestants et les catholiques. Il écrivit des poésies religieuses : des *Noëls* et des *Cantiques,* dont la forme n'est pas toujours très châtiée, et il les publia sous le pseudonyme de *Conte d'Alsinois,* qui est l'anagramme de son nom. S'il fut injuste pour le talent de Marot, il racheta cette erreur en admirant les poètes de la *Pléiade,* dont plusieurs furent de ses amis. Il mourut à Paris en 1559.

CANTIQUE

Ici, je ne bâtis pas
D'une main industrieuse,
A la ligne et au compas,
Une maison somptueuse.

Ici, je ne veux chanter
L'orgueil de quelque édifice,
Ni l'ouvrage retenter
D'un ancien frontispice.

Autre que moi, mieux appris
En cette magnificence,
Chante l'honneur et le prix
Et la superbe excellence.

D'un palais audacieux
Qui lève si haut la tête,
Qu'il la cache dans les cieux
Pour voisiner la tempête.

Et de son heureuse main
Fasse quelque forme antique,
Ou quelque antique dessin
Corinthien ou dorique.

Rome a bien eu des sonneurs
Qui ont chanté les louanges
Des princes et grands seigneurs,
Jusques aux terres étranges.

Et si a bien eu cet heur
D'avoir le marbre et le cuivre,
Pour lui redoubler l'honneur
Qui l'a fait doublement vivre.

Entre les trésors ouverts
De cette machine ronde,
N'avez-vous en l'univers
Les sept miracles du monde ?

La Grèce n'a pas laissé
Tomber ses cariatides,
Ni l'Égypte rabaissé
L'orgueil de ses pyramides.

Le sépulcre Carien
Vit encor en la mémoire;
L'amphithéâtre ancien
Jamais ne taira sa gloire.

Mille et mille bâtiments,
Mille et mille piliers ores,
Et mille compartiments
Se voient pourtraits encores.

Tous les palais somptueux,
La mémoire de nos princes,
Malgré l'âge injurieux,
Se voient en leurs provinces.

Et pourtant qu'en pauvre lieu
Notre Dieu ait voulu naître,
Notre Père et notre Dieu,
Notre bon seigneur et maître;

Faut-il taire sa grandeur,
Faut-il taire sa clémence,
Faut-il taire le bonheur,
Le bonheur de sa naissance ?

Faut-il taire l'ornement
D'une loge mi-couverte
A toute l'horreur du vent
Et à la froidure ouverte ?

O sainte et sainte maison !
O maison dignement sainte !
O bienheureuse saison,
Qui a vu la Vierge enceinte !

Ici, je veux maçonner
De ce bâtiment l'exemple,
Et de mes vers façonner
Le projet de ce beau temple.

Çà la règle et le compas,
Çà le papier et la plume,
Muse, avant qu'on mette bas
Le feu, qui nos cœurs allume.

Venez faire le projet
Avant qu'on laisse les armes;
Laissez là ce vain objet
Qui ne cause que des larmes.

C'est l'orgueilleux bâtiment
Jà jà ruiné par terre,
Qui n'eut jamais fondement,
Ni de brique ni de pierre.

Quatre fourches en carré,
L'une sur l'autres penchantes,
Sous un plancher bigarré,
De tous côtés chancelantes,

Étayent les quatre pilliers
De ce si tant beau repaire,
Où les anges à milliers
Ont vu la Vierge être mère.

Sur ces fourches tout en long
Quatre perches à l'antique
Désignaient le double front
D'un double et double portique.

Tout le plancher de roseaux
Et de paille ramassée,
De torchis et de tuileaux,
D'herbe sèche entrelacée,

Était tout entièrement
Lambrissé en telle sorte,
Qu'on eût dit facilement
Le tout n'être qu'une porte.

Les poutres et soliveaux
Étaient petites perchettes,
Plus pour nicher les oiseaux
Que pour servir de logettes.

L'entour était façonné
D'une claie mi-rompue,
Où le vent avait donné
Tant, qu'il l'avait corrompue.

Sur le dessus mi-passait
L'herbe penchant de froidure,
Qui ses cheveux hérissait,
Teints encore de verdure.

Quatre gaules de travers,
Déjà sèches de vieillesse,
Ouvertes de mille vers,
Bout sur bout faisaient l'adresse.

Pour élever tout autour
Une bien mince clôture
Qui eût remparé l'entour
De cette pauvre ouverture.

Mais tout était découvert,
Le vent, la pluie et la grêle
Trouvait toujours l'huis ouvert
Pour s'y fourrer pêle-mêle.

Le froid, l'humide et le chaud,
L'éclair, l'horreur, le tonnerre,
Bref, ce qui tombe d'en haut
Sur les sillons de la terre,

Pouvaient tomber en ce lieu,
En ce lieu sans couverture
Qui a vu l'enfant de Dieu
Naître d'une créature.

Mais Dieu qui demeure ès cieux
Et qui gouverne et qui guide
Tous les flambeaux radieux
De la ceinture du vide,

Tempéra le firmament
Si bien, qu'il n'y eut planète,
Étoile, ni élément
Qui ne chérît la logette.

Qui ne croit que le soleil
Mi-tirant ses traits encore,
Dedans son pourpre vermeil,
De sa face qu'il redore,

Encor qu'il fût rabaissé
De l'hiver qui hérisonne,
N'égalât le chaud passé
Du beau printemps qu'il ordonne ?

L'humeur guide de la nuit,
L'ombre, le froid, le silence,
N'étaient lors en plein minuit
En leur première ordonnance ;

Tout caressait cet enfant,
Le ciel, la mer et la terre,
Qui de l'enfer nous défend
Et à la mort fait la guerre.

Afin que rien n'offensât
La chair encor tendrelette
Et le froid ne transperçât
La petite bandelette.

Mais, Seigneur qui eût osé,
Qui eût voulu entreprendre
Sur toi qui as disposé
Ce que toi seul peux comprendre ?

Voilà le beau corps d'hôtel
Et la maison somptueuse
Où le grand Dieu immortel
Est né de la Vierge heureuse.

Tu te pourrais bien vanter
Être la maison première
Qui vois la Vierge enfanter
De ce monde la lumière,

Lumière qui nous conduit,
Lumière qui tout efface,
Lumière qui nous réduit
Au droit sentier de sa grâce.

Voyez donc l'enfantelet,
Grand Seigneur de tout le monde,
Qui suce et suce le lait
D'une pucelle féconde ;

Qui doit un jour de sa croix
Faire une telle ouverture,
Qui malgré tous les abois
De l'infernale clôture,

Brisera tous les efforts
De cette bande orgueilleuse,
Pour nos pères tirer hors
D'une force merveilleuse.

Voilà donc l'enfant qui doit
Purger notre maléfice,
Qui, devant Dieu, nous rendait
Exempts de son bénéfice ;

Donc Seigneur, brise l'effort
Du péché qui nous surmonte,
Par ta naissance et ta mort,
Par la mort, qui la mort dompte.

BÉRENGER DE LA TOUR

1515-1560 ?

François Bérenger de La Tour naquit à Aubenas, dans le Vivarais, dans les premières années du XVIᵉ siècle; exactement en 1515, d'après son biographe Henri Vaschalde. Il fut magistrat et consacra à la poésie les loisirs que lui laissaient les devoirs de sa charge. On ne connaît guère sa vie; on sait seulement qu'il fit quelques voyages, qu'il fut en relation avec un certain nombre de poètes, et que, notamment, Charles Fontaine, Antoine du Moulin, Laurent de La Gravière et Guillaume La Perrière étaient de ses amis. Ses œuvres forment quatre volumes, publiés de 1551 à 1558, et où l'on trouve des pièces de tous les tons, depuis le religieux jusqu'au burlesque. Chacun de ces recueils contient un poème principal dont il reçoit son titre et que suivent des pièces diverses. Le sujet du *Siècle d'Or* est une description de l'âge d'or, celui de la *Choréide* une justification, plus singulière encore qu'ingénieuse, de l'art de la danse; *l'Amie des Amies* est, en quatre livres, une imitation de l'Arioste; *l'Amie rustique* est surtout un recueil d'églogues. A signaler, à la suite de *l'Amie des Amies*, la *Moschéide ou combat des mouches et des fourmis*, imité de la *Moschea* de Merlin Coccaie. La poésie de Bérenger de La Tour est, en général, médiocre. Elle est celle de beaucoup de poètes de son temps, versificateurs laborieux et féconds, dont la renommée s'envola au souffle régénérateur de la Pléiade. Bérenger de La Tour mourut vers 1560.

ÉPIGRAMME DES ANTIQUITÉS DE NÎMES

A J. Robert, juge criminel au dit lieu.

L'antiquité, pour se rendre immortelle,
Et son renom par siècles allonger,
Maint œuvre fit où se voulut loger,
Lequel encor chacun reconnaît d'elle.

Nîmes est l'un, car sa Tourmagne [1] est telle,
Qu'on ne pourrait l'artifice songer;
Et moins encor comme on a pu ranger
Le temple saint de Diane la belle.

L'amphithéâtre est très superbe et grand;
La basilique admirable se rend;
Les sept aussi montagnes emmurées;

Mais certes, toi, plus grand te manifestes,
De nous remettre en leur entier les restes
Qui jusqu'ici nous étaient demeurées.

ÉPITAPHE DE FRANÇOIS RIGAUD

Mort qui l'esprit viens ôter de prison,
Pour à jamais au ciel le faire vivre :
Tu n'as pas fiel, aluïne [2] ou poison
Comme de toi est écrit en maint livre.
Tu es bénigne et mérites le suivre
Sans crainte aucune, ô mort, entends mon dire,
Depuis que l'âme au ciel tu fais reluire
Qui morte était : plus juste est donc l'envie
De vivre au Ciel, bien que la chair empire,
Qu'être ici mort en un corps plein de vie.

Qu'être ici mort en un corps plein de vie,
Plus grand malheur en nous ne pourrait être;
C'est le péché qui laisser nous convie
L'aise et le bien que Dieu nous fait connaître,
Voilà comment l'esprit vient changer d'être,
Car lui vivant péché le mortifie :
Et ne faut point que de vivre se fie
Sans trépasser (de ce j'en suis recors),
Doncques suivons la mort qui vivifie
L'esprit mourant par la mort de ce corps.

L'esprit mourant, par la mort de ce corps,
Vient à ce mort une autre vie acquerre :
Par quoi du monde il vault mieux que soit hors

1. La Tourmagne ou Tour Magne : grande tour.
2. Synonyme d'absinthe.

Qu'être icy vif, et posséder grand terre :
Connaissant donc que l'on y vit en guerre,
Et que la foi et amour y défaut,
Arrêtons l'eau que l'œil rend pour Rigaud,
Et délaissons notre mélancolie.
Car, de grand aise il se moque là-haut
En estimant nos regrets à folie.

JACQUES PELLETIER, DU MANS

1517-1582

Jacques Pelletier naquit le 25 juillet 1517, au Mans. Il appartenait à une famille de la bourgeoisie aisée. Son père était syndic de la ville du Mans et devint plus tard bailli de Touvoie. Jacques Pelletier fut mis au collège de Navarre, à Paris, où il fit de solides études. Il fut ensuite pendant quelque temps attaché en qualité de secrétaire à monseigneur René Du Bellay, évêque du Mans. C'est probablement dans cette ville et en 1543 qu'il rencontra Ronsard. Pelletier était déjà un érudit remarquable et un poète. Il retourna en 1544 à Paris, où il fut nommé principal au collège de Bayeux. Il se lia avec Joachim Du Bellay, sur qui il exerça une réelle influence. En 1547, il donna la première édition de ses *Œuvres poétiques*. L'année suivante, il se démit de sa fonction et s'en alla en province, où il passa une dizaine d'années. Il étudia la médecine à Bordeaux, le droit à Poitiers, et séjourna à Lyon, où il fut un des commensaux de Louise Labé. On dit qu'il s'éprit d'elle, mais il eut la douleur de se voir supplanté par le brillant Olivier de Magny. Il revint ensuite à Paris, y séjourna quelque temps, quitta une deuxième fois cette ville pour se rendre en Italie, sur la promesse d'un emploi considérable, revint ensuite à Paris une fois encore, s'y occupa de travaux de mathématiques et de médecine, et, au bout d'une dizaine d'années, il repartit une troisième fois, séjourna plusieurs années en Savoie, rentra de nouveau à Paris, puis s'en alla de nouveau à Bordeaux, où il professa. En 1579, il ouvrit un cours de mathématiques à l'Université de Poitiers, mais en 1580 on le retrouve à Paris, où il est nommé principal du collège du Mans. Il mourut, occupant encore ce poste, en juillet 1582. Il fut un grand voyageur et un grand travailleur. Il toucha à toutes les branches de l'activité intellectuelle et fut, à la fois, mathématicien, médecin, jurisconsulte, grammairien, humaniste et poète; sa renommée était européenne. Il ne manquait pas de talent pour la poésie. Il composa un poème de *la Savoie* qui montre un juste sentiment des beautés de la nature. Comme la plupart des poètes de son temps, il a rimé un livre de ses *Amours;* nous donnons de lui trois pièces, l'une dans laquelle il prend la défense des mathématiques, qui lui étaient si chères, une autre, d'un tour très agréable, adressée à Pierre de Ronsard, et les stances bien connues sur *l'Alouette*. Nous avons parlé, dans notre Introduction, de son *Art poétique*.

AU SEIGNEUR PIERRE DE RONSARD
L'INVITANT AUX CHAMPS

Je suis las de la ville
Qui bruit comme tempête;
Cette tourbe civile
M'alourdit et entête :
Allons cueillir la guigne,
Allons voir les champs verts,
Les arbres tout couverts
Et la fleur en la vigne.

Pour avoir attendu
Un petit trop long temps,
Je crains qu'ayons perdu
Maints joyeux passetemps :
Les rossignols gentils
Ayant leurs œufs éclos,
Ont jà le gosier clos,
Soigneux de leurs petits.

Les fleurs d'odeur naïve
Des arbres sont saillies :
Roses de couleur vive
Sont jà presque cueillies :
Ces fausses bergerettes
Par les prés et bosquets
Pour faire leurs bouquets
Ont pillé les fleurettes.

Sus donc, allons, à coup,
Ce peu de temps durant,
Ce nous sera beaucoup
D'avoir leur demeurant :
Le grain est dû à ceux
Que diligence guide,
La paille toute vide
Est pour les paresseux.

Maints plaisirs sans cela
Se montreront à nous,
Nous verrons çà et là
L'herbe jusqu'aux genoux :

Chardonnets et linottes
Tourtres [1] ès hauts ormeaux,
Tarins [2] sur les rameaux
Sonneront gayes notes.

Là nous jugerons bien
Des fruits de cette année
Et pourrons voir combien
Montera la vinée :
Car au dit de tous hommes
Ce qui est en la grappe
Est force qu'il échappe
Vu le temps où nous sommes.

Nous verrons ès vergers
Fruits verdelets sans nombre;
D'autre part les bergers
Se reposer en l'ombre;
Et les chèvres barbues
Les buissons brouteront,
Les chevreaux sauteront
Ès prairies herbues.

Nous verrons le ruisseau
Ès prés faisant son tour,
Avec maint arbrisseau
Planté tout à l'entour :
Mais tant soit clair et soëf [3]
Si n'en boirons-nous point;
De bon vin mieux à point
Étancherons la soif.

Une bouteille pleine
De ce bon vin bourgeois
Nous ôtera la peine
En ces lieux villageois;
Autrement que serait-ce ?
Le gendarme endurci
N'a eu aucun merci
De bourg ni de paroisse.

1. Tourterelles.
2. Sorte de chardonneret.
3. Suave.

Le ravage sans règle
A défoncé les muids,
Orge, froment et seigle
Leur ont été détruits;
Portons donc des poulets
Et quelque gras jambon,
Pour trouver le vin bon
Dedans les gobelets.

Ce temps d'étrange sorte
Bien doit être tenu,
Puisqu'aux champs on reporte
Ce qui en est venu;
Jadis tout au rebours
Laboureurs florissaient,
Alors qu'ils fournissaient
La ville et les faubourgs.

Or le temps reviendra
En dépit de rigueur
Qu'aux champs on se tiendra
En joie et en vigueur :
Nous y ferons séjour
Lors sans mélancolie,
Mais ores c'est folie
S'y rendre plus d'un jour.

A CEUX QUI BLÂMENT LES MATHÉMATIQUES

Tant plus je vois que vous blâmez
Sa noble discipline,
Plus à l'aimer vous enflammez
Ma volonté encline.

Car ce qui a moins de suivants,
D'autant plus il est rare,
Et est la chose entre vivants
Dont on est plus avare.

Il n'est pas en votre puissance
Qu'y soyez adonnés;
Car le ciel dès votre naissance
Vous en a détournés;

Ou ayant persuasion
    Que tant la peine en coûte,
Est la meilleure occasion
    Qui tant vous en dégoûte.

Le ciel orné de tels flambeaux
    N'est-il point admirable ?
La notice de corps si beaux
    N'est-elle désirable ?

Du céleste ouvrage l'objet,
    Si vrai et régulier,
N'est-il sur tout autre sujet
    Beau, noble et singulier ?

N'est-ce rien d'avoir pu prévoir
    Par les cours ordinaires,
L'éclipse que doit recevoir
    L'un des deux Luminaires ?

D'avoir su, par vraies pratiques,
    Les aspects calculer ?
Et connaître les Erratiques
    Marcher ou reculer ?

Toutefois il n'est jà besoin
    Que tant fort je la loue,
Vu que je n'ai vouloir ni soin
    Que de ce l'on m'avoue;

Car que chaut-il à qui l'honore
    Qu'elle soit contemnée [1] ?
Science, de cil qui l'ignore,
    Est toujours condamnée.

Assez regarde l'indocte homme
    Du ciel rond la ceinture,
Mais il s'y connaît ainsi comme
    L'aveugle en la peinture.

Celui qui a l'âme ravie
    Par les cieux va et passe,
Et soudain voit durant sa vie
    D'en haut la terre basse.

1. Méprisée.

Cette science l'homme cueille
        Alors qu'il imagine
La facture et grande merveille
        De la ronde machine.

C'est celle par qui mieux s'apprenne
        L'immense Déité,
Et qui des athées reprenne
        Erreur et vanité.

L'ALOUETTE

Alors que la merveille aurore
Le bord de notre ciel colore
L'alouette, en ce même point,
De sa gentille voix honore
La faible lumière qui point.

Tant plus ce blanc matin éclaire
Plus d'elle la voix se fait claire;
Et semble bien, qu'en s'efforçant,
D'un bruit vif elle veuille plaire
Au soleil qui se vient haussant.

Elle, guindée [1] de zéphire,
Sublime, en l'air vire et revire
Et déclique [2] un joli cri
Qui rit, guérit et tire l'ire
Des esprits, mieux que je n'écris.

Soit que Junon son air essuie,
Ou bien qu'el' se charge de pluie,
En haut pourtant elle se tient
Et de gringoter [3] ne s'ennuie,
Fors quand le neigeux hiver vient.

Même n'a point la gorge close
Pour avoir sa nichée éclose;
Et en ses chants si fort se plaît
Que vous diriez que d'autre chose
Ses alouetteaux elle ne paît.

1. Soutenue.
2. De décliquer : lâcher un déclic.
3. Chanter.

En plein midi, parmi le vide
Fait défaillir l'œil qui la guide [1],
Puis tantôt comme un peloton,
Subit en terre se dévide,
Et pour un temps plus ne l'oit-on.

1. Elle échappe à l'œil qui la veut suivre.

ÉTIENNE FORCADEL

1518- ?

Il naquit en 1518, d'une famille d'origine biterroise. Peut-être naquit-il lui-même à Béziers, mais cela n'est pas certain. On ne connaît pas grand-chose de sa vie. Il était docteur en droit civil et en droit canon, et fut préféré à Cujas pour une chaire de droit à l'Université de Toulouse. Goujet dit qu'il fut cependant un médiocre jurisconsulte. Les ouvrages de jurisprudence qu'il composa sont, en tout cas, d'une rhétorique prétentieuse; quant à ses vers, ils valent moins encore. Il ne regardait d'ailleurs la poésie que comme une honnête récréation. Il a ainsi, en se récréant, composé des *Opuscules*, des *Eucomies*, des *élégies*, des *chants*, des *épigrammes*, des *complaintes*, des *épitaphes*, des *églogues* et des *épîtres;* il a, de plus, publié quelques traductions en vers de Pétrarque, de Virgile, de Lucien, etc. Il a assez bien tourné quelques épigrammes. On en trouvera plusieurs parmi les textes très courts que nous avons extraits de son œuvre. On ignore la date de sa mort. Il mourut peu avant l'édition de ses poésies, qui fut donnée en 1579.

ÉPIGRAMMES

I

DE LA VRAIE SAGESSE

Connais toi-même, dit Phébus.
Du ciel descendit ce précepte;
Pour guérir folie et abus,
Lui, médecin, fit la recette;
Mais n'est pas seule; j'en excepte,
Et soutiens que d'avoir hanté
Les gens, sondant leur volonté,
Ne sert pas moins que se connaître.
Veux-tu bien vivre en sûreté?
Connais l'autrui, te voilà maître.

II

A SON AMI

Un des savants le plus ignare,
Des ignares le plus savant,
En tes vers, ami, trouva tare,
Peut-être de nuit, en rêvant.
Homère fut repris souvent
De l'envieux et sot Zoïle,
Et plusieurs ont pincé Virgile
Sans peur toutefois de méprendre :
Car qui n'écrit en aucun style
C'est le seul qu'on n'ose reprendre.

III

DE CHÉRIL

Le parler facile et commun
Semble à Chéril des moins honnêtes.
Un sot et lui c'est bien tout un;
L'obscur ne sied point aux poètes,
Mais aux sibylles et prophètes;
Qui pourra lire sans moquer
Les vers dans les nues secrètes,
Qu'Œdipe ne peut expliquer ?

IV

DE OLUIRE, MÉDECIN, ET CACUS, ANCIEN VOLEUR

Si Cacus le rusé voleur
Eût été plus méchant, Oluire,
Je te peindrais de sa couleur,
Mais en tous points tu es bien pire;
Il ôta les biens sans occire,
Ne fais-tu pis à l'escient,
Quand l'argent ne te peut suffire,
Ains fais mourir le patient ?
Tu dis le ciel auteur du fait.
La terre couvre ton méfait.

A JACQUES PELLETIER, POÈTE VENU
EN LANGUEDOC

Vu que tu es en ce pays venu,
Gentil esprit, grandement je m'étonne,
Que l'olivier qui ces champs environne
N'ait pas le son de tes vers retenu.

Comme le luth en la Thrace connu,
Tira les rocs : si ta muse résonne,
Elle ravit la région qui tonne,
Et le grand faix par Atlas soutenu.

Je tenais hier ton livre entre mes mains,
Où sont les arts plus ornés, mis et peints,
Mais vers le soir Phébus, qui l'aime lire,

Le m'emprunta, pour accorder les Muses
Et les doux chants où parfois tu t'amuses
Avec le son de la céleste lyre.

PERNETTE DU GUILLET

1520 ?-1545

Pernette du Guillet naquit vers 1520, à Lyon. Elle passa peu de temps sur la terre; la mort la prit, en effet, en pleine jeunesse. C'était une personne accomplie, aussi belle, dit-on, que Louise Labé et plus habile dans l'art du chant et sur les instruments. Elle composa des vers où se manifeste une grâce naïve et touchante, et où se révèle un sentiment tendre, mais chaste, pour le poète Maurice Scève, qui fut son maître en poésie. Elle fut mariée et elle était, dit-on, fort attachée à son mari. C'est lui qui, après la mort de sa femme, publia ses œuvres sous le titre simple, juste et charmant de : *Rimes de gentille et vertueuse dame Pernette du Guillet, lyonnaise.* « Gentille et vertueuse », ces mots lui conviennent à merveille. Dans son recueil de rimes, nous avons pris quelques dizains et quelques stances. On y verra quelle délicatesse, quelle grâce et quelle harmonie cette jeune poétesse savait mettre dans ses chants.

POÉSIES

I

Par ce dizain clairement je m'accuse
De ne savoir tes vertus honorer
Fors du vouloir qui est bien maigre excuse :
Mais qui pourrait par écrit décorer
Ce qui, de foi, se peut faire adorer ?
Je ne dis pas si j'avais ton pouvoir
Qu'à m'acquitter ne fisse mon devoir,
A tout le moins du bien que tu m'avoues.
Prête-moi donc ton éloquent savoir,
Pour te louer ainsi que tu me loues.

II

Il n'est besoin que plus je me soucie
Si le jour faut ou que vienne la nuit,
Nuit hivernale et sans lune obscurcie;
Car tout cela, certes, rien ne me nuit,
Puisque mon Jour par clarté adoucie
M'éclaire toute, et tant qu'à la minuit
En mon esprit me fait apercevoir
Ce que mes yeux ne surent oncques voir.

III

Pour contenter celui qui me tourmente,
Chercher ne veux remède à mon tourment :
Car, en mon mal voyant qu'il se contente,
Contente suis de son contentement.

IV

Quand vous voyez que l'étincelle
Du chaste amour sous mon aisselle
Vient tous les jours à s'allumer,
Ne me devez-vous bien aimer ?

Quand vous me voyez toujours celle
Qui pour vous souffre, et son mal cèle,
Me laissant par lui consumer,
Ne me devez-vous bien aimer ?

Quand vous voyez que pour moins belle
Je ne prends contre vous querelle,
Mais pour mien vous veux réclamer,
Ne me devez-vous bien aimer ?

Quand pour quelque autre amour nouvelle
Jamais ne vous serai cruelle,
Sans aucune plainte former,
Ne me devez-vous bien aimer ?

Quand vous verrez que sans cautelle [1]
Toujours vous serai été telle

1. Ruse, artifice.

Que le temps pourra affermer,
Ne me devrez-vous bien aimer ?

v

Qui dira ma robe fourrée
De la belle pluie dorée,
Qui Daphnes [1] enclose ébranla :
Je ne sais rien moins que cela.

Qui dira qu'à plusieurs je tends
Pour en avoir mon passe-temps,
Prenant mon plaisir çà et là :
Je ne sais rien moins que cela.

Qui dira que j'ai révélé
Le feu longtemps en moi celé,
Pour en toi voir si force il a :
Je ne sais rien moins que cela.

Qui dira que d'ardeur commune,
Qui les jeunes gens importune,
De toi je veux, et puis holà :
Je ne sais rien moins que cela.

Mais qui dira que la vertu,
Dont tu es richement vêtu,
En ton amour m'étincela.
Je ne sais rien mieux que cela.

Mais qui dira que d'amour sainte
Chastement au cœur suis atteinte
Qui mon honneur onc ne foula;
Je ne sais rien mieux que cela.

VI

C'est une ardeur d'autant plus violente
Qu'elle ne peut par mort ni temps périr
Car la vertu est d'une action lente,
Qui tant plus va, plus vient à se nourrir,

1. « Daphnes est ici pour Danaé, soit qu'il y ait une faute d'impression, soit, ce qui est plus vraisemblable, que les exigences du mètre aient contraint l'auteur à faire de Danaé Daphné, ce qui serait une licence un peu trop poétique. » (Avant-propos de l'édition de 1864.)

Mais bien d'amour la flamme on voit mourir
Aussi soudain qu'on la voit allumée;
Pour ce qu'elle est toujours accoutumée
Comme le feu à force et véhémence;
Et celle-là n'est jamais consumée;
Car sa vigueur s'augmente en sa clémence.

VII

C'est un grand mal se sentir offensé
Et ne s'oser ou savoir à qui plaindre;
C'est un grand mal, voire trop insensé
Que d'aspirer où l'on ne peut atteindre,
C'est un grand mal que de son cœur contraindre,
Outre son gré et sa sujétion;
C'est un grand mal qu'ardente affection
Sans espérer de son mal allégeance;
Mais c'est grand bien quand, à sa passion,
Un doux languir sert d'honnête vengeance.

VIII

Non que je veuille ôter la liberté
A qui est né pour être sur moi maître :
Non que je veuille abuser de fierté
Qui à lui humble et à tous devrais être;
Non que je veuille à dextre et à senestre
Le gouverner et faire à mon plaisir :
Mais je voudrais pour nos deux cœurs repaître
Que son vouloir fût joint à mon désir.

FRANÇOIS HABERT

1520-1560?

François Habert naquit en 1520, à Issoudun. Il fit ses études à Paris, puis il fut envoyé à Toulouse pour étudier la jurisprudence. Son père étant mort sans fortune, il dut revenir à Issoudun, comme chef de famille, car il avait quatre sœurs; il dut prendre un emploi, et fut secrétaire auprès de plusieurs prélats, puis auprès du duc de Nevers; présenté à la cour par ce prince, il fut bien accueilli de François Ier; Henri II l'estimait aussi beaucoup et lui donna même le titre de poète royal. Ce n'était pourtant pas un poète bien fameux. Banal, solennel, prolixe, il tint dans son temps une place imméritée. Il s'était donné dans sa jeunesse le surnon de *Banny de Liesse*, auquel il ne renonça pas quand il connut les faveurs royales et la renommée. On trouve ce nom dans ses premiers recueils, qu'il publia en 1541, étant encore à Toulouse. Ils furent suivis de beaucoup d'autres, dont nous ne croyons pas nécessaire de donner la liste complète. De ce fécond et fade « poète royal », nous citons seulement une fable en stances, un peu trop longue, et une courte pièce religieuse. On pense que François Habert mourut vers 1560.

DU COQ ET DU RENARD

FABLE

Le renard par bois errant
         Va querant
Pour sa dent tendre pâture,
Et si loin en la fin va
         Qu'il trouva
Le coq par mésaventure.

Le coq, de grand peur qu'il a,
         S'envola
Sur une ente haute et belle,

Disant que maître renard
　　　N'a pas l'art
De monter dessus icelle.

Le renard, qui l'entendit,
　　　Lui a dit,
Pour mieux couvrir sa fallace :
« Dieu te garde, ami très cher !
　　　Te chercher
Suis venu en cette place,

Pour te raconter un cas
　　　Dont tu n'as
Encore la connaissance;
C'est que tous les animaux
　　　Laids et beaux
Ont fait entre eux alliance.

Toute guerre cessera;
　　　Ne sera
Plus entre eux fraude maligne;
Sûrement pourra aller
　　　Et parler
Avecque moi la géline.

De bêtes un million,
　　　Le lion,
Mène jà par la campagne;
La brebis avec le loup,
　　　A ce coup,
Sans nul danger s'accompagne.

Tu pourras voir ici-bas,
　　　Grands ébats
Démener aucune bête;
Descendre donc il te faut,
　　　De là-haut,
Pour solenniser la fête. »

Or, fut le coq bien subtil.
　　　« J'ai, dit-il,
Grande joi' d'une paix telle,
Et je te remerci' bien

Du grand bien
D'avoir si bonne nouvelle. »

Cela dit, vient commencer
A hausser
Son col et sa crête rouge,
Et son regard il épard
Mainte part,
Sans que de son lieu se bouge.

Puis dit : « J'entends par le bois
Les abois
De trois chiens qui cherchent proie ;
Ho ! compère, je les voi
Près de toi ;
Va avec eux par la voie.

— Oh ! non ! car ceux-ci n'ont pas
Su le cas
Tout ainsi comme il se passe,
Dit le renard ; je m'en vas
Tout là-bas
De peur que n'aie la chasse. »

Ainsi fut, par un plus fin,
Mise à fin
Du subtil renard la ruse.
Qui ne veut être déçu,
A son su,
De tel engin faut qu'il use.

CANTIQUE DU MOIS DE MAI

Or apaisés sont les vents pluvieux,
Or est passé tout nubileux orage ;
Tous animaux qui êtes sous les Cieux,
Louez-en Dieu devant votre courage ;
Chacun oiseau le loue en son ramage,
Et si l'oiseau le témoigne en ses chants,
Cette verdure en porte témoignage,
Qui éblouit nos yeux parmi les champs.

L'herbe aux prés fleuronne
Pour nourrir chevaux,
La vigne boutonne
Par monts et par vaux.
Tous humains travaux
Trouvent allégeance;
O Dieu qui tant vaux,
C'est ta providence.

PONTUS DE TYARD

1521-1605

Pontus de Tyard naquit en 1521, au château de Bissy-sur-Fley, en Mâconnais, d'une famille riche et distinguée de la Bourgogne. Il alla terminer ses études à Paris, où, d'après son propre témoignage, il composa, vers 1543, les premières pièces de ses *Erreurs amoureuses.* C'est par allusion à son propre nom de Pontus (Pontus étant l'un des chevaliers errants de la Table ronde) qu'il adopta ce titre. Ces *Erreurs amoureuses* sont des sonnets, adressés à la dame de ses pensées, qu'il célèbre sous le nom de *Pasithée.* C'était, paraît-il, une personne d'un rang élevé, lettrée et musicienne, qui jouait de l'épinette et du luth. Pontus passa auprès d'elle par des alternatives d'espérance et de désespoir; mais il était destiné à l'Église, et, lorsqu'en 1554 il dédia à sa dame le troisième livre de ses *Erreurs,* il était déjà chanoine de la cathédrale de Mâcon. Nous avons parlé, dans notre Introduction, de la place de Pontus de Tyard dans la Pléiade, et de son rôle dans la rénovation poétique de la Renaissance. Nous donnons ci-après dix pièces tirées des *Erreurs amoureuses,* plus une chanson et deux sonnets tirés du *Recueil de ses Nouvelles Œuvres poétiques.* Il s'occupa aussi beaucoup d'astronomie et écrivit plusieurs ouvrages sur cette science. A partir du règne d'Henri III, il renonça tout à fait à la poésie. Il fut nommé aumônier du roi, puis, en 1578, évêque de Chalon-sur-Saône, où il demeura jusqu'en 1589. A cette date, il résigna son évêché en faveur de son neveu Cyrus de Tyard. Il se retira alors dans son château de Bragny-sur-Saône, où il continua de vivre dans l'étude et à tenir bonne table, car il aima jusqu'à la fin de ses jours la fine chère et la vie facile. Il mourut à quatre-vingt-quatre ans, le 23 septembre 1605.

LES ERREURS AMOUREUSES

I

SONNET A MAURICE SCÈVE

Si en toi luit le flambeau gracieux,
Flambeau d'amour qui tout grand cœur allume,
Comme il faisait lorsqu'à ta docte plume
Tu fis hausser le vol jusques aux cieux;

Donne, sans plus, une heure à tes beaux yeux
Pour voir l'ardeur qui me brûle et consume
En ces *Erreurs* qu'amour sur son enclume
Me fait forger, de travail ocieux [1].

Tu y pourras reconnaître la flamme
Qui enflamma si hautement ton âme,
Mais non les traits de ta divine veine.

Aussi je prends le blâme en patience,
Prêt d'endurer honteuse pénitence,
Pour les erreurs de ma jeunesse vaine.

II

Quelqu'un voyant la belle pourtraiture
De ton visage en un tableau dépeinte,
S'émerveillait de chose si bien feinte,
Et qui suivait de si près la nature.

Hélas! pensai-je, Amour par sa pointure,
A mieux en moi cette beauté empreinte,
Cette beauté tant cruellement sainte,
Que, l'adorant, elle me devient dure.

Car ce tableau par main d'homme tracé,
Au fil des ans pourrait être effacé,
Ou obscurci, perdant sa couleur vive :

1. Ocieux : oisif.

Mais la mémoire, empreinte en ma pensée,
De sa beauté ne peut être effacée
Au laps de temps, au moins tant que je vive.

III

Je mesurais, pas à pas, et la plaine
Et l'infini de votre cruauté,
Et l'obstiné de ma grand' loyauté
Et votre foi fragile et incertaine.

Je mesurais votre douceur hautaine,
Votre angélique et divine beauté,
Et mon désir trop hautement monté
Et mon ardeur, votre glace et ma peine.

Et, cependant que nos affections,
Et la rigueur de vos perfections
J'allais ainsi tristement mesurant,

Sur moi cent fois tournâtes votre vue,
Sans être en rien piteusement émue
Du mal qu'ainsi je souffrais en mourant.

IV

Quand le désir de ma haute pensée
Me fait voguer en mer de ta beauté,
Espoir du fruit de ma grand' loyauté
Tient voile large à mon désir haussée.

Mais cette voile ainsi en l'air dressée,
Pour me conduire au port de privauté,
Trouve en chemin un flot de cruauté,
Duquel elle est rudement repoussée.

Puis de mes yeux la larmoyante pluie
Et les grands vents de mon soupirant cœur
Autour de moi émeuvent tel orage,

Que si l'ardeur de ton amour n'essuie
Cette abondance, hélas! de triste humeur,
Je suis prochain d'un périlleux naufrage.

V

CHANT NON MESURÉ

Que me sert la connaissance
D'amour et de sa puissance
Et du mal qu'il fait sentir :
Si je n'ai la résistance,
Pour m'en savoir garantir ?

Que me sert en loyauté,
Servir la grande beauté,
D'une qui ne veut m'ouïr :
Si je n'ai la privauté
Entièrement d'en jouir ?

Que me sert le froid plaisir,
Qui me vient en vain saisir,
Quand le désir me transporte :
Si naissant ce mien désir,
Toute espérance m'est morte ?

Que me sert la courte joye,
Que je pris quand je songeois
Être au comble de tout bien :
Si ce que dormant j'avois
Au réveil se trouve rien ?

Que me sert en ma tristesse
Verser larme et pleurs sans cesse,
Pensant noyer mon tourment :
Si l'ardent feu qui me presse,
M'en brûle plus chaudement ?

Que me sert en mon martyre
Jeter, lors que je respire,
Soupirs d'ardentes chaleurs :
Si ce vent dont je soupire
Ne peut dessécher mes pleurs ?

Que me sert l'affection
De fuir ma passion
La pensant rendre moins forte :
Si, comme fait Ixion,
Mon mal avec moi j'emporte ?

Que me sert-il de courir,
Vers la mort secours querir
Pour être de mal délivre :
Si ce qui me fait mourir
Tout soudain me fait revivre ?

Mais pourquoi chanté-je ainsi,
Me plaignant du grief souci,
Où mon cœur est obstiné :
Puis qu'à ce grand malheur-ci
Les cieux m'ont prédestiné ?

VI   *Sonnet XXXVI*

Le doux regard et le parler d'Hélène
Te font heureux; et haute est ma fortune,
Quand je me sens affable, et opportune
Celle qui est plus divine qu'humaine.

Un grand malheur te donne étrange peine,
Quand ton jour fuit, chassé de la nuit brune :
Et sur le soir le serein de ma Lune
Piteusement à lamenter me mène.

Hélène est belle en sa douceur bénine;
Ma lune est claire en sa beauté divine;
J'ai bien et mal; tu as heur et souci.

Mais si, faut-il, ami, que je confesse
Que j'ai, servant plus louable maîtresse,
Plus d'heur que toi, plus de malheur aussi.

VII

Je vis rougir son blanc poli ivoire
Et cliner plus humainement sa vue,
Quand je lui dis : si ta rigueur me tue,
En auras-tu, cruelle, quelque gloire ?

Lors je connus, au moins je veux le croire,
Qu'amour l'avait atteinte à l'imprévue :
Car elle éprise, et doucement émue,
Par un souris me promit la victoire.

Et me laissant baiser sa blanche main,
Me fit recueil si tendrement humain,
Que d'autre bien depuis je n'ai vécu.

Mais éprouvant un trait d'œil, sa douceur
Si vivement me vint toucher au cœur,
Que, pensant vaincre, enfin je fus vaincu.

VIII

SEXTINE

Lorsque Phébus sue le long du jour
Je me travaille en tourments et ennuis :
Et sous Phébé les languissantes nuits
Ne me sont rien qu'un pénible séjour :
Ainsi toujours pour l'amour de la belle,
Je vais mourant en douleur éternelle.

Bien dois-je, hélas! en mémoire éternelle,
Me souvenir et de l'heure et du jour,
Que je fus pris aux beaux yeux de la belle :
Car oncques puis je n'ai reçu qu'ennuis,
Qui m'ont privé du plaisir et séjour
Des plaisants jours et reposantes nuits.

Heureux amant, vous souhaitez les nuits
Avoir durée obscure et éternelle,
Pour prolonger votre amoureux séjour :
Et à moi seul, si rien plaît, plaît le jour,
Pour espérer, après mes longs ennuis,
Nourrir mes yeux aux beautés de la belle.

Mais, rencontrant les soleils de la belle,
Tout ébloui, aux ténébreuses nuits
De mes travaux je r'entre, et aux ennuis
De ma pensée en son cours éternelle :
Laquelle fait tout moment, nuit et jour,
Dans les discours de mon esprit séjour.

Las! je ne puis trouver lieu de séjour,
Tant j'ai de maux pour tes cruautés, belle :
Car, si je brûle et ards [1] le long du jour,
Je me dissous en pleurs toutes les nuits,
Te voyant vivre en rigueur éternelle
Pour me tuer en éternels ennuis.

1. Ardre : brûler.

Inconsolable, ô âme, en tes ennuis,
Qui veux sortir de ce mortel séjour
Pour t'envoler en la vie éternelle,
Peux-tu languir pour une autre plus belle ?
Espère encor, espère : car ces nuits
S'éclairciront de quelque plaisant jour.

Mais hâte-toi, ô Jour, que mes ennuis
Prendront séjour aux faveurs de la belle :
Change l'obscur de mes dolentes nuits
En la clarté d'une joie éternelle.

IX

Divin Ronsard, qui de plume gentille
Mignarde mieux les amoureux écrits,
Un mol chapeau des rameaux de Cypris
Entre ton front mollement entortille.

Gentil Bellay, de qui le divin style
Fait étonner les plus braves esprits,
Couronne-toi, ton plus désiré prix,
De la faveur de ta branche tranquille.

Orne ton chef, orne, mon Des Autelz,
De cent honneurs, cent honneurs immortels,
Qui chanteront ton nom par tout le monde.

Mais suis-je point de votre heur envieux ?
Non, non ; car j'ai un autre heur plus heureux,
L'aspect bénin de mon Étoile blonde.

X

Ruisseau d'argent, qui de source inconnue
Viens écouler ton beau cristal ici,
En arrosant aux pieds de mon Bissy
Le roc vêtu et la campagne nue :

Pour la pensée en mon cœur survenue,
Quand près de toi je fondais en souci,
Je te viens rendre éternel grand merci,
Couché auprès de ta rive chenue.

Un vert émail d'une ceinture large
T'enjaspera et l'une et l'autre marge,
Puis, j'escrirai ces vers sur un porphyre :

Loin, loin, pasteurs si profanes vous êtes,
Car les neuf sœurs, en faveur des poètes,
M'ont consacré le Mâconnois Baphire.

CHANSON

Plus subtile œuvre tirée
Ne fut onc de soie ou d'or
Qu'est votre tresse dorée
De beauté riche trésor :
Oncq' amour plus sûrement
Ne tendit ses lacs ailleurs
Pour s'y celer cautement
Et surprendre mille cœurs.

La belle douce lumière
Qui luit dessous votre front
Semble l'étoile première
Qui l'ombre de la nuit rompt :
Oncques d'un astre plus beau
Amour son brandon n'éprit,
Ni plus honnête flambeau
Pour rallumer un esprit.

A votre bouche ressemble
Un corail, qui tient fermés
Deux rangs de perles ensemble
D'ambre et de musc parfumés :
Amour ne peut mieux choisir
Pour donner commencement
A un amoureux désir
Et le forcer doucement.

De la plus vermeille aurore,
Guide d'un soleil serein
Qui de blancheur se colore,
Vous est prêté ce beau teint :
Amour oncques ne trouva
Un objet plus gracieux
Par lequel il éprouva
Comme il doit gagner les yeux.

D'Arachné ou de Minerve
Se prit votre belle main,
Qui tient la liberté serve
Et le cœur étreint au sein :
Ce nœud gracieux et fort
A l'amour avez prêté,
Pour, contre tout autre effort,
Contraindre une volonté.

La contenance et la grâce
Peinte en votre gravité
Représente au vif la face
De la même majesté :
Amour vous doit ressembler
Quand voletant par les lieux
Il fait dessous soi trembler
Et les hommes et les dieux.

Or cette beauté tant belle
N'eût jamais su toutefois
Ranger mon esprit rebelle
Sous les amoureuses lois,
Car déjà pour autre objet
Ayant souffert mille morts,
Il fuyait d'être sujet
A toutes beautés du corps.

Votre esprit qui en Parnasse
But tant de votre liqueur
Qu'il tient la dixième place
De l'Éliconien chœur,
C'est ce que j'ai admiré
Et qui tant m'attire à soi
Qu'aux mains d'amour j'ai juré
Une inviolable foi.

Lui, d'une éternelle source,
Éternel toujours vivra,
Mon amour de même course
Éternel donc le fuira :
Et si vraie est la fureur
Dont Phébus le cœur me point,
Votre esprit, ni mon ardeur,
Ni mes vers ne mourront point.

SONNET

Mon âme est en vos mains heureusement étreinte
Du plus gracieux nœud qu'oncq' beauté n'enlaça ;
Une plus douce flèche oncques cœur ne blessa
Que celle qui par vous dedans mon sang est teinte ;

Plus docte poésie en votre esprit est peinte
Qu'oncques sur Hélicon Apollon n'en pensa ;
Un plus illustre rêts oncq' Phébus n'élança
Qu'est celui dont mon cœur nourrit sa flamme empreinte.

De Python, des neuf Sœurs, et des Grâces, ensemble
La troupe des Vertus, en vous seule s'assemble,
Et la fureur d'Amour toute en moi seul abonde.

Si vous aimez autant doncq' mes affections,
Comme doux m'est le joug de vos perfections,
Un si vrai pair d'amour ne serait point au monde.

EN CONTEMPLATION DE DAME LOUISE LABÉ

Quel Dieu grava cette majesté douce
En ce gai port d'une prompte allégresse ?
De quel lis est, mais de quelle déesse
Cette beauté qui les autres détrousse ?

Quelle Sirène hors du sein ce chant pousse,
Qui décevrait le caut Prince de Grèce ?
Quels sont ces yeux mais bien quel trophée est-ce
Qui tient d'amour l'arc, les traits et la trousse ?

Ici le ciel libéral me fait voir
En leur parfait, grâce, honneur et savoir,
Et de vertu le rare témoignage ;

Ici le traître Amour me veut surprendre :
Ah ! de quel feu brûle un cœur jà en cendre !
Comme en deux parts se peut-il mettre en gage ?

LOUIS DES MASURES

1523-1580 ?

Il naquit en 1523, à Tournai. Il passa une partie de sa vie, en qualité de secrétaire, dans la maison de Lorraine, puis il embrassa la religion réformée et fut pasteur en diverses villes, notamment à Metz et à Strasbourg, où il mourut aux environs de 1580. Il a composé des vers latins et des vers français. Sa poésie ne s'élève pas à de grandes hauteurs; il écrit simplement, avec aisance et non sans esprit. On trouve dans son œuvre des vers lyriques, des épigrammes, des élégies; il a traduit aussi « en rimes françaises » et « selon la vérité hébraïque » vingt psaumes de David; il a traduit, et le premier, l'*Énéide* en vers français; il a enfin composé une sorte de trilogie dramatique : *David combattant, David triomphant, David fugitif*, qu'il a publiée sous le titre de : *Tragédies saintes*.

A LA FONTAINE

Fontaine, dont l'eau cristalline,
D'amont le rocher tombe aval,
Murmurant parmi la colline,
Puis tombe paisible en son val,
Où d'une trace continue
Torse en serpent, se traîne et pousse,
Et, à travers l'herbe menue,
Passe, arrosant l'épaisse mousse,

Mille et mille oiseaux qui te hantent,
Le flateux bruit [1], le frais des eaux,
Et les nymphes qui autour chantent
Répondant au chant des oiseaux,

1. Le bruit des vents.

L'air doux, la lumière éthérée,
Ce creux antre qui se recule,
Où ne touche l'heure altérée
De la brûlante canicule ;

    Les arbres touffus, la froide ombre,
Les fleurs et le verdoyant pré :
Bref, tout ce pourpris [1], en grand nombre
De belles couleurs diapré,
Font que le dur ennui j'oublie :
Et que la lyre à gré je touche :
Attendant la tâche accomplie
Du soleil qui trop tôt se couche.

    Près de toi, Fontaine sacrée,
L'envie et tort nous défions :
Grondant que ton bruit nous récrée,
Unique plaisir d'Amphion
Qui a délaissé la Dircée,
L'aracynth, les thébaines roches,
Pour ton eau sans cesse versée,
Pour ce roc et tes antres proches.

    A ta vive et fuyante course
Ne vient le profane approcher,
Tu m'es d'Aganippe [2] la source
Et mon Hélicon, ce rocher.
A ton bruit ma lyre j'accorde
Chantant l'heur de ma destinée :
Les amours je sonne à la corde,
Au creux airain, le grand Enée.

    Le chant qu'ainsi oisif sur l'herbe
J'entonne, étendu à l'envers,
Te rendra fameuse et superbe,
Gardant la gloire de mes vers ;
A toi, sous cette roche ombreuse,
Callirhoé, Nymphe gentille,
Je veux goûter à la main creuse
L'honneur de ton eau qui sautille.

    Elle est fraîche, nette, épurée,
Et brille au soleil clair et beau ;

1. Enclos, jardin.
2. Source qui, comme l'Hippocrène, sortait de l'Hélicon.

Mais puisque les vers n'ont durée
Qui sont écrits de buveurs d'eau,
Sus, Bacchus, noble capitaine,
Que du vin soit pleine ma tasse
Qui rafraîchit, en la fontaine,
Une heure avant que je chantasse.

En chantant fais que je m'endorme
Au bruit cette douce liqueur,
Si je sommeille sous cet orme
Garde-moi, Nymphe au gentil cœur,
Que mon repos ne tourne en peine
Par la serpentine furie :
Ainsi de ta fertile veine
Jamais ne soit l'humeur tarie.

LE DÉCONFORTÉ

Si de la mort telle était la puissance
Que du regret qui m'est venu saisir;
Ou qu'elle fût sous mon obéissance
Pour satisfaire à mon plus grand désir,
J'eusse eu piéça de mourir le loisir.
Or si la mort que j'appelle et convie
Me secourir ne peut ou n'a envie,
Et vivre ainsi vivre se doit nommer,
Je suis vivant mais c'est de telle vie
Que le mourir me serait moins amer.

ÉPITAPHE DE DIANE BAUDOIRE, SA FEMME

Diane, en couche, se sentant
De la rude mort assaillie,
Et déjà du tout lui étant
La vive parole faillie :
A son mari de main pâlie

Montre un beau fils, produit à l'heure,
Comme voulant dire : « Ne pleure
Avecques l'adieu d'un baiser,
Ce bel enfant qui te demeure,
Sera pour ton deuil apaiser ».

A ELLE-MÊME

Par les enfers alla jadis Orphée
Et vit s'amie Eurydice aux bas lieux;
Puis vint emplir de cris et larmes d'yeux
Strymon le fleuve et les monts de Riphée.

Mon fier destin, Diane, sainte fée,
Ne me permet encore aller aux cieux
Pour y trouver ton âme au rang des Dieux,
De vertu vive et d'honneur étoffée.

Les champs, les bois, les fleuves, les rivages,
Les rochers creux et les bêtes sauvages
De mes regrets sont émus de pitié.

Tu vois d'en haut ma douleur et mes plaintes,
Et sais le jour qu'entre les âmes saintes
Sûre et sans deuil sera notre amitié.

RONSARD
1524-1585

Pierre de Ronsard naquit au château de la Possonnière, non loin du village de Couture, dans le Vendômois. La date de sa naissance a été très discutée; on savait qu'il naquit en 1524 et dans le mois de septembre, mais on n'était pas d'accord sur le jour; il semble bien, d'après les recherches de Henri Lougnon, que ce soit le 2. Nous avons été amené à parler, dans notre Introduction, de la vie de Ronsard. Nous avons dit quelques mots de sa jeunesse, passée au pays vendômois, de son existence à la cour et de la carrière brillante qui semblait destinée à ce jeune homme accompli, de l'infirmité qui le fit se consacrer aux muses, de sa longue, magnifique et glorieuse carrière poétique. Nous n'y reviendrons donc pas et, comme nous l'avons déjà fait plusieurs fois pour des raisons semblables, nous renverrons le lecteur à notre Introduction. Nous ne répéterons pas non plus ce que nous y avons dit du rôle de Ronsard dans la Pléiade, dont il fut l'étoile la plus belle et la plus brillante, ni de son influence sur la poésie française. Nous avons dit aussi la tristesse de ses dernières années. La maladie était venue, sa faveur à la cour était moins grande, il avait vu tomber un à un la plupart des amis et des compagnons de sa jeunesse, ceux qui avaient été ses frères en poésie et ses disciples. Lui-même mourut au prieuré de Saint-Côme, le 27 décembre 1585. Nous donnons quelques pièces de Ronsard puisées aux différentes parties de son œuvre. Il est extrêmement embarrassant, dans un ensemble aussi riche et dont on est tenté de retenir un grand nombre de morceaux, de faire un choix aussi restreint que nous l'imposait la nature de ce recueil. Les poésies ci-après se trouvent naturellement être parmi les plus connues de Ronsard, mais il en est beaucoup d'autres sur lesquelles nous aurions pu aussi justement fixer notre choix. Désireux de ne présenter que des pièces complètes et d'en présenter un certain nombre dans l'espace mesuré dont nous disposions, nous avons dû rejeter certains textes trop longs pour être cités intégralement et qu'il eût été regrettable de mutiler. A l'exception du poème sur *le Tombeau de Marguerite de Savoie*, dont nous donnons deux fragments seulement, toutes les pièces qui suivent sont entières.

LES AMOURS DE CASSANDRE

SONNETS

I

« Avant le temps tes tempes fleuriront,
De peu de jours ta fin sera bornée,
Avant ton soir se clorra ta journée,
Trahis d'espoir tes pensers périront,

« Sans me fléchir tes écrits flétriront,
En ton désastre ira ma destinée,
Ta mort sera pour m'amour terminée,
De tes soupirs tes neveux se riront.

« Tu seras fait du vulgaire la fable,
Tu bâtiras sur l'incertain du sable.
Et vainement tu peindras dans les cieux. »

Ainsi disait la nymphe qui m'affolle,
Lors que le ciel, témoin de sa parole,
D'un dextre [1] éclair fut présage à mes yeux.

II

Ciel, air et vents, plaine et monts découverts,
Tertres fourchus et forêts verdoyantes,
Rivages tors, et sources ondoyantes,
Taillis rasés, et vous, bocages verts;

Antres moussus à demi front ouverts,
Prés, boutons, fleurs et herbes rousoyantes [2],
Coteaux vineux et plages blondoyantes,
Gastine, Loir, et vous, mes tristes vers,

Puis qu'au partir, rongé de soin et d'ire,
A ce bel œil l'adieu je n'ai su dire,
Qui près et loin me détient en émoi,

---

1. D'un éclair paraissant à droite.
2. Rousoyantes ou rosoyantes : couvertes de rosée.

Je vous suppli', ciel, air, vents, monts et plaines,
Taillis, forêts, rivages et fontaines,
Antres, prés, fleurs, dites-le-lui pour moi.

LES AMOURS DE MARIE

SONNETS

I

Marie, vous avez la joue aussi vermeille
Qu'une rose de mai : vous avez les cheveux
De couleur de châtaigne, entrefrisés de nœuds,
Gentement tortillés tout autour de l'oreille.

Quand vous étiez petite, une mignarde abeille
Dans vos lèvres forma son nectar savoureux,
Amour laissa ses traits dans vos yeux rigoureux,
Pithon vous fit la voix à nulle autre pareille.

Vous avez les tétins comme deux monts de lait,
Qui pommèlent ainsi qu'au printemps nouvelet
Pommèlent deux boutons que leur châsse environne.

De Junon sont vos bras, des Grâces votre sein,
Vous avez de l'Aurore et le front et la main,
Mais vous avez le cœur d'une fière lionne.

II

Mignonne, levez-vous, vous êtes paresseuse,
Jà la gaie alouette au ciel a fredonné,
Et jà le rossignol doucement jargonné,
Dessus l'épine assis, sa complainte amoureuse.

Sus! debout, allons voir l'herbelette perleuse,
Et votre beau rosier de boutons couronné,
Et vos œillets aimés, auxquels aviez donné
Hier au soir de l'eau d'une main si soigneuse.

Harsoir [1] en vous couchant vous jurâtes vos yeux
D'être plutôt que moi ce matin éveillée;
Mais le dormir de l'aube, aux filles gracieux,

1. Harsoir : hier au soir.

Vous tient d'un doux sommeil encor les yeux sillée.
Çà, çà, que je les baise, et votre beau tétin,
Cent fois, pour vous apprendre à vous lever matin.

III

— Que dis-tu, que fais-tu, pensive tourterelle,
Dessus cet arbre sec ? — Las ! passant, je lamente.
— Pourquoi lamentes-tu ? — Pour ma compagne absente,
Plus chère que ma vie. — En quelle part est-elle ?

— Un cruel oiseleur, par glueuse cautelle,
L'a prise et l'a tuée, et nuit et jour je chante
Son trépas dans ce bois, nommant la mort méchante
Qu'elle ne m'a tuée avecques ma fidèle.

— Voudrais-tu bien mourir avecques ta compagne ?
— Aussi bien je languis en ce bois ténébreux,
Où toujours le regret de sa mort m'accompagne.

— O gentils oiselets, que vous êtes heureux !
Nature d'elle-même à l'amour vous enseigne,
Qui mourez et vivez fidèles amoureux.

IV

LA QUENOUILLE

Quenouille, de Pallas la compagne et l'amie,
Cher présent que je porte à ma chère ennemie,
Afin de soulager l'ennui qu'elle a de moi,
Disant quelque chanson en filant dessur toi,
Faisant pirouetter, à son huis amusée,
Tout le jour son rouet et sa grosse fusée,

Sus ! quenouille, suis-moi, je te mène servir
Celle que je ne puis m'engarder de suivre [1].
Tu ne viendras ès mains d'une pucelle oisive,
Qui ne fait qu'attifer sa perruque lascive
Et qui perd tout le jour à mirer et farder
Sa face, à celle fin qu'on l'aille regarder ;

1. Suivre.

Mais bien entre les mains d'une disposte [1] fille
Qui dévide, qui coud, qui ménage et qui file
Avecque ses deux sœurs pour tromper ses ennuis
L'hiver devant le feu, l'été devant son huis.

Aussi je ne voudrais que toi, quenouille gente
Qui es de Vendômois (où le peuple se vante
D'être bon ménager), allasses en Anjou
Pour demeurer oisive et te rouiller au clou.
Je te puis assurer que sa main délicate
Filera dougément [2] quelque drap d'écarlate,
Qui si fin et si souef en sa laine sera
Que pour un jour de fête un roi le vêtira.

Suis-moi donc, tu seras la plus que bien-venue,
Quenouille, des deux bouts et grelette et menue,
Un peu grosse au milieu où la filasse tient,
Étreinte d'un ruban qui de Montoire vient,
Aime-laine, aime-fil, aime-étaim [3], maisonnière,
Longue, palladienne, enflée, chansonnière ;
Suis-moi, laisse Cousture, et va droit à Bourgueil,
Où, quenouille, on te doit recevoir d'un bon œil,
Car le petit présent qu'un loyal ami donne
Passe des puissants rois le sceptre et la couronne.

V

SONNET

Comme on voit sur la branche, au mois de mai, la rose
En sa belle jeunesse, en sa première fleur,
Rendre le ciel jaloux de sa vive couleur,
Quand l'aube de ses pleurs au point du jour l'arrose :

La grâce dans sa feuille et l'amour se repose,
Embaumant les jardins et les arbres d'odeur ;
Mais, battue ou de pluie ou d'excessive ardeur,
Languissante elle meurt, feuille à feuille déclose.

Ainsi, en ta première et jeune nouveauté,
Quand la terre et le ciel honoraient ta beauté,
La Parque t'a tuée, et cendre tu reposes.

1. Féminin de dispos.
2. Dougément : subtilement, à fils menus.
3. Espèce de laine cardée et prête à filer.

Pour obsèques reçois mes larmes et mes pleurs,
Ce vase plein de lait, ce panier plein de fleurs,
Afin que, vif et mort, ton corps ne soit que roses.

VI

ÉPITAPHE DE MARIE

Ci reposent les os de toi, belle Marie,
Qui me fis pour Anjou quitter mon Vendômois,
Qui m'échauffas le sang au plus vert de mes mois,
Qui fus toute mon cœur, mon bien et mon envie.

En ta tombe repose honneur et courtoisie,
La vertu, la beauté, qu'en l'âme je sentais,
La grâce et les amours qu'aux regards tu portais
Tels qu'ils eussent d'un mort ressuscité la vie.

Tu es, belle Angevine, un bel astre des cieux :
Les anges tous ravis se paissent de tes yeux,
La terre te regrette, ô beauté sans seconde!

Maintenant tu es vive [1], et je suis mort d'ennui.
Ah! siècle malheureux! malheureux est celui
Qui s'abuse d'amour et qui se fie au monde!

POÉSIES POUR HÉLÈNE

SONNETS

I

Je plante en ta faveur cet arbre de Cybèle,
Ce pin, où tes honneurs se liront tous les jours;
J'ai gravé sur le tronc nos noms et nos amours,
Qui croîtront à l'envi de l'écorce nouvelle.

Faunes, qui habitez ma terre paternelle,
Qui menez sur le Loir vos danses et vos tours,
Favorisez la plante et lui donnez secours,
Que l'été ne la brûle et l'hiver ne la gèle.

1. Vivante de nouveau.

Pasteur, qui conduiras en ce lieu ton troupeau,
Flageollant une églogue en ton tuyau d'aveine,
Attache, tous les ans, à cet arbre un tableau

Qui témoigne aux passants mes amours et ma peine
Puis, l'arrosant de lait et du sang d'un agneau,
Dis : « Ce pin est sacré, c'est la plante d'Hélène ».

II

Quand vous serez bien vieille, au soir, à la chandelle
Assise auprès du feu, dévidant et filant,
Direz, chantant mes vers, en vous émerveillant :
« Ronsard me célébrait du temps que j'étais belle ».

Lors, vous n'aurez servante, oyant telle nouvelle,
Déjà sous le labeur à demi sommeillant,
Qui au bruit de Ronsard ne s'aille réveillant,
Bénissant votre nom de louange immortelle.

Je serai sous la terre et, fantôme sans os,
Par les ombres myrteux je prendrai mon repos ;
Vous serez au foyer une vieille accroupie,

Regrettant mon amour et votre fier dédain.
Vivez, si m'en croyez, n'attendez à demain ;
Cueillez dès aujourd'hui les roses de la vie.

ÉLÉGIE

Six ans étaient coulés et la septième année
Était presques entière en ses pas retournée,
Quand, loin d'affection, de désir et d'amour,
En pure liberté je passais tout le jour,
Et, franc de tout souci qui les âmes dévore,
Je dormais dès le soir jusqu'au point de l'aurore :
Car, seul maître de moi, j'allais, plein de loisir,
Où le pied me portait, conduit de mon désir,
Ayant toujours ès mains, pour me servir de guide,
Aristote ou Platon, ou le docte Euripide,
Mes bons hôtes muets qui ne fâchent jamais ;
Ainsi que je les prends, ainsi je les remais.
O douce compagnie et utile et honnête !
Un autre en caquetant m'étourdirait la tête.

Puis, du livre ennuyé, je regardais les fleurs,
Feuilles, tiges, rameaux, espèces et couleurs,
Et l'entrecoupement de leurs formes diverses,
Peintes de cent façons, jaunes, rouges et perses,
Ne me pouvant soûler, ainsi qu'en un tableau,
D'admirer la nature et ce qu'elle a de beau,
Et de dire, en parlant aux fleurettes écloses :
« Celui est presque dieu qui connaît toutes choses,
Éloigné du vulgaire et loin des courtisans,
De fraude et de malice impudents artisans. »
Tantôt j'errais seulet par les forêts sauvages,
Sur les bords enjonchés des peinturés rivages,
Tantôt par les rochers reculés et déserts,
Tantôt par les taillis, verte maison des cerfs.

J'aimais Je cours suivi d'une longue rivière,
Et voir, onde sur onde, allonger sa carrière,
Et flot à l'autre flot en roulant s'attacher,
Et, pendu sur le bord, me plaisait d'y pêcher
Étant plus réjoui d'une chasse muette
Troubler des écaillés la demeure secrète,
Tirer avec la ligne en tremblant emporté
Le crédule poisson pris à l'haim [1] appâté,
Qu'un grand prince n'est aise ayant pris à la chasse
Un cerf qu'en haletant tout un jour il pourchasse.
Heureux, si vous eussiez d'un mutuel émoi
Pris l'appât amoureux aussi bien comme moi
Que tout seul j'avallai, quand, par trop désireuse,
Mon âme en vos yeux but la poison amoureuse.

Puis, alors que Vesper vient embrunir nos yeux,
Attaché dans le ciel, je contemple les cieux,
En qui Dieu nous écrit en notes non obscures
Les sorts et les destins de toutes créatures ;
Car lui, en dédaignant, comme font les humains,
D'avoir encre et papier et plume entre les mains,
Par les astres du ciel, qui sont ses caractères,
Les choses nous prédit et bonnes et contraires ;
Mais les hommes, chargés de terre et du trépas,
Méprisent tel écrit et ne le lisent pas.

Or le plus de mon bien, pour décevoir ma peine,
C'est de boire à longs traits les eaux de la fontaine

---

1. Hameçon.

Qui de votre beau nom se brave [1], et, en courant
Par les prés, vos honneurs va toujours murmurant,
Et la reine se dit des eaux de la contrée :
Tant vaut le gentil soin d'une muse sacrée
Qui peut vaincre la mort et les sorts inconstants,
Sinon pour tout jamais, au moins pour un long temps.
Là, couché dessus l'herbe, en mes discours je pense
Que pour aimer beaucoup j'ai peu de récompense,
Et que mettre son cœur aux dames si avant,
C'est vouloir peindre en l'onde et arrêter le vent;
M'assurant toutefois qu'alors que le vieil âge
Aura comme un sorcier changé votre visage,
Et lorsque vos cheveux deviendront argentés,
Et que vos yeux d'Amour ne seront plus hantés,
Que toujours vous aurez, si quelque soin vous touche,
En l'esprit mes écrits, mon nom en votre bouche.

Maintenant que voici l'an septième venir,
Ne pensez plus, Hélène, en vos lacs me tenir :
Le raison m'en délivre et votre rigueur dure;
Puis il faut que mon âge obéisse à nature.

ODES

I

A CASSANDRE

Mignonne, allons voir si la rose
Qui ce matin avait déclose
Sa robe de pourpre au soleil
A point perdu cette vesprée
Les plis de sa robe pourprée,
Et son teint au votre pareil.

Las! voyez comme en peu d'espace,
Mignonne, elle a dessus la place,
Las! las! ses beautés laissé choir!
O vraiment marâtre Nature,
Puis qu'une telle fleur ne dure
Que du matin jusques au soir!

1. S'enorgueillit.

Donc, si vous me croyez, mignonne,
Tandis que votre âge fleuronne
En sa plus verte nouveauté,
Cueillez, cueillez votre jeunesse :
Comme à cette fleur, la vieillesse
Fera ternir votre beauté.

II

A LA FORÊT DE GASTINE

Couché sous tes ombrages verts,
    Gastine, je te chante
Autant que les Grecs, par leurs vers
    La forêt d'Erymanthe :
Car, malin, celer je ne puis
    A la race future
De combien obligé je suis
    A ta belle verdure,
Toi qui, sous l'abri de tes bois,
    Ravi d'esprit m'amuses ;
Toi qui fais qu'à toutes les fois
    Me répondent les Muses ;
Toi par qui de l'importun soin
    Tout franc je me délivre,
Lorsqu'en toi je me perds bien loin,
    Parlant avec un livre.
Tes bocages soient toujours pleins
    D'amoureuses brigades
De Satyres et de Sylvains,
    La crainte des Naïades !
En toi habite désormais
    Des Muses le collège,
Et ton bois ne sente jamais
    La flamme sacrilège !

III

A CHARLES DE PISSELEU

D'où vient cela, Pisseleu, que les hommes
De leur nature aiment le changement,
Et qu'on ne voit en ce monde où nous sommes
Un seul qui n'ait un divers jugement ?

L'un, éloigné des foudres de la guerre,
Veut par les champs son âge consumer
A bien poitrir les mottes de sa terre
Pour de Cérès les présents y semer;

L'autre, au contraire, ardent, aime les armes,
Et ne saurait en un lieu séjourner
Sans bravement attaquer les alarmes,
Et tout sanglant au logis retourner.

Qui le palais, de langue mise en vente,
Fait éclater devant un président,
Et qui, piqué d'avarice suivante,
Franchit la mer de l'Inde à l'Occident.

L'un de l'amour adore l'inconstance;
L'autre, plus sain, ne met l'esprit sinon
Au bien public, aux choses d'importance,
Cherchant par peine un perdurable nom.

L'un suit la cour et les faveurs ensemble,
Si que sa tête au ciel semble toucher;
L'autre les fuit et est mort, ce lui semble,
S'il voit le roi de son toit approcher.

Le pèlerin à l'ombre se délasse,
Ou d'un sommeil le travail adoucit,
Ou, réveillé, avec la pleine tasse
Des jours d'été la longueur accourcit.

Qui devant l'aube accourt triste à la porte
Du conseiller, et là, faisant maint tour,
Le sac au poing, attend que monsieur sorte
Pour lui donner humblement le bon-jour.

Ici, cestuy de la sage nature
Les faits divers remâche en y pensant,
Et cestuy-là, par la linéature
Des mains, prédit le malheur menaçant.

L'un, allumant ses vains fourneaux, se fonde
Dessus la pierre incertaine, et combien
Que l'invoqué Mercure ne réponde,
Souffle en deux mois le meilleur de son bien.

L'un grave en bronze, et dans le marbre à force
Veut le labeur de nature imiter;
Des corps errants l'astrologue s'efforce
Oser, par art, le chemin limiter.

Mais tels états inconstants de la vie
Ne m'ont point plu, et me suis tellement
Éloigné d'eux que je n'eus onc envie
D'abaisser l'œil pour les voir seulement.

L'honneur sans plus du verd laurier m'agrée;
Par lui je hais le vulgaire odieux.
Voilà pourquoi Euterpe la sacrée
M'a de mortel fait compagnon des dieux.

La belle m'aime et par ses bois m'amuse,
Me tient, m'embrasse, et, quand je veux sonner,
De m'accorder ses flûtes ne refuse,
Ni de m'apprendre à bien les entonner;

Car elle m'a de l'eau de ses fontaines
Pour prêtre sien baptisé de sa main,
Me faisant part du haut honneur d'Athènes
Et du savoir de l'antique romain.

IV

A UN AUBÉPIN

Bel aubépin verdissant,
          Fleurissant,
Le long de ce beau rivage,
Tu es vêtu jusqu'au bas
          Des longs bras
D'une lambrunche [1] sauvage.

Deux camps drillants [2] de fourmis
          Se sont mis
En garnison sous ta souche;
Et dans ton tronc mi-mangé
          Arrangé
Les avettes ont leur couche.

1. Lambrunche ou lambruche ou lambrusque : vigne sauvage.
2. Diligents.

Le gentil rossignolet
Nouvelet,
Avecques sa bien-aimée,
Pour ses amours alléger
Vient loger
Tous les ans en ta ramée.

Sur ta cime il fait son nid
Bien garni
De laine et de fine soie,
Où ses petits écloront,
Qui seront
De mes mains la douce proie.

Or, vis, gentil aubépin,
Vis sans fin,
Vis sans que jamais tonnerre
Ou la cognée, ou les vents
Ou les temps
Te puissent ruer par terre.

V

Les Muses lièrent un jour
De chaînes de roses Amour,
Et, pour le garder, le donnèrent
Aux Grâces et à la Beauté,
Qui, voyant sa déloyauté,
Sur Parnasse l'emprisonnèrent.

Sitôt que Vénus l'entendit,
Son beau ceston [1] elle vendit
A Vulcan pour la délivrance
De son enfant, et tout soudain,
Ayant l'argent dedans la main,
Fit aux Muses la révérence :

« Muses, déesses des chansons,
Quand il faudrait quatre rançons
Pour mon enfant je les apporte;
Délivrez mon fils prisonnier. »
Mais les Muses l'ont fait lier
D'une autre chaîne bien plus forte.

1. Sa ceinture.

Courage doncques, amoureux,
Vous ne serez plus langoureux :
Amour est au bout de ses ruses ;
Plus n'oserait ce faux garçon
Vous refuser quelque chanson,
Puis qu'il est prisonnier des Muses.

CONTRE LES BÛCHERONS DE LA FORÊT
DE GASTINE

Quiconque aura premier la main embesognée
A te couper, forêt, d'une rude cognée,
Qu'il puisse s'enferrer de son propre bâton,
Et sente en l'estomac la faim d'Erisichton,
Qui coupa de Cérès le chêne vénérable,
Et qui, gourmand de tout, de tout insatiable,
Les bœufs et les moutons de sa mère égorgea,
Puis, pressé de la faim, soi-même se mangea ;
Ainsi puisse engloutir ses rentes et sa terre,
Et se dévore après par les dents de la guerre !

Qu'il puisse pour venger le sang de nos forêts,
Toujours nouveaux emprunts sur nouveaux intérêts
Devoir à l'usurier, et qu'enfin il consomme
Tout son bien à payer la principale somme !

Que toujours sans repos ne fasse en son cerveau
Que tramer pour néant quelque dessein nouveau,
Porté d'impatience et de fureur diverse
Et de mauvais conseil qui les hommes renverse !

Écoute, bûcheron, arrête un peu le bras,
Ce ne sont pas des bois que tu jettes à bas ;
Ne vois-tu pas le sang lequel dégoutte à force
Des nymphes qui vivaient dessous la dure écorce ?

Sacrilège meurtrier, si on pend un voleur
Pour piller un butin de bien peu de valeur,
Combien de feux, de fers, de morts et de détresses
Mérites-tu, méchant, pour tuer nos déesses ?

Forêt, haute maison des oiseaux bocagers !
Plus le cerf solitaire et les chevreuils légers

Ne paîtront sous ton ombre, et ta verte crinière
Plus du soleil d'été ne rompra la lumière.

Plus l'amoureux pasteur sur un tronc adossé,
Enflant son flageolet à quatre trous percé,
Son mâtin à ses pieds, à son flanc la houlette,
Ne dira plus l'ardeur de sa belle Janette;
Tout deviendra muet, Écho sera sans voix;
Tu deviendras campagne, et, en lieu de tes bois,
Dont l'ombrage incertain lentement se remue,
Tu sentiras le soc, le coutre et la charrue;
Tu perdras le silence, et Satyres et Pans,
Et plus le cerf chez toi ne cachera ses faons.

Adieu, vieille forêt, le jouet de Zéphyre,
Où premier j'accordai les langues de ma lyre,
Où premier j'entendis les flèches résonner
D'Apollon, qui me vint tout le cœur étonner;
Où premier, admirant la belle Calliope,
Je devins amoureux de sa neuvaine trope [1],
Quand sa main sur le front cent roses me jeta,
Et de son propre lait Euterpe m'allaita.

Adieu, vieille forêt, adieu, têtes sacrées,
De tableaux et de fleurs autrefois honorées,
Maintenant le dédain des passants altérés,
Qui, brûlés en l'été des rayons éthérés,
Sans plus trouver le frais de tes douces verdures,
Accusent tes meurtriers et leur disent injures.

Adieu, chênes, couronne aux vaillants citoyens,
Arbres de Jupiter, germes Dodonéens,
Qui premiers aux humains donnâtes à repaître;
Peuples vraiment ingrats que n'ont su reconnaître
Les biens reçus de vous, peuples vraiment grossiers,
De massacrer ainsi leurs pères nourriciers!

Que l'homme est malheureux qui au monde se fie!
O dieux, que véritable est la philosophie
Qui dit que toute chose à la fin périra
Et qu'en changeant de forme un autre vêtira!

De Tempé la vallée un jour sera montagne
Et la cime d'Athos une large campagne;

1. Troupe.

Neptune quelquefois de blé sera couvert :
La matière demeure et la forme se perd.

INSTITUTION

POUR L'ADOLESCENCE DU ROI TRÈS CHRÉTIEN
CHARLES IX DE CE NOM

Sire, ce n'est pas tout que d'être roi de France,
Il faut que la vertu honore votre enfance;
Un roi sans la vertu porte le sceptre en vain,
Qui ne lui est sinon un fardeau dans la main.
Pour ce on dit que Thétis, la femme de Pelée,
Après avoir la peau de son enfant brûlée
Pour le rendre immortel, le prit en son giron,
Et de nuit l'emporta dans l'antre de Chiron,
Chiron noble centaure, afin de lui apprendre
Les plus rares vertus, dès sa jeunesse tendre
Et de science et d'art son Achille honorer,
Un roi pour être grand ne doit rien ignorer.
Il ne doit seulement savoir l'art de la guerre,
De garder les cités ou les ruer par terre,
De piquer les chevaux, ou contre son harnois
Recevoir mille coups de lances aux tournois,
De savoir comme il faut dresser une embuscade,
Ou donner une cargue [1] ou une camisade [2],
Se ranger en bataille et sous les étendards
Mettre par artifice en ordre les soldars.

Les rois les plus brutaux telles choses n'ignorent,
Et par le sang versé leurs couronnes honorent;
Tout ainsi que lions, qui s'estiment alors
De tous les animaux être vus les plus forts,
Quand leur gueule dévore un cerf au grand corsage,
Et ont rempli les champs de meurtre et de carnage.
Mais les princes mieux nés n'estiment leur vertu
Procéder ni de sang, ni de glaive pointu,
Ni de harnois ferrés, qui les peuples étonnent,
Mais par les beaux métiers que les Muses nous donnent.

---

1. Charge.
2. Attaque de nuit, ainsi appelée soit parce que les assaillants mettaient des chemises blanches sur leur armure pour se reconnaître, soit parce qu'ils surprenaient en chemise les assaillis.

Quand les Muses, qui sont filles de Jupiter,
Dont les rois sont issus, les rois daignent hanter,
Elles les font marcher en toute révérence,
Loin de leur majesté bannissent l'ignorance ;
Et tout remplis de grâce et de divinité,
Les font parmi le peuple ordonner équité.

Ils deviennent appris en la mathématique,
En l'art de bien parler, en histoire, en musique,
En physionomie, afin de mieux savoir
Juger de leurs sujets seulement à les voir.
Telle science sut le jeune prince Achille,
Puis savant et vaillant fit trébucher Troïle
Sur le champ phrygien, et fit mourir encor
Devant le mur troyen le magnanime Hector :
Il tua Sarpédon, tua Pentésilée,
Et, par lui, la cité de Troie fut brûlée.
Tel fut jadis Thésée, Hercules et Jason,
Et tous les vaillants preux de l'antique saison :
Tel vous serez aussi, si la Parque cruelle
Ne tranche, avant le temps, votre trame nouvelle.

Charles, votre beau nom nom tant commun à nos rois,
Nom du ciel revenu en France par neuf fois,
Neuf fois nombre parfait, comme cil qui assemble
Pour sa perfection trois triades ensemble,
Montre que vous aurez l'empire et le renom
Des huit Charles passés dont vous portez le nom.

Mais, pour vous faire tel, il faut de l'artifice
Et, dès jeunesse, apprendre à combattre le vice.
Il faut premièrement apprendre à craindre Dieu,
Dont vous êtes l'image, et porter au milieu
De votre cœur son nom et sa sainte parole,
Comme le seul secours dont l'homme se console.

Après, si vous voulez en terre prospérer,
Vous devez votre mère humblement honorer,
La craindre et la servir, qui seulement de mère
Ne vous sert pas ici, mais de garde et de père.

Après, il faut tenir la loi de vos aïeux,
Qui furent rois en terre et sont là-haut aux cieux ;
Et garder que le peuple imprime en sa cervelle
Le curieux discours d'une secte nouvelle.

Après, il faut apprendre à bien imaginer,
Autrement la raison ne pourrait gouverner :
Car tout le mal qui vient à l'homme prend naissance,
Car, par sus la raison, le cuider a puissance.

Tout ainsi que le corps s'exerce en travaillant,
Il faut que la raison s'exerce en bataillant
Contre la monstrueuse et fausse fantaisie,
De peur que vainement l'âme n'en soit saisie;

Car ce n'est pas le tout de savoir la vertu,
Il faut connaître aussi le vice revêtu
D'un habit vertueux qui d'autant plus offense
Qu'il se montre honorable et a belle apparence.

De là, vous apprendrez à vous connaître bien,
Et en vous connaissant vous ferez toujours bien.
Le vrai commencement pour en vertus accroître,
C'est, disait Apollon, soi-même se connaître.
Celui qui se connaît est seul maître de soi,
Et, sans avoir royaume, il est vraiment un roi.

Commencez donc ainsi; puis, sitôt que par l'âge
Vous serez homme fait de corps et de courage,
Il faudra de vous-même apprendre à commander,
A ouïr vos sujets, les voir et demander,
Les connaître par nom et leur faire justice,
Honorer la vertu et corriger le vice.

Malheureux sont les rois qui fondent leur appui
Sur l'aide d'un commis, qui par les yeux d'autrui
Voient l'état du peuple, et oient par l'oreille
D'un flatteur mensonger qui leur conte merveille.
Tel roi ne règne pas ou bien il règne en peur,
D'autant qu'il ne sait rien, d'offenser un trompeur.

Mais, Sire, ou je me trompe en voyant votre grâce,
Ou vous tiendrez d'un roi la légitime place :
Vous ferez votre charge et, comme un prince doux,
Audience et faveur vous donnerez à tous.
Votre palais royal connaîtrez en présence,
Et ne commettrez point une petite offense.
Si un pilote faut tant soit peu sur la mer,
Il fera dessous l'eau le navire abîmer.
Si un monarque faut tant soit peu, la province
Se perd, car volontiers le peuple suit son prince.

Aussi, pour être roi, vous ne devez penser
Vouloir comme un tyran vos sujets offenser.
De même notre corps votre corps est de boue;
Des petits et des grands la fortune se joue;
Tous les règnes mondains [1] se font et se défont,
Au gré de la fortune ils viennent et s'en vont;
Et ne durent non plus qu'une flamme allumée,
Qui soudain est éprise et soudain consumée.

Or, Sire, imitez Dieu, lequel vous a donné
Le sceptre, et vous a fait un grand roi couronné,
Faites miséricorde à celui qui supplie,
Punissez l'orgueilleux qui s'arme en sa folie,
Ne poussez par faveur un homme en dignité,
Mais choisissez celui qui l'a bien mérité;
Ne baillez pour argent ni états ni offices,
Ne donnez aux premiers les vacants bénéfices,
Ne souffrez près de vous ni flatteurs ni vanteurs;
Fuyez ces plaisants fols qui ne sont que menteurs,
Et n'endurez jamais que les langues légères
Médisent des seigneurs des terres étrangères.

Ne soyez point moqueur, ni trop haut à la main,
Vous souvenant toujours que vous êtes humain,
Ne pillez vos sujets par rançons ni par tailles,
Ne prenez sans raison ni guerres ni batailles;
Gardez le vôtre propre et vos biens amassez;
Car, pour vivre content, vous en avez assez.

S'il vous plaît vous garder sans archers de la garde,
Il faut que d'un bon œil le peuple vous regarde,
Qu'il vous aime sans crainte; ainsi les puissants rois
Ont conservé le sceptre et non pas le harnois.

Comme le corps royal ayez l'âme royale;
Tirez le peuple à vous d'une main libérale;
Et pensez que le mal le plus pernicieux
C'est un prince sordide et avaricieux.

Ayez autour de vous des personnes notables
Et les oyez parler, volontiers, à vos tables;
Soyez leur auditeur comme fut votre aïeul,
Ce grand François qui vit encores au cercueil.

1. De ce monde.

Soyez comme un bon prince amoureux de la gloire,
Et faites que de vous se remplisse une histoire
Digne de votre nom, vous faisant immortel
Comme Charles le Grand ou bien Charles Martel.

Ne souffrez que les grands blessent le populaire;
Ne souffrez que le peuple au grand puisse déplaire.
Gouvernez votre argent par sagesse et raison :
Le prince qui ne peut gouverner sa maison,
Sa femme, ses enfants et son bien domestique,
Ne saurait gouverner une grand' république.

Pensez longtemps devant que faire aucuns édits;
Mais sitôt qu'ils seront devant le peuple dits,
Qu'ils soient pour tout jamais d'invincible puissance,
Autrement vos décrets sentiraient leur enfance.

Ne vous montrez jamais pompeusement vêtu;
L'habillement des rois est la seule vertu.
Que votre corps reluise en vertus glorieuses,
Et non pas vos habits de perles précieuses.
D'amis plus que d'argent montrez-vous désireux;
Les princes sans amis sont toujours malheureux.
Aimez les gens de bien, ayant toujours envie
De ressembler à ceux qui sont de bonne vie.
Punissez les malins et les séditieux;
Ne soyez point chagrin, dépit, ni furieux;
Mais honnête et gaillard, portant sur le visage
De votre gentille âme un gentil témoignage.

Or, Sire, pour autant que nul n'a le pouvoir
De châtier les rois qui font mal leur devoir,
Punissez-vous vous-même, à fin que la justice
De Dieu, qui est plus grand, vos fautes ne punisse.

Je dis ce puissant Dieu dont l'empire est sans bout,
Qui de son trône assis en la terre voit tout
Et fait à un chacun ses justices égales,
Autant aux laboureurs qu'aux personnes royales;
Lequel nous supplions vous tenir en sa loi,
Et vous aimer autant qu'il fit David son roi,
Et rendre comme à lui votre sceptre tranquille :
Sans la faveur de Dieu la force est inutile.

LE TOMBEAU

DE MARGUERITE DE FRANCE, DUCHESSE DE SAVOIE
ENSEMBLE
CELUI DE TRÈS AUGUSTE ET TRÈS SAINTE MÉMOIRE
FRANÇOIS PREMIER DE CE NOM
ET DE MESSIEURS SES ENFANTS ET DE SES PETITS-FILS

(FRAGMENTS [1])

Il ne restait plus rien du germe tout divin
Du premier roi François, car déjà le destin
Et la cruelle Parque en avaient fait leur proie,
Que Marguerite seule, honneur de la Savoie,
Céleste fleur de lys, quand le sort envieux,
Pour appauvrir le monde en enrichit les cieux.

Que n'ai-je le savoir de l'école romaine
Ou la muse des Grecs ? Comme un cygne qui mène
Son deuil dessus Méandre, en pleurant, je dirais
La belle Marguerite, et ses traits j'écrirais.
Je dirais que Pallas naquit de la cervelle
Du père Jupiter; qu'elle, Pallas nouvelle,
Sortit hors du cerveau de son père François,
Le père des vertus, des armes et des lois.
Je dirais qu'elle avait l'écu de la Gorgone,
Que l'homme qui sa vie aux vices abandonne,
N'eût osé regarder ni de près approcher
Qu'il n'eût senti son corps se changer en rocher.
Je dirais tout ainsi que la mère Eleusine
Sema les champs de blés, qu'elle, toute divine,
Nourrice d'Hélicon, sema de toutes parts,
La France de métiers, de sciences et d'arts;
Qu'elle portait une âme hôtelière des muses,
Que les bonnes vertus étaient toutes infuses
En son corps héroïque, et quand elle naquit,
Les astres plus malins plus forte elle vainquit,
Et que le ciel la fit si parfaite et si belle,
Que pour n'en faire plus on rompit le modèle,
Ne laissant pour exemple aux princesses, sinon
Le désir d'imiter le vol de son renom.

1. Nous donnons de ce poème le passage sur Marguerite, duchesse
de Savoie.

Qu'on grave sur sa tombe un blanc portrait d'un cygne,
Afin que d'âge en âge au peuple il soit le signe
Que la mère elle était des Muses, et aussi
Des hommes qui avaient les Muses en souci.
Se plante à son tombeau la vive renommée,
Ayant la trompe en bouche et l'échine emplumée,
Cent oreilles, cent yeux, cent langues et cent voix,
Pour chanter tous les jours, tous les ans, tous les mois,
De la morte au passant la gloire et le mérite,
En criant : « Si tu lis la belle Marguerite
En qui tout le ciel mit sa plus divine part,
Tant de fois rechantée ès œuvres de Ronsard,
Qui fut en son vivant si précieuse chose,
Sache que, sous ce marbre, en paix elle repose ;
Sa cendre gît ici, et pour ce, viateur,
Sois de son épitaphe, en larmes, le lecteur :
Baise sa tombe sainte, et, sans soupirs, ne passe
Des neuf Muses la sœur et des Grâces la grâce. »

Je veux, pour n'être ingrat à sa fête ordonnée,
Qui reviendra nouvelle au retour de l'année,
Comme un antique Orphée en long surpelis blanc
Retroussé d'une boucle et d'un nœud sur le flanc,
Chanter à haute voix d'une bouche immortelle
L'honneur et la faveur qu'humble j'ai reçu d'elle,
Comme elle eut soin de moi pour l'honneur que j'avais
De servir ses neveux, mes maîtres et mes rois.
Je dirai que le ciel me porte trop d'envie
De me faire traîner une si longue vie,
Et de me réserver en chef demi-fleuri
Pour fleurer les tombeaux des rois qui m'ont nourri.
Je dirai que, des Grands, la vie est incertaine,
Que fol est qui se fie en la faveur mondaine,
Un jouet de fortune, une fleur du printemps,
Puisqu'on voit tant de rois durer si peu de temps.

POÉSIES RETRANCHÉES

SONNETS

I

Je vous envoie un bouquet que ma main
Vient de trier de ces fleurs épanies [1];
Qui ne les eût à ce vespre [2] cueillies,
Chutes à terre elles fussent demain.

Cela vous soit un exemple certain
Que vos beautés bien qu'elles soient fleuries,
En peu de temps seront toutes flétries,
Et, comme fleurs, périront tout soudain.

Le temps s'en va, le temps s'en va, ma dame;
Las! le temps non, mais nous nous en allons,
Et tôt serons étendus sous la lame [3].

Et des amours desquelles nous parlons,
Quand serons morts, n'en sera plus nouvelle.
Pour ce aimez-moi cependant qu'êtes belle.

II

Je veux lire en trois jours l'Iliade d'Homère,
Et pour ce, Corydon, ferme bien l'huis sur moi;
Si rien me vient troubler, je t'assure, ma foi,
Tu sentiras combien pesante est ma colère.

Je ne veux seulement que notre chambrière
Vienne faire mon lit, ton compagnon ni toi;
Je veux trois jours entiers demeurer à requoy [4],
Pour folâtrer après une semaine entière.

Mais, si quelqu'un venait de la part de Cassandre,
Ouvre-lui tôt la porte, et ne le fais attendre,
Soudain entre en ma chambre, et me viens accoutrer.

1. Epanouies.
2. Ce soir.
3. Pierre sépulcrale.
4. En repos.

Je veux tant seulement à lui seul me montrer ;
Au reste, si un dieu voulait pour moi descendre
Du ciel, ferme la porte, et ne le laisse entrer.

L'AMOUR OISEAU

ODE

Un enfant dedans un bocage
Tendait finement ses gluaux,
Afin de prendre des oiseaux
Pour les emprisonner en cage,

Quand il vit, par cas d'aventure,
Sur un arbre Amour emplumé,
Qui volait, par le bois ramé,
Sur l'une et sur l'autre verdure.

L'enfant, qui ne connaissait pas
Cet oiseau fut si plein de joie,
Que pour prendre une si grand'proie
Tendit sur l'arbre tous ses lacs.

Mais quand il vit qu'il ne pouvait
Pour quelques gluaux qu'il pût tendre,
Ce cauteleux oiseau surprendre,
Qui voletant, le décevait,

Il se prit à se mutiner
Et, jetant sa glu de colère,
Vint trouver une vieille mère
Qui se mêlait de deviner.

Il lui va le fait avouer,
Et sur le haut d'un buis lui montre
L'oiseau de mauvaise rencontre,
Qui ne faisait que se jouer.

La vieille en branlant ses cheveux,
Qui jà grisonnaient de vieillesse,
Lui dit : « Cesse mon enfant, cesse,
Si bientôt mourir tu ne veux,

De prendre ce fier animal.
Cet oiseau, c'est Amour qui vole,
Qui toujours les hommes affole
Et jamais ne fait que du mal.

O que tu seras bien heureux
Si tu le fuis toute ta vie,
Et si jamais tu n'as envie
D'être au rôle des amoureux!

Mais j'ai grand doute qu'à l'instant
Que d'homme parfait auras l'âge,
Ce malheureux oiseau volage,
Qui par ces arbres te fuit tant,

Sans y penser te surprendra,
Comme une jeune et tendre quête,
Et, foulant de ses pieds ta tête,
Que c'est que d'aimer t'apprendra. »

DERNIERS VERS

I

SONNET

Il faut laisser maisons et vergers et jardins,
Vaisselles et vaisseaux que l'artisan burine,
Et chanter son obsèque en la façon du cygne,
Qui chante son trépas sur les bords méandrins.

C'est fait! j'ai dévidé le cours de mes destins,
J'ai vécu, j'ai rendu mon nom assez insigne;
Ma plume vole au ciel, pour être en quelque signe,
Loin des appâts humains qui trompent les plus fins.

Heureux qui ne fut onc, plus heureux qui retourne
En rien comme il était, plus heureux qui séjourne,
D'homme fait nouvel ange, auprès de Jésus-Christ,

Laissant pourrir çà-bas sa dépouille de boue,
Dont le sort, la fortune et le destin se joue,
Franc des liens du corps pour n'être qu'un esprit.

II

LE TOMBEAU DE L'AUTEUR COMPOSÉ PAR LUI-MÊME

Ronsard repose ici, qui hardi dès enfance
Détourna d'Hélicon les Muses en la France,
Suivant le son du luth et les traits d'Apollon ;
Mais peu valut sa muse encontre l'aiguillon
De la mort, qui cruelle en ce tombeau l'enserre.
Son âme soit à Dieu, son corps soit à la terre !

CLAUDE DE BUTTET

1524 ?-1587 ?

Marc-Claude de Buttet naquit à Chambéry; on ne sait pas à quelle date; on présume d'après un vers de son recueil, *l'Amalthée*, que ce fut en 1524. On ne connaît pas davantage la date de sa mort, et sur sa vie même on n'a de renseignements que ceux que l'on peut glaner dans ses œuvres. Dans sa jeunesse il aima une belle dame — celle qu'il appela son Amalthée — qui avait un château sur les bords du Rhône; il persévéra sept années dans cet amour. Après avoir fait à sa dame l'hommage de nombreux présents et l'avoir célébrée dans de nombreux sonnets, il eut la douleur de la voir épouser un rival plus riche que lui; il en fut désespéré, paraît-il, mais il n'en mourut pas, et, sur la même lyre, il célébra — mais en odes cette fois — une autre dame qu'il appelle Anne. Il ne manquait pas de talent; il avait l'imagination poétique. Il y a dans ses vers une sincérité de sentiment et un accent de passion que l'on ne trouve pas souvent chez ses prolixes contemporains. Nous avons vu, dans notre Introduction, qu'il composa des vers mesurés et que même il fut comme le chef de l'école poétique qui prétendait réformer dans ce sens la prosodie française. Ce fut sans doute une des raisons de l'indifférence dont il était l'objet de la part de la plupart des poètes de son temps. En même temps que de poésie, il s'occupa de mathématiques et de philosophie et finit par embrasser la religion réformée. Il s'était marié et avait au moins un fils. Après 1559, il vécut surtout à la cour de Savoie, dont le duc avait épousé Marguerite de France, duchesse de Berry, qui s'était faite la protectrice de Buttet. On ne sait où et comment notre poète passa les dernières années de sa vie. Il semblait las du monde et des hommes. On présume qu'il mourut vers 1587.

SONNETS DE L'AMALTHÉE

I

De quel rosier et de quelles épines
Cueillit Amour les roses de son teint ?
De quel bel or qui sur tout autre éteint
Redora-t-il ces blondelettes trines [1] ?

De quels endroits sont ces mains ivoirines,
Qui m'ont le cœur étranglé et étreint,
Et d'adorer doucement m'ont contraint
Ce vif corail et ces perlettes fines ?

Las ! de quel lieu prit-il encor ce reste,
Ce doux parler, et ce chanter céleste,
Par qui son trait des plus fiers est vainqueur ?

Ces grands beautés ne sont point de la terre,
Ni ces beaux yeux, seuls ma paix et ma guerre ;
Tels biens du ciel me sont chus dans le cœur.

II

Amour, si quelque deuil pouvait ton cœur serrer,
Maintenant tu devrais faire une étrange plainte :
Ton Du Bellay est mort, ta grand'gloire est éteinte ;
Qui fera plus ton los parmi la France errer ?

Las ! laisse-moi, ne viens derechef enferrer
D'un trait mon pauvre cœur : va voir la troupe sainte
Des Grâces, qui, d'ennui ayant la face teinte,
Pleurent dessus son corps que l'on veut enterrer.

Mais n'ois-tu pas les cris de ta dolente mère ?
Va voir ses grands regrets, et permets-moi de faire
Deux tristes vers trempés aux ruisseaux de mes yeux,

Qui soient ainsi gravés dessus sa tombe dure :
« Ne cherchez Du Bellay en cette sépulture :
Les neuf Muses, vivant, l'ont emporté aux cieux. »

1. Tresses de cheveux.

III

Va, malheureux corbeau, saturnien message,
Qui trois et quatre fois, hideux, à ce matin,
Es venu croasser dans mon aimé jardin,
Remplissant de frayeur tout le prochain bocage.

Méchant, viens-tu ici pour ravir mon fruitage,
Pour becqueter mes noix, goulu, ou bien afin
D'apporter le paquet d'un sinistre destin,
Donnant à mes amours quelque triste présage ?

Jadis, pour parler trop et pour croire à ton œil,
Toi qui volais si blanc, chargeas robe de deuil,
Et fus fait compagnon des oiseaux de ténèbres.

O que n'ai-je mon arc pour t'avoir à mon gré !
Va-t'en : ce lieu est saint et aux Muses sacré ;
Va, malin, porte ailleurs tes tristes chants funèbres.

ODES

I

Comme au chaud midi Jeannette,
Dégoisant une chanson,
Peignait sa belle chevrette,
A l'ombre d'un vert buisson,

Et que la roche hautaine,
Couplet par couplet, contait
Aux bois, et à l'eau prochaine,
Tout cela qu'elle chantait,

Une orde [1] guêpe félonne
Qui, murmurant, s'en fâcha,
Sur la chevrette mignonne
Son dur aiguillon ficha,

Si profond que la rebelle,
Regimba, va s'échapper

1. Sale.

Des douces mains de la belle,
Qui, las! ne l'a pu happer.

Jà bien entre elle est lancée,
Tirant sa maîtresse après,
Et de sa douleur chassée,
Court aux peuplées forêts.

« O Dieu Pan! dit la bergère,
Garde qu'un loup bocager,
De sa grand'gueule meurtrière,
Ne la me vienne outrager!

« Dedans ton saint temple entrée,
Chantant ton los immortel,
J'offrirai de sa ventrée
Un chevreau sur ton autel. »

Tandis que la bergerette
Revague, sans savoir où,
Sortant du bois la chevrette
S'en va rencontrer le loup,

Le loup qui, la voyant seule,
Cautement [1] la regardant,
Ouvrait jà sa large gueule,
Pensant d'en soûler sa dent.

Mais, en se dérobant, prompte,
Un temple abattu trouva;
Et à coup sur l'autel monte
Du dieu Pan, qui la sauva.

Jà la chevrette conduite
Là-haut la mort attendait,
Et le loup, craignant la suite,
Seulement la regardait,

Quand Jeannette, l'oïant braire,
Par prières arrêta
Jaquet, qui de grand'colère,
Dessus le loup se jeta.

1. Avec précaution.

Sur le loup sa fronde il jette
Il tire, il va l'étranglant;
Et d'un gros bâton Jeannette
Rebat son museau sanglant.

A la fin l'horrible bête
Ils dépouillent, et la peau
Pend là d'avant pour conquête;
Puis, Jaquet, cet écriteau

Entaille de sa serpette,
Dessus un poteau de fou [1] :
« Ici Jacquet et Jeannette
Ont pendu la peau du loup ».

II

Dieu vous gard', gentils pastoreaux [2],
Qui près de ces vertes coudrettes
Faites danser sous les musettes
Vos chevrettes et vos taureaux.

Avez-vous point vu traverser,
Par ce trac [3] qui aux bois se mêle,
A cheval une damoiselle
Qui ores ne fait que passer ?

Ils sont trois noirs chevaux à cours,
Et elle sur un blanc se hâte
Ayant un manteau d'écarlate,
Et un haut chapeau de velours.

Un peu d'avant s'en va dispos
Le laquais, qui court de vitesse,
Menant une levrière en laisse,
Marquée de noir sur le dos.

Ne l'avez-vous donques point veu ?
L'appétit vous a fait entendre
A bûcheter parmi la cendre
Vos châtaignes dedans ce feu.

---

1. De hêtre.
2. Pastoureaux.
3. Chemin, sentier.

O bergers qu'heureux je vous voi!
Que le ciel vous a fait de grâce
N'ôtant des plaisirs votre face,
Et même dût passer le roi!

Jamais d'ennui ne vous souvient,
Ains [1] contant fables et sornettes,
Ici avec vos bergerettes
Vous prenez le temps comme il vient.

Mais, moi, las! serf de l'amitié
A qui j'obéis trop fidèle,
Je cours après cette cruelle,
Qui n'a ni merci ni pitié.

1. Mais.

LOUISE LABÉ

1525 ?-1565

Louise Labé naquit à Lyon. On ne connaît pas la date exacte de sa naissance, mais on voit par un vers de sa troisième élégie qu'elle avait seize ans lors du siège de Perpignan, lequel eut lieu en 1542. Elle dut donc naître en 1525 ou 1526. Elle était fille de Pierre Charlin, Charly ou Charlieu, dit Labé, qui était cordier. D'où le nom de Louise Labé sous lequel on la désigne. Quant au surnom de *la belle cordière*, qu'on lui donnait, il put lui venir aussi bien de son mari que de son père, car, comme son père, son mari, Ennemond Perrin, était cordier. Ils étaient d'ailleurs, dit-on, riches l'un et l'autre. Louise Labé reçut une excellente éducation, dont elle tira le plus heureux profit. Elle possédait les dons les plus précieux : la beauté du visage, une voix ravissante et des dispositions à goûter et à pratiquer les arts. Elle jouait, dit-on, admirablement du luth, de même que, habile à pousser la navette, elle tissait et brodait d'une manière parfaite. Enfin, elle était poète. Ses vers sont des vers d'amour d'une mélodie et d'une puissance lyriques dont on jugera, car, étant donné à la fois la beauté, l'originalité à cette date, et le mince volume des œuvres poétiques de Louise Labé, nous les donnons intégralement. Elles se composent de trois élégies et de vingt-trois sonnets. La maison de Louise Labé était à Lyon le rendez-vous de la société la plus distinguée et la plus lettrée : dans le salon de la belle poétesse se réunissaient Maurice Scève, Charles Fontaine, Antoine Du Moulin, Pontus de Tyard, d'autres encore; Olivier de Magny, passant par Lyon pour se rendre à Rome, en franchit le seuil; nous disons quelques mots dans notre notice sur ce poète et ses amours avec Louise Labé (voir tome II). Elle inspira aussi une passion à un avocat lyonnais, Claude Rubys; quand elle le rebuta, il montra un violent dépit. Olivier de Magny s'était vengé de l'oubli de Louise Labé en adressant une ode à Sire Aymon (ou Ennemond); Claude Rubys porta contre elle les accusations les plus outrageantes. Louise Labé en souffrit; ses amis ne désertèrent pas sa maison, mais les femmes qui y fréquentaient n'y revinrent pas. Quand elle eut perdu son mari, elle se retira dans sa terre de Parcieu, où elle mourut le 28 avril 1565.

ÉLÉGIES

I

Au temps qu'Amour, d'hommes et dieux vainqueur,
Faisait brûler de sa flamme mon cœur
En embrasant de sa cruelle rage
Mon sang, mes os, mon esprit et courage,
Encore alors je n'avais la puissance
De lamenter ma peine et ma souffrance ;
Encor Phébus, ami des lauriers verts,
N'avait permis que je fisse des vers.
Mais maintenant que sa fureur divine
Remplit d'ardeur ma hardie poitrine,
Chanter me fait, non les bruyants tonnerres
De Jupiter ou les cruelles guerres
Dont trouble Mars, quand il veut, l'univers ;
Il m'a donné la lyre qui les vers
Soulait chanter de l'amour Lesbienne :
Et à ce coup pleurera de la mienne.
O doux archet, adoucis-moi la voix,
Qui pourrait fendre et aigrir quelquefois,
En récitant tant d'ennuis et douleurs,
Tant de dépits, fortunes et malheurs.
Trempe l'ardeur dont jadis mon cœur tendre
Fut, en brûlant, demi-réduit en cendre.
Je sens déjà un piteux souvenir
Qui me contraint la larme à l'œil venir,
Il m'est avis que je sens les alarmes
Que premier j'eus d'Amour ; je vois les armes
Dont il s'arma en venant m'assaillir.
C'était mes yeux dont tant faisait saillir
De traits à ceux qui trop me regardaient,
Et de mon arc assez ne se gardaient,
Mais ces miens traits, ces miens yeux, me défirent
Et de vengeance être exemple me firent.
Et me moquant, et voyant l'un aimer,
L'autre brûler et d'amour consommer [1],
En voyant tant de larmes épandues,
Tant de soupirs et prières perdues,
Je n'aperçus que soudain me vint prendre
Le même mal que je soulais reprendre,

1. Consommer a ici le sens de consumer.

Qui me perça d'une telle furie
Qu'encor n'en suis après longtemps guérie;
Et maintenant me suis encor contrainte
De rafraîchir d'une nouvelle plainte,
Mes maux passés. Dames qui les lirez,
De mes regrets avec moi soupirez.
Possible, un jour, je ferai le semblable,
Et aiderai votre voix pitoyable
A vos travaux et peines raconter,
Au temps perdu vainement lamenter.
Quelque rigueur qui loge en votre cœur,
Amour s'en peut un jour rendre vainqueur;
Et plus aurez lui été ennemies,
Pis vous fera, vous sentant asservies.
N'estimez point que l'on doive blâmer
Celles qu'a fait Cupidon enflammer.
Autres que nous, nonobstant leur hautesse,
Ont enduré l'amoureuse rudesse :
Leur cœur hautain, leur beauté, leur lignage,
Ne les ont su préserver du servage
De dur Amour; les plus nobles esprits
En sont plus fort et plus soudain épris.
Sémiramis, reine tant renommée,
Qui mit en route avecques son armée,
Les noirs scadrons [1] des Éthiopiens,
Et, en montrant louable exemple aux siens,
Faisait couler de son furieux branc [2],
Des ennemis les plus braves le sang,
Ayant encor envie de conquerre
Tous ses voisins, ou leur mener la guerre,
Trouva Amour qui, si fort la pressa,
Qu'armes et lois vaincue elle laissa.
Ne méritait, sa royale grandeur,
Au moins avoir un moins fâcheux malheur,
Qu'aimer son fils ? Reine de Babylone,
Où est ton cœur qui ès combats résonne ?
Qu'est devenu ce fer et cet écu,
Dont tu rendais le plus brave vaincu ?
Où as-tu mis la martiale crête
Qui abombrait le blond or de ta tête ?
Où est l'épée, où est cette cuirasse
Dont tu rompais des ennemis l'audace ?

1. Escadrons.
2. Branc : sorte d'épée.

Où sont fuis tes coursiers furieux,
Lesquels traînaient ton char victorieux ?
T'a pu sitôt un faible ennemi rompre?
A pu sitôt ton cœur viril corrompre,
Que le plaisir d'armes plus ne te touche,
Mais seulement languis en une couche ?
Tu as laissé les aigreurs martiales
Pour recouvrer les douceurs géniales,
Ainsi amour de toi t'a étrangée,
Qu'on te dirait en une autre changée.
Doncques celui lequel d'amour éprise
Plaindre me voit, que point il ne méprise
Mon triste deuil : Amour, peut-être, en brief
En son endroit n'apparaîtra moins grief.

Telle j'ai vu, qui avait en jeunesse
Blâmé amour, après en sa vieillesse
Brûler d'ardeur et plaindre tendrement
L'âpre rigueur de son tardif tourment.
Alors, de fard et eau continuelle,
Elle essayait se faire venir belle,
Voulant chasser le ridé labourage
Que l'âge avait gravé sur son visage.
Sur son chef gris elle avait empruntée
Quelque perruque et assez mal entée;
Et plus était à son gré bien fardée
De son ami moins était regardée :
Lequel ailleurs fuyant n'en tenait compte
Tant lui semblait laide, et avait grand'honte
D'être aimé d'elle. Ainsi la pauvre vieille
Recevait bien pareille pour pareille.
De maints en vain un temps fut réclamée;
Ores qu'elle aime, elle n'est point aimée.
Ainsi Amour prend son plaisir à faire
Que le veuil d'un soit à l'autre contraire :
Tel n'aime point, qu'une dame aimera,
Tel aime aussi, qui aimé ne sera,
Et entretient néanmoins sa puissance
Et sa rigueur d'une vaine espérance.

II

D'un tel vouloir le serf point ne désire
La liberté, ou son port le navire,
Comme j'attends, hélas! de jour en jour
De toi, ami, le gracieux retour.

Là j'avais mis le but de ma douleur,
Qui finerait [1] quand j'aurais ce bonheur
De te revoir ; mais de la longue attente,
Hélas ! en vain mon désir se lamente.
Cruel, cruel, qui te faisait promettre
Ton brief retour en ta première lettre ?
As-tu si peu de mémoire de moi
Que de m'avoir si tôt rompu la foi ?
Comme [2] oses-tu ainsi abuser celle
Qui de tout temps t'a été si fidèle ?
Or' que tu es auprès de ce rivage
Du Pan cornu, peut-être, ton courage
S'est embrasé d'une nouvelle flamme,
En me changeant pour prendre une autre dame :
Jà en oubli inconstamment est mise
La loyauté que tu m'avais promise.
S'il est ainsi, et que déjà la foi
Et la bonté se retirent de toi,
Il ne me faut émerveiller si ores
Toute pitié tu as perdu encores.
O combien as de pensée et de crainte,
Tout à part soi, l'âme d'amour atteinte !
Ores je crois, vu notre amour passée,
Qu'impossible est que tu m'aies laissée ;
Et de nouvel ta foi je me fiance,
Et plus qu'humaine estime ta constance.
Tu es, peut-être, en chemin inconnu,
Outre ton gré, malade retenu.
Je crois que non : car tant suis coutumière
De faire aux Dieux, pour ta santé, prière,
Que plus cruels que tigres ils seraient
Quand maladie ils te pourchasseraient,
Bien que ta folle et volage inconstance
Mériterait avoir quelque souffrance.
Telle est ma foi qu'elle pourra suffire
A te garder d'avoir mal et martyre.
Celui qui tient au haut ciel son empire
Ne me saurait, ce me semble, dédire :
Mais quand mes pleurs et larmes entendrait
Pour toi priants, son ire il retiendrait.
J'ai de tout temps vécu en son service,
Sans me sentir coupable d'autre vice

1. Finirait.
2. Comment.

Que de t'avoir bien souvent en son lieu,
D'amour forcée, adoré comme Dieu.
Déjà deux fois, depuis le promis terme
De ton retour, Phébé ses cornes ferme,
Sans que, de bonne ou mauvaise fortune,
De toi, ami, j'aie nouvelle aucune.
Si toutefois, pour être énamouré
En autre lieu, tu as tant demeuré,
Si sais-je bien que t'amie nouvelle
A peine aura le renom d'être telle,
Soit en beauté, vertu, grâce et faconde,
Comme plusieurs gens savants par le monde
M'ont fait, à tort, ce crois-je, être estimée.
Mais qui pourra garder la renommée ?
Non seulement en France suis flattée,
Et, beaucoup plus que ne veux, exaltée;
La terre aussi que Calpe [1] et Pyrénée
Avec la mer tiennent environnée,
Du large Rhin les roulantes arènes,
Le beau pays auquel or'te promènes,
Ont entendu, tu me l'as fait à croire,
Que gens d'esprit me donnent quelque gloire.
Goûte le bien que tant d'hommes désirent,
Demeure au but où tant d'autres aspirent,
Et crois qu'ailleurs n'en auras une telle :
Je ne dis pas qu'elle ne soit plus belle
Mais que jamais femme ne t'aimera,
Ni plus que moi d'honneur te portera.
Maints grands seigneurs à mon amour prétendent,
Et à me plaire et servir prêts se rendent;
Joutes et jeux, maintes belles devises,
En ma faveur sont par eux entreprises :
Et néanmoins tant peu je m'en soucie
Que seulement ne les en remercie :
Tu es, tout seul, tout mon mal et mon bien;
Avec toi tout, et sans toi je n'ai rien;
Et, n'ayant rien qui plaise à ma pensée,
De tout plaisir me trouve délaissée,
Et, pour plaisir, ennui saisir me vient,
Le regretter et pleurer me convient,
Et sur ce point entre en tel déconfort
Que mille fois je souhaite la mort.

1. Gibraltar.

Ainsi, ami, ton absence lointaine
Depuis deux mois me tient en cette peine,
Ne vivant pas, mais mourant d'un amour
Lequel m'occit dix mille fois le jour.
Reviens donc tôt, si tu as quelque envie
De me revoir encor' un coup en vie;
Et si la mort avant ton arrivée
A de mon corps l'aimante âme privée,
Au moins un jour viens, habillé de deuil,
Environner le tour de mon cercueil,
Que plût à Dieu que lors fussent trouvés
Ces quatre vers en blanc marbre engravés :

PAR TOI, AMI, TANT VÉCUS ENFLAMMÉE
QU'EN LANGUISSANT PAR FEU SUIS CONSUMÉE,
QUI COUVE ENCOR SOUS MA CENDRE EMBRASÉE
SI NE LA SENS DE TES PLEURS APAISÉE.

III

Quand vous lirez, ô Dames lyonnaises,
Ces miens écrits pleins d'amoureuses noises,
Quand mes regrets, ennuis, dépits et larmes
M'orrez chanter en pitoyables carmes,
Ne veuillez point condamner ma simplesse,
Et jeune erreur de ma folle jeunesse,
Si c'est erreur. Mais qui, dessous les cieux,
Se peut vanter de n'être vicieux?
L'un n'est content de sa sorte de vie,
Et toujours porte à ses voisins envie;
L'un forcenant de voir la paix en terre,
Par tous moyens tâche y mettre la guerre;
L'autre, croyant pauvreté être vice,
A autre Dieu qu'or ne fait sacrifice;
L'autre, sa foi parjure il emploira
A décevoir quelqu'un qui le croira;
L'un, en mentant, de sa langue lézarde [1],
Mille brocards sur l'un et l'autre darde.
Je ne suis point sous ces planètes née,
Qui m'eussent pu tant faire infortunée;
Oncques ne fut mon œil marri de voir
Chez mon voisin mieux que chez moi pleuvoir;

1. Médisante.

Oncq' ne mis noise ou discord entre amis ;
A faire gain jamais ne me soumis ;
Mentir, tromper et abuser autrui
Tant m'a déplu que médire de lui.
Mais si en moi rien y a d'imparfait,
Qu'on blâme Amour : c'est lui seul qui l'a fait.
Sur mon vert âge en ses lacs il me prit,
Lorsqu'exerçais mon corps et mon esprit
En mille et mille œuvres ingénieuses,
Qu'en peu de temps me rendit ennuyeuses.
Pour bien savoir avec l'aiguille peindre
J'eusse entrepris la renommée éteindre
De celle-là qui, plus docte que sage,
Avec Pallas comparait son couvrage.
Qui m'eût vu lors en armes, fière, aller
Porter la lance et bois faire voler,
Le devoir fait en l'estour [1] furieuse,
Piquer, volter le cheval glorieux,
Pour Bradamante ou la haute Marphise,
Sœur de Roger, il m'eût, possible, prise.
Mais quoi ? Amour ne peut longuement voir
Mon cœur n'aimant que Mars et le savoir,
Et, ne voulant donner autre souci,
En souriant il me disait ainsi :
« Tu penses donc, ô Lyonnaise Dame,
Pouvoir fuir par ce moyen ma flamme ?
Mais non feras ; j'ai subjugué les Dieux
Es bas enfer, en la mer et ès cieux.
Et penses-tu que n'aie tel pouvoir
Sur les humains de leur faire savoir
Qu'il n'y a rien qui de ma main échappe ?
Plus fort se pense et plus tôt je le frappe,
De me blâmer quelquefois tu n'as honte
En te fiant en Mars, dont tu fais conte ;
Mais, maintenant, vois si, pour persister,
En le suivant me pourras résister. »
Ainsi parlait, et, tout échauffé d'ire,
Hors de sa trousse une sagette il tire,
Et, décochant de son extrême force,
Droit la tira contre ma tendre écorce :
Faible harnais pour bien couvrir le cœur
Contre l'Archer qui toujours est vainqueur.
La brèche faite, entre amour en la place,
Dont le repos premièrement il chasse,

1. Bataille, combat.

Et, de travail qu'il me donne sans cesse,
Boire, manger et dormir ne me laisse,
Il ne me chaut de soleil ni d'ombrage;
Je n'ai qu'amour et feu en mon courage,
Qui me déguise et fait autre paraître,
Tant que ne peux moi-même me connaître.
Je n'avais vu encore seize hivers,
Lorsque j'entrai en ces ennuis divers;
Et jà voici le treizième été
Que mon cœur fut par amour arrêté.
Le temps met fin aux hautes Pyramides,
Le temps met fin aux fontaines humides;
Il ne pardonne aux braves Colisées,
Il met à fin les villes plus prisées;
Finir aussi il a accoutumé
Le feu d'amour, tant soit-il allumé.
Mais las! en moi il semble qu'il augmente
Avec le temps, et que plus me tourmente.
Pâris aima Anone ardemment,
Mais son amour ne dura longuement;
Médée fut aimée de Jason,
Qui tôt après la mit hors sa maison.
Si méritaient-elles être estimées,
Et, pour aimer leurs amis, être aimées.
S'étant aimé, on peut amour laisser;
N'est-il raison, ne l'étant, se lasser ?
N'est-il raison te prier de permettre,
Amour, que puisse à mes tourments fin mettre ?
Ne permets point que de mort fasse épreuve,
Et plus que toi pitoyable la treuve;
Mais, si tu veux que j'aime jusqu'au bout,
Fais que celui que j'estime mon tout,
Qui seul me peut faire pleurer et rire,
Et pour lequel si souvent je soupire,
Sente en ses os, en son sang, en son âme,
Ou plus ardente ou bien égale flamme.
Alors ton faix plus aisé me sera,
Quand avec moi quelqu'un le portera.

SONNETS

I

O beaux yeux bruns, ô regards détournés,
O chauds soupirs, ô larmes épandues,
O noires nuits vainement attendues,
O jours luisants vainement retournés !

O tristes plaints, ô désirs obstinés,
O temps perdu, ô peines dépendues,
O mille morts en mille rêts tendues,
O pires maux contre moi destinés !

O ris, ô fronts, cheveux, bras, mains et doigts !
O luth plaintif, viole, archet et voix !
Tant de flambeaux pour ardre [1] une femelle !

De toi me plains, que tant de feux portant,
En tant d'endroits d'iceux mon cœur tâtant,
N'en est sur toi volé quelque étincelle.

II

O longs désirs, ô espérances vaines,
Tristes soupirs et larmes coutumières
A engendrer de moi maintes rivières,
Dont mes deux yeux sont sources et fontaines !

O cruautés, ô durtés inhumaines,
Piteux regards des célestes lumières,
Du cœur transi, ô passions premières,
Estimez-vous croître encore mes peines ?

Qu'encor Amour sur moi son arc essaie,
Que nouveaux feux me jette et nouveaux dards,
Qu'il se dépite, et pis qu'il pourra fasse :

Car je suis tant navrée en toutes parts
Que plus en moi une nouvelle plaie
Pour m'empirer ne pourrait trouver place.

1. Brûler.

III

Depuis qu'amour cruel empoisonna
Premièrement de son feu ma poitrine,
Toujours brûlai de sa fureur divine,
Qui un seul jour mon cœur n'abandonna.

Quelque travail dont assez me donna,
Quelque menace et prochaine ruine :
Quelque penser de mort qui tout termine,
De rien mon cœur ardent ne s'étonna.

Tant plus qu'amour nous vient fort affaiblir,
Plus il nous fait nos forces recueillir,
Et toujours frais en ses combats fait être ;

Mais ce n'est pas qu'en rien nous favorise
Cil qui les Dieux et les hommes méprise!
Mais pour plus fort contre les forts paraître.

IV

Claire Vénus, qui erres par les cieux,
Entends ma voix qui en plein chantera,
Tant que ta face au haut du ciel luira,
Son long travail et souci ennuyeux.

Mon œil vaillant s'attendrira bien mieux,
Et plus de pleurs te voyant jettera.
Mieux mon lit mol de larmes baignera,
De ses travaux voyant témoins tes yeux,

Donc des humains sont les lassés esprits
De doux repos et de sommeil épris.
J'endure mal tant que le soleil luit ;

Et quand je suis quasi toute cassée,
Et que me suis mise en mon lit lassée,
Crier me faut mon mal toute la nuit.

V

Deux ou trois fois bienheureux le retour
De ce cher Astre et plus heureux encore
Ce que son œil de regarder honore.
Que celle-là recevrait un bon jour,

Qu'elle pourrait se vanter d'un bon tour,
Qui baiserait le plus beau don de Flore,
Le mieux sentant que jamais vit Aurore,
Et y ferait sur ses lèvres séjour !

C'est à moi seule à qui ce bien est dû,
Pour tant de pleurs et tant de temps perdu,
Mais, le voyant tant lui ferai de fête,

Tant emploierai de mes yeux le pouvoir,
Pour, dessus lui, plus de crédit avoir
Qu'en peu de temps ferai grande conquête.

VI

On voit mourir toute chose animée,
Lorsque du corps l'âme subtile part ;
Je suis le corps, toi la meilleure part :
Où es-tu donc, ô âme bien aimée ?

Ne me laisse pas si longtemps pâmée
Pour me sauver après viendrais trop tard.
Las ! ne mets point ton corps en ce hasard :
Rends-lui sa part et moitié estimée.

Mais fais, ami, que ne soit dangereuse
Cette rencontre et revue amoureuse,
L'accompagnant, non de sévérité,

Non de rigueur, mais de grâce amiable,
Qui doucement me rende ta beauté,
Jadis cruelle, à présent favorable.

VII

Je vis, je meurs ; je me brûle et me noie ;
J'ai chaud extrême en endurant froidure :
La vie m'est et trop molle et trop dure.
J'ai grands ennuis entremêlés de joie.

Tout à un coup je ris et je larmoie,
Et en plaisir maint grief tourment j'endure ;
Mon bien s'en va, et jamais il ne dure :
Tout en un coup je sèche et je verdoie.

Ainsi Amour inconstamment me mène;
Et quand je pense avoir plus de douleur,
Sans y penser je me trouve hors de peine.

Puis, quand je crois ma joie être certaine,
Et être au haut de mon désiré heur,
Il me remet en mon premier malheur.

VIII

Tout aussitôt que je commence à prendre
Dans le mol lit le repos désiré,
Mon triste esprit, hors de moi retiré,
S'en va vers toi incontinent se rendre.

Lors m'est avis que dedans mon sein tendre
Je tiens le bien où j'ai tant aspiré,
Et pour lequel j'ai si haut soupiré
Que de sanglots ai souvent cuidé fendre.

O doux sommeil, ô nuit à moi heureuse!
Plaisant repos, plein de tranquillité,
Continuez toutes les nuits mon songe;

Et si jamais ma pauvre âme amoureuse
Ne doit avoir de bien en vérité,
Faites au moins qu'elle en ait en mensonge.

IX

Quand j'aperçois ton blond chef, couronné
D'un laurier vert, faire un luth si bien plaindre,
Que tu pourrais à te suivre contraindre
Arbres et rocs; quand je te vois, orné

Et de vertus dix mille environné,
Au chef d'honneur plus haut que nul atteindre,
Et des plus hauts les louanges éteindre,
Lors dit mon cœur en soi passionné :

« Tant de vertus qui te font être aimé,
Qui de chacun te font être estimé,
Ne te pourraient aussi bien faire aimer ?

« Et, ajoutant à ta vertu louable
Ce nom encor de m'être pitoyable,
De mon amour doucement t'enflammer ? »

X

O doux regards, ô yeux pleins de beauté,
Petits jardins pleins de fleurs amoureuses
Où sont d'Amour les flèches dangereuses,
Tant à vous voir mon œil s'est arrêté!

O cœur félon, ô rude cruauté,
Tant tu me tiens de façons rigoureuses,
Tant j'ai coulé de larmes langoureuses,
Sentant l'ardeur de mon cœur tourmenté!

Doncques, mes yeux, tant de plaisir avez,
Tant de bons tours par ses yeux recevez;
Mais toi, mon cœur, plus les vois s'y complaire,

Plus tu languis, plus en as de souci,
Or devinez si je suis aise, aussi,
Sentant mon œil être à mon cœur contraire.

XI

Luth, compagnon de ma calamité,
De mes soupirs témoin irréprochable,
De mes ennuis contrôleur véritable,
Tu as souvent avec moi lamenté.

Et tant le pleur piteux t'a molesté,
Que, commençant quelque sort délectable,
Tu le rendais tout soudain lamentable,
Feignant le ton que plaint avait chanté.

Et si te veux efforcer au contraire,
Tu te détends et si me contrains taire;
Mais, me voyant tendrement soupirer,

Donnant faveur à ma tant triste plainte,
En mes ennuis me plaire suis contrainte,
Et d'un doux mal douce fin espérer.

XII

Oh! si j'étais en ce beau sein ravie
De celui-là pour lequel vais mourant;
Si avec lui vivre le demeurant
De mes courts jours ne m'empêchait envie;

Si, m'accollant, me disait : « Chère amie,
Contentons-nous l'un l'autre », s'assurant
Que jà tempête, Euripe ni courant,
Ne nous pourra déjoindre en notre vie;

Si de mes bras le tenant accollé,
Comme du lierre est l'arbre encercelé [1],
La mort venait, de mon aise envieuse,

Lors que souëf plus il me baiserait,
Et mon esprit sur ses lèvres fuirait,
Bien je mourrais, plus que vivante, heureuse!

XIII

Tant que mes yeux pourront larmes épandre
A l'heur passé avec toi regretter,
Et qu'aux sanglots et soupirs résister
Pourra ma voix, et un peu faire entendre;

Tant que ma main pourra les cordes tendre
Du mignard luth, pour tes grâces chanter;
Tant que l'esprit se voudra contenter
De ne vouloir rien fors que toi comprendre;

Je ne souhaite encore point mourir.
Mais, quand mes yeux je sentirai tarir,
Ma voix cassée, et ma main impuissante,

Et mon esprit en ce mortel séjour
Ne pouvant plus montrer signe d'amante;
Prierai la mort noircir mon plus clair jour.

1. Encerclé, entouré.

XIV

Pour le retour du Soleil honorer,
Le Zéphyr l'air serein lui appareille,
Et du sommeil l'eau et la terre éveille,
Qui les gardait l'une de murmurer

En doux coulant, l'autre de se parer
De mainte fleur de couleur non pareille.
Jà les oiseaux ès arbres font merveille
Et aux passants font l'ennui modérer;

Les Nymphes jà en mille jeux s'ébattent,
Au clair de lune, et, dansant, l'herbe abattent.
Veux-tu, Zéphyr, de ton heur me donner,

Et que, par toi, toute, me renouvelle ?
Fais mon Soleil devers moi retourner,
Et tu verras s'il ne me rend plus belle.

XV

Après qu'un temps la grêle et le tonnerre,
Ont le haut mont de Caucase battu,
Le beau jour vient, de lueur revêtu.
Quand Phébus a son cerne [1] fait en terre,

Et l'Océan il regagne à grand erre,
Sa sœur se montre avec son chef pointu.
Quand quelque temps le Parthe a combattu,
Il prend la fuite et son arc il desserre.

Un temps t'ai vu et consolé plaintif,
Et, défiant de mon feu peu hâtif;
Mais, maintenant que tu m'as embrasée

Et suis au point auquel tu me voulais,
Tu as ta flamme en quelque eau arrosée,
Et es plus froid qu'être je ne soulais.

1. Son cercle, sa course.

XVI

Je fuis la ville, et temples, et tous lieux
Esquels, prenant plaisir à t'ouïr plaindre,
Tu peux, et non sans force, me contraindre
De te donner ce qu'estimais le mieux.

Masques, tournois, jeux me sont ennuyeux,
Et rien sans toi de beau ne me puis peindre,
Tant que, tâchant à ce désir éteindre
Et un nouvel objet faire à mes yeux,

Et des pensers amoureux me distraire,
Des bois épais suis le plus solitaire.
Mais j'aperçois, ayant erré maint tour,

Que, si je veux de toi être délivre,
Il me convient hors de moi-même vivre;
Ou fais encor que loin sois en séjour.

XVII

Baise m'encor, rebaise-moi et baise;
Donne-m'en un de tes plus savoureux;
Donne-m'en un de tes plus amoureux,
Je t'en rendrai quatre plus chauds que braise.

Las! te plains-tu ? Ça que ce mal t'apaise,
En t'en donnant dix autres doucereux.
Ainsi mêlant nos baisers tant heureux
Jouissons-nous l'un de l'autre à notre aise.

Lors double vie à chacun en suivra;
Chacun en soi et son ami vivra.
Permets m'amour penser quelque folie :

Toujours suis mal, vivant discrètement,
Et ne me puis donner contentement,
Si hors de moi ne sais quelque saillie.

XVIII

Diane étant en l'épaisseur d'un bois,
Après avoir mainte bête assénée
Prenait le frais, de Nymphes couronnée;
J'allais rêvant comme fais maintes fois,

Sans y penser; quand j'ouïs une voix
Qui m'appela disant : « Nymphe étonnée,
Que ne t'es-tu vers Diane tournée ? »
Et, me voyant sans arc et sans carquois :

« Qu'as-tu trouvé, ô compagne, en ta voie,
Qui de ton arc et flèches ait fait proie ?
— Je m'animai, réponds-je, à un passant,

Et lui jetai en vain toutes mes flèches,
Et l'arc après; mais lui les ramassant
Et les tirant me fit cent et cent brèches. »

XIX

Prédit me fut que devais fermement
Un jour aimer celui dont la figure
Me fut décrite, et, sans autre peinture,
Le reconnus quand vis premièrement.

Puis, le voyant aimer fatalement,
Pitié je pris de sa triste aventure,
Et tellement je forçai ma nature,
Qu'autant que lui aimai ardentement.

Qui n'eût pensé qu'en faveur devait croître
Ce que le Ciel et destins firent naître ?
Mais quand je vois si nubileux [1] apprêts,

Vents si cruels et tant terrible orage,
Je crois qu'étaient les infernaux arrêts
Qui de si loin m'ourdissaient ce naufrage.

XX

Quelle grandeur rend l'homme vénérable ?
Quelle grosseur ? quel poil ? quelle couleur ?
Qui est des yeux le plus emmielleur ?
Qui fait plutôt une plaie incurable ?

Quel chant est plus à l'homme convenable ?
Qui plus pénètre en chantant sa douleur ?
Qui, un doux luth fait encore meilleur ?
Quel naturel est le plus amiable ?

1. Nubileux : couvert de nuages, nuageux.

Je ne voudrais le dire assurément,
Ayant amour forcé mon jugement;
Mais je sais bien, et de tant je m'assure,

Que tout le beau que l'on pourrait choisir,
Et que tout l'art qui aide la nature
Ne me sauraient accroître mon désir.

XXI

Luisant Soleil, que tu es bienheureux
De voir toujours de t'amie la face!
Et toi, sa sœur, qu'Endymion embrasse,
Tant te repais de miel amoureux!

Mars voit Vénus; Mercure aventureux
De ciel en ciel, de lieu en lieu, se glace;
Et Jupiter remarque en mainte place
Ses premiers ans plus gais et chaleureux.

Voilà du ciel la puissante harmonie,
Qui les esprits divins ensemble lie;
Mais, s'ils avaient ce qu'ils aiment lointain,

Leur harmonie et ordre irrévocable
Se tournerait en erreur variable,
Et, comme moi, travailleraient en vain.

XXII

Las! que me sert que si parfaitement
Louas jadis et ma tresse dorée,
Et de mes yeux la beauté comparée
A deux soleils, dont l'Amour finement

Tira les traits, causes de mon tourment?
Où êtes-vous, pleurs de peu de durée?
Et mort par qui devait être honorée
Ta ferme amour et itéré [1] serment?

Doncques c'était le but de ta malice
De m'asservir sous ombre de service?
Pardonne-moi, aussi, à cette fois,

---

1. Réitéré, répété.

Étant outrée et de dépit et d'ire;
Mais je m'assur', quelque part que tu sois,
Qu'autant que moi tu souffres de martyre.

XXIII

da jalousie

Ne reprenez, dames, si j'ai aimé,
Si j'ai senti mille torches ardentes,
Mille travaux, mille douleurs mordantes.
Si, en pleurant, j'ai mon temps consumé.

Las! que mon nom n'en soit par vous blâmé.
Si j'ai failli, les peines sont pressantes.
N'aigrissez point leurs pointes violentes,
Mais estimez qu'Amour, à point nommé,

Sans votre ardeur d'un Vulcain excuser,
Sans la beauté d'Adonis accuser,
Pourra, s'il veut, plus vous rendre amoureuses,

comme un envoi

En ayant moins que moi d'occasion,
Et plus d'étrange et forte passion;
Et gardez-vous d'être plus malheureuses.

*elle demande la
pitié des dames*

JOACHIM DU BELLAY

1522-1560

Joachim Du Bellay naquit en 1522, à Liré, tout près d'Ancenis, en Anjou. Il fut orphelin très jeune et fut d'abord élevé par son frère, René Du Bellay. Vers l'âge de vingt ans, il alla à Poitiers étudier le droit. C'est en revenant de Poitiers, après ses études, c'est-à-dire en 1548 ou 1549, qu'il rencontra Ronsard. Animés du même goût pour les belles-lettres et pour la divine poésie, ils se lièrent tout de suite. Ronsard entraîna Du Bellay à Paris; dans cette ville, il connut les jeunes poètes dont le groupe forma la Pléiade. Nous n'avons pas à revenir ici sur l'historique, que nous avons fait dans notre Introduction, du rôle important de Joachim Du Bellay dans cette école, dont il écrivit le manifeste littéraire et dont il fut, après Ronsard, le poète le plus remarquable. La *Défense et Illustration de la langue française* parut en 1549; la même année, Du Bellay fit paraître son premier recueil de vers. C'étaient des vers amoureux à la louange de Mlle de Viole, qu'il chanta sous le nom anagrammatique d'Olive. En 1552, son oncle, le cardinal Du Bellay, ayant été nommé ambassadeur à Rome, Joachim le suivit en qualité de secrétaire et d'intendant général de sa maison. Il partit tout joyeux, croyant sa fortune désormais assurée. Si Rome l'enchanta tout d'abord, il ne tarda pas à être rebuté par les obligations de sa charge, qui le détournaient des muses; il connut la nostalgie, et il composa l'admirable recueil des *Regrets*, que remplissent d'une manière si poétique, si sincère et si touchante les souvenirs de la patrie absente et où on trouve aussi des sonnets satiriques sur la corruption romaine; il célébra dans un autre recueil les *Antiquités de Rome;* ce livre, comme les *Regrets* et un recueil de *Jeux rustiques*, parut en 1558, à Paris, où Du Bellay, nommé chanoine de Notre-Dame, était revenu l'année précédente. La publication des vers satiriques du Du Bellay sur la cour romaine avait attiré des ennuis à son oncle, le cardinal, auprès de qui il songeait à aller se justifier; mais déjà il était épuisé de corps et d'âme; la plupart de ses protecteurs étaient morts; sa dernière protectrice, la princesse Marguerite, quittait la cour de France pour être l'épouse du duc de Savoie. Joachim Du Bellay, attristé et découragé, traîna ses jours jusqu'au 1er janvier 1560. Il mourut à cette date d'une attaque d'apoplexie. Nous donnons un certain nombre de pièces puisées dans ses divers recueils, en faisant la plus large place au livre des *Regrets*, qui de toutes ses œuvres est la plus belle.

L'OLIVE

I

Je ne quiers pas la fameuse couronne,
Saint ornement du Dieu au chef doré,
Ou que, du Dieu aux Indes adoré,
Le gai chapeau la tête m'environne.

Encores moins veux-je que l'on me donne
Le mol rameau en Cypre décoré :
Celui qui est d'Athènes honoré,
Seul je le veux, et le Ciel me l'ordonne.

O tige heureux, que la sage Déesse
En sa tutelle et garde a voulu prendre,
Pour faire honneur à son sacré autel

Orne mon chef, donne-moi hardiesse
De te chanter, qui espère te rendre
Égal un jour au Laurier immortel.

II

Loire fameux, qui, ta petite source,
Enfles de maints gros fleuves et ruisseaux,
Et qui de loin coules tes claires eaux
En l'Océan d'une assez vive course :

Ton chef royal hardiment bien haut pousse
Et apparais entre tous les plus beaux,
Comme un taureau sur les menus troupeaux,
Quoi que le Pô envieux s'en courrouce.

Commande doncq' aux gentilles Naïades
Sortir dehors leurs beaux palais humides
Avecques toi, leur fleuve paternel,

Pour saluer de joyeuses aubades
Celle qui t'a, et tes filles liquides,
Deifié de ce bruit éternel.

III

Divin Ronsard, qui de l'arc à sept cordes
Tiras premier au but de la mémoire
Les traits ailés de la Française gloire,
Que sur ton luth hautement tu accordes.

Fameux harpeur et prince de nos odes,
Laisse ton Loir hautain de ta victoire,
Et viens sonner au rivage de Loire
De tes chansons les plus nouvelles modes.

Enfonce l'arc du vieil Thébain archer,
Ou nul que toi ne sut onq' encocher
Des doctes Sœurs les sagettes divines.

Porte pour moi, parmi le ciel des Gaules,
Le saint honneur des nymphes Angevines,
Trop pesant faix pour mes faibles épaules.

IV

Si notre vie est moins qu'une journée
En l'éternel, si l'an qui fait le tour
Chasse nos jours sans espoir de retour,
Si périssable est toute chose née,

Que songes-tu, mon âme emprisonnée ?
Pourquoi te plaît l'obscur de notre jour,
Si pour voler en un plus clair séjour,
Tu as au dos l'aile bien empennée ?

Là, est le bien que tout esprit désire,
Là, le repos où tout le monde aspire,
Là, est l'amour, là, le plaisir encore.

Là, ô mon âme, au plus haut ciel guidée,
Tu y pourras reconnaître l'Idée
De la beauté, qu'en ce monde j'adore.

CHANT DU DÉSESPÉRÉ

à cause de sa maladie pourquoi.

La Parque si terrible
A tous les animaux,
Plus ne me semble horrible,
Car le moindre des maux,
Qui m'ont fait si dolent,
Est bien plus violent.

Comme d'une fontaine
Mes yeux sont dégouttants,
Ma face est d'eau si pleine
Que bientôt je m'attends
Mon cœur tant soucieux
Distiller par les yeux.

De mortelles ténèbres
Ils sont déjà noircis,
Mes plaintes sont funèbres,
Et mes membres transis :
Mais je ne puis mourir,
Et si ne puis guérir.

La fortune amiable
Est-ce pas moins que rien ?
O que tout est muable
En ce val terrien!
Hélas, je le connais
Que rien tel ne craignais.

Langueur me tient en laisse,
Douleur me fuit de près,
Regret point ne me laisse,
Et crainte vient après :
Bref, de jour, et de nuit,
Toute chose me nuit.

La verdoyant' campagne,
Le fleuri arbrisseau,
Tombant de la montagne,
Le murmurant ruisseau,
De ces plaisirs jouir
Ne me peut réjouir.

La musique sauvage
Du rossignol au bois
Contriste mon courage,
Et me déplaît la voix
De tous joyeux oiseaux,
Qui sont au bord des eaux.

Le cygne poétique
Lors qu'il est mieux chantant,
Sur la rive aquatique
Va sa mort lamentant.
Las! tel chant me plaît bien,
Comme semblable au mien.

La voix répercussive
En m'oyant lamenter
De ma plainte excessive
Semble se tourmenter,
Car cela que j'ai dit
Toujours elle redit.

Ainsi la joie et l'aise
Me vient de deuil saisir,
Et n'est qui tant me plaise
Comme le déplaisir.
De la mort en effet
L'espoir vivre me fait.

Dieu tonnant, de ta foudre
Viens ma mort avancer,
Afin que soie en poudre
Premier que de penser
Au plaisir que j'aurai'
Quand ma mort je saurai'.

LES REGRETS

I

Je ne veux point fouiller au sein de la nature,
Je ne veux point chercher l'esprit de l'univers,
Je ne veux point sonder les abîmes couverts
Ni desseigner [1] du ciel la belle architecture.

1. Dessiner.

Je ne peins mes tableaux de si riche peinture,
Et si hauts arguments ne recherche à mes vers :
Mais suivant de ce lieu les accidents divers,
Soit de bien, soit de mal, j'écris à l'aventure.

Je me plains à mes vers, si j'ai quelque regret,
Je me ris avec eux, je leur dis mon secret,
Comme étant de mon cœur les plus sûrs secrétaires.

Aussi ne veux-je tant les pigner [1] et friser,
Et de plus braves noms ne les veux déguiser,
Que de papiers journaux, ou bien de commentaires.

II

Ceux qui sont amoureux, leurs amours chanteront,
Ceux qui aiment l'honneur chanteront de la gloire,
Ceux qui sont près du Roi publieront sa victoire,
Ceux qui sont courtisans leurs faveurs vanteront :

Ceux qui aiment les arts, les sciences diront,
Ceux qui sont vertueux pour tels se feront croire,
Ceux qui aiment le vin deviseront de boire,
Ceux qui sont de loisir de fables écriront :

Ceux qui sont médisants se plairont à médire,
Ceux qui sont moins fâcheux diront des mots pour rire,
Ceux qui sont plus vaillants vanteront leur valeur :

Ceux qui se plaisent trop chanteront leur louange,
Ceux qui veulent flatter feront d'un diable un ange.
Moi qui suis malheureux je plaindrai mon malheur.

III

Las, où est maintenant ce mépris de fortune ?
Où est ce cœur vainqueur de toute adversité,
Cet honnête désir de l'immortalité,
Et cette honnête flamme au peuple non commune ?

Où sont ces doux plaisirs, qu'au soir sous la nuit brune
Les Muses me donnaient, alors qu'en liberté
Dessus le vert tapis d'un rivage écarté
Je les menais danser aux rayons de la lune ?

1. Peigner.

Maintenant la fortune est maîtresse de moi,
Et mon cœur qui souloit être maître de soi,
Est serf de mille maux et regrets qui m'ennuient.

De la postérité je n'ai plus de souci,
Ceste divine ardeur, je ne l'ai plus aussi,
Et les Muses de moi, comme étranges, s'enfuient.

IV

France, mère des arts, des armes, et des lois,
Tu m'as nourri longtemps du lait de ta mamelle ;
Ores, comme un agneau qui sa nourrice appelle,
Je remplis de ton nom les antres et les bois.

Si tu m'as pour enfant avoué quelquefois,
Que ne me réponds-tu maintenant, ô cruelle ?
France, France, réponds à ma triste querelle.
Mais nul, sinon Écho, ne répond à ma voix.

Entre les loups cruels j'erre parmi la plaine,
Je sens venir l'hiver, de qui la froide haleine
D'une tremblante horreur fait hérisser ma peau.

Las, tes autres agneaux n'ont faute de pâture,
Ils ne craignent le loup, le vent, ni la froidure :
Si ne suis-je pourtant le pire du troupeau.

V

Maintenant je pardonne à la douce fureur,
Qui m'a fait consumer le meilleur de mon âge,
Sans tirer autre fruit de mon ingrat ouvrage,
Que le vain passe-temps d'une si longue erreur.

Maintenant je pardonne à ce plaisant labeur,
Puisque seul il endort le souci qui m'outrage,
Et puisque seul il fait qu'au milieu de l'orage
Ainsi qu'auparavant je ne tremble de peur.

Si les vers ont été l'abus de ma jeunesse,
Les vers seront aussi l'appui de ma vieillesse,
S'ils furent ma folie, ils seront ma raison,

S'ils furent ma blessure, ils seront mon Achille,
S'ils furent mon venin, le scorpion utile
Qui sera de mon mal la seule guérison.

VI

Si l'importunité du créditeur me fâche,
Les vers m'ôtent l'ennui du fâcheux créditeur :
Et si je suis fâché d'un fâcheux serviteur,
Dessus les vers, Boucher, soudain je me défâche.

Si quelqu'un dessus moi sa colère délâche,
Sur les vers je vomis le venin de mon cœur :
Et si mon faible esprit est recru [1] du labeur,
Les vers font que plus frais je retourne à ma tâche.

Les vers chassent de moi la molle oisiveté,
Les vers me font aimer la douce liberté,
Les vers chantent pour moi ce que dire je n'ose.

Si donc j'en recueillis tant de profits divers,
Demandes-tu, Boucher, de quoi servent les vers,
Et quel bien je reçois de ceux que je compose ?

VII

Panjas, veux-tu savoir quels sont mes passe-temps ?
Je songe au lendemain, j'ai soin de la dépense
Qui se fait chacun jour, et si faut que je pense
A rendre sans argent cent créditeurs contents.

Je vais, je viens, je cours, je ne perds point le temps,
Je courtise un banquier, je prends argent d'avance,
Quand j'ai dépêché l'un, un autre recommence,
Et ne fais pas le quart de ce que je prétends.

Qui me présente un compte, une lettre, un mémoire,
Qui me dit que demain est jour de consistoire,
Qui me rompt le cerveau de cent propos divers :

Qui se plaint, qui se deult [2], qui murmure, qui crie :
Avecques tout cela, dis, Panjas, je te prie,
Ne t'ébahis-tu point comment je fais des vers ?

1. Fatigué.
2. De douloir : se plaindre, se lamenter, ressentir de la douleur.

VIII

Cependant que Magny suit son grand Avanson,
Panjas son Cardinal, et moi le mien encore,
Et que l'espoir flatteur, qui nos beaux ans dévore,
Appâte nos désirs d'un friand hameçon,

Tu courtises les rois, et, d'un plus heureux son,
Chantant l'heur de Henry, qui son siècle décore,
Tu t'honores toi-même, et celui qui honore
L'honneur que tu lui fais par ta docte chanson.

Las! et nous cependant nous consumons notre âge
Sur le bord inconnu d'un étrange rivage,
Où le malheur nous fait ces tristes vers chanter :

Comme on voit quelquefois quand la mort les appelle,
Arrangés flanc à flanc parmi l'herbe nouvelle,
Bien loin sur un étang trois cygnes lamenter.

IX

Qu'heureux tu es, Baïf, heureux et plus qu'heureux,
De ne suivre abusé cette aveugle Déesse,
Qui d'un tour inconstant et nous hausse et nous baisse,
Mais cet aveugle enfant qui nous fait amoureux!

Tu n'éprouves, Baïf, d'un maître rigoureux
Le sévère sourcil : mais la douce rudesse
D'une belle, courtoise, et gentille maîtresse,
Qui fait languir ton cœur doucement langoureux.

Moi, chétif, cependant loin des yeux de mon Prince,
Je vieillis malheureux en étrange province,
Fuyant la pauvreté : mais, las! ne fuyant pas

Les regrets, les ennuis, le travail et la peine,
Le tardif repentir d'une espérance vaine,
Et l'importun souci qui me suit pas à pas.

X

Malheureux l'an, le mois, le jour, l'heure, et le point,
Et malheureuse soit la flatteuse espérance,

Quand pour venir ici j'abandonnai la France :
La France, et mon Anjou dont le désir me point.

Vraiment d'un bon oiseau guidé je ne fus point,
Et mon cœur me donnait assez signifiance,
Que le ciel était plein de mauvaise influence,
Et que Mars était lors à Saturne conjoint.

Cent fois le bon avis lors m'en voulut distraire,
Mais toujours le destin me tirait au contraire :
Et si mon désir n'eût aveuglé ma raison,

N'était-ce pas assez pour rompre mon voyage,
Quand sur le seuil de l'huis, d'un sinistre présage,
Je me blessai le pied sortant de ma maison ?

XI

Heureux qui, comme Ulysse, a fait un beau voyage,
Ou comme cestuy-là qui conquit la toison,
Et puis est retourné, plein d'usage et raison,
Vivre entre ses parents le reste de son âge !

Quand reverrai-je, hélas, de mon petit village
Fumer la cheminée, et en quelle saison
Reverrai-je le clos de ma pauvre maison,
Qui m'est une province, et beaucoup davantage ?

Plus me plaît le séjour qu'ont bâti mes aïeux,
Que des palais Romains le front audacieux,
Plus que le marbre dur me plaît l'ardoise fine :

Plus mon Loire gaulois, que le Tibre latin,
Plus mon petit Liré, que le mont Palatin,
Et plus que l'air marin la douceur angevine.

XII

Je ne commis jamais fraude, ni maléfice,
Je ne doutai jamais des points de notre foi,
Je n'ai point violé l'ordonnance du roi
Et n'ai point éprouvé la rigueur de justice :

J'ai fait à mon seigneur fidèlement service,
Je fais pour mes amis ce que je puis et doi,
Et crois que jusqu'ici nul ne se plaint de moi,
Que vers lui j'aie fait quelque mauvais office.

Voilà ce que je suis. Et toutefois, Vineus,
Comme un qui est aux Dieux et aux hommes haineux,
Le malheur me poursuit, et toujours m'importune :

Mais j'ai ce beau confort en mon adversité,
C'est qu'on dit que je n'ai ce malheur mérité,
Et que digne je suis de meilleure fortune.

XIII

Tu dis que Du Bellay tient réputation
Et que de ses amis il ne tient plus de compte :
Si ne suis-je seigneur, prince, marquis ou comte,
Et n'ai changé d'état ni de condition.

Jusqu'ici je ne sais que c'est d'ambition,
Et pour ne me voir grand ne rougis point de honte :
Aussi ma qualité ne baisse ni ne monte,
Car je ne suis sujet qu'à ma complexion.

Je ne sais comme il faut entretenir son maître,
Comme il faut courtiser, et moins quel il faut être
Pour vivre entre les grands comme on vit aujourd'hui.

J'honore tout le monde, et ne fâche personne :
Qui me donne un salut, quatre je lui en donne :
Qui ne fait cas de moi, je ne fais cas de lui.

XIV

Ne pense, Robertet, que cette Rome-ci
Soit cette Rome-là, qui te souloit tant plaire.
On n'y fait plus crédit, comme l'on souloit faire,
On n'y fait plus l'amour, comme on souloit aussi.

La paix et le bon temps ne règnent plus ici,
La musique et le bal sont contraints de s'y taire,
L'air y est corrompu, Mars y est ordinaire,
Ordinaires la faim, la peine et le souci.

L'artisan débauché y ferme sa boutique,
L'ocieux [1] avocat y laisse sa pratique,
Et le pauvre marchand y porte le bissac :

On ne voit que soldats et morions en tête,
On n'oit que tabourins, et semblable tempête,
Et Rome tous les jours n'attend qu'un autre sac.

XV

Flatter un créditeur pour son terme allonger,
Courtiser un banquier, donner bonne espérance,
Ne suivre en son parler la liberté de France,
Et pour répondre un mot, un quart d'heure y songer :

Ne gâter sa santé par trop boire et manger,
Ne faire sans propos une folle dépense,
Ne dire à tous venants tout cela que l'on pense,
Et d'un maigre discours gouverner l'étranger :

Connaître les humeurs, connaître qui demande,
Et d'autant que l'on a la liberté plus grande,
D'autant plus se garder que l'on ne soit repris :

Vivre avecques chacun, de chacun faire compte :
Voilà, mon cher Morel (dont je rougis de honte)
Tout le bien qu'en trois ans à Rome j'ai appris.

XVI

Marcher d'un grave pas, et d'un grave sourcil,
Et d'un grave souris à chacun faire fête,
Balancer tous ses mots, répondre de la tête,
Avec un *Messer non*, ou bien un *Messer si* :

Entremêler souvent un petit *E cosi*,
Et d'un *Son Servitor* contrefaire l'honnête,
Et comme si l'on eût sa part en la conquête,
Discourir sur Florence, et sur Naples aussi :

Seigneuriser chacun d'un baisement de main,
Et suivant la façon du courtisan Romain,
Cacher sa pauvreté d'une brave apparence

1. Oisif.

Voilà de cette cour la plus grande vertu,
Dont souvent mal monté, mal sain, et mal vêtu,
Sans barbe et sans argent on s'en retourne en France.

XVII

Quand je vois ces Messieurs, desquels l'autorité
Se voit ores ici commander en son rang,
D'un front audacieux cheminer flanc à flanc,
Il me semble de voir quelque divinité.

Mais les voyant pâlir lorsque sa Sainteté
Crache dans un bassin, et d'un visage blanc
Cautement épier s'il y a point de sang,
Puis d'un petit souris feindre une sûreté :

O combien, dis-je alors, la grandeur que je voi
Est misérable au prix de la grandeur d'un Roi !
Malheureux qui si cher achète tel honneur.

Vrayment le fer meurtrier, et le rocher aussi
Pendent bien sur le chef de ces Seigneurs ici,
Puisque d'un vieil filet dépend tout leur bonheur.

XVIII

La terre y est fertile, amples les édifices,
Les poêles bigarrés, et les chambres de bois,
La police immuable, immuables les lois,
Et le peuple ennemi de forfaits et de vices.

Ils boivent nuit et jour en Bretons et Suisses,
Ils sont gras et refaits, et mangent plus que trois :
Voilà les compagnons et correcteurs des Rois,
Que le bon Rabelais a surnommés Saucisses.

Ils n'ont jamais changé leurs habits et façons,
Ils hurlent comme chiens leurs barbares chansons,
Ils comptent à leur mode, et de tout se font croire :

Ils ont force beaux lacs et force sources d'eau,
Force prés, force bois. J'ai du reste, Belleau,
Perdu le souvenir, tant ils me firent boire.

XIX

Vous dites, courtisans : les poètes sont fous,
Et dites vérité; mais aussi dire j'ose,
Que tels que vous soyez, vous tenez quelque chose
De cette douce humeur qui est commune à tous.

Mais celle-là, Messieurs, qui domine sur vous,
En autres actions diversement s'expose :
Nous sommes fous en rime, et vous l'êtes en prose :
C'est le seul différend qu'est entre vous et nous.

Vrai est que vous avez la Cour plus favorable,
Mais aussi n'avez-vous un renom si durable :
Vous avez plus d'honneurs, et nous moins de souci.

Si vous riez de nous, nous faisons la pareille :
Mais cela qui se dit s'envole par l'oreille,
Et cela qui s'écrit ne se perd pas ainsi.

ANTIQUITÉS DE ROME

I

Sacrés coteaux, et vous, saintes ruines,
Qui le seul nom de Rome retenez,
Vieux monuments, qui encor soutenez
L'honneur poudreux de tant d'âmes divines;

Arcs triomphaux, pointes du ciel voisines,
Qui, de vous voir, le ciel même étonnez,
Las! peu à peu cendre vous devenez,
Fable du peuple, et publiques rapines!

Et, bien qu'au temps pour un temps fassent guerre
Les bâtiments, si est-ce que le temps
Œuvres et noms finablement atterre.

Tristes désirs, vivez doncque contents :
Car, si le temps finit chose si dure,
Il finira la peine que j'endure.

II

Pâles esprits, et vous, ombres poudreuses,
Qui, jouissant de la clarté du jour,
Fîtes sortir cet orgueilleux séjour
Dont nous voyons les reliques cendreuses;

Dites, esprits, (ainsi les ténébreuses
Rives du Styx non passable au retour,
Vous enlaçant d'un trois fois triple tour,
N'enferment point vos images ombreuses!),

Dites-moi donc, (car quelqu'une de vous,
Possible encor, se cache ici dessous),
Ne sentez-vous augmenter votre peine,

Quand quelquefois de ces coteaux romains
Vous contemplez l'ouvrage de vos mains
N'être plus rien qu'une poudreuse plaine ?

III

Toi qui, de Rome émerveillé, contemples
L'antique orgueil qui menaçait les cieux,
Ces vieux palais, ces monts audacieux,
Ces murs, ces arcs, ces thermes et ces temples,

Juge, en voyant ces ruines si amples,
Ce qu'a rongé le temps injurieux,
Puisqu'aux ouvriers les plus industrieux
Ces vieux fragments encor servent d'exemples.

Regarde après comme de jour en jour
Rome, fouillant son antique séjour,
Se rebâtit de tant d'œuvres divines :

Tu jugeras que le démon romain
S'efforce encor d'une fatale main
Ressusciter ces poudreuses ruines.

IV

Qui a vu quelquefois un grand chêne asséché,
Qui pour son ornement quelque trophée porte,
Lever encore au ciel sa vieille tête morte,
Dont le pied fermement n'est en terre fiché,

Mais qui, dessus le champ plus qu'à demi penché,
Montre ses bras tout nus et sa racine torte,
Et, sans feuille ombrageux, de son poids se supporte
Sur un tronc nouailleux en cent lieux ébranché,

Et, bien qu'au premier vent il doive sa ruine,
Et maint jeune à l'entour ait ferme la racine,
Du dévot populaire être seul révéré :

Qui tel chêne a pu voir, qu'il s'imagine encore
Comme entre les cités qui plus florissent ore
Ce vieil honneur poudreux est le plus honoré.

V

Espérez-vous que la postérité
Doive, mes vers, pour tout jamais vous lire ?
Espérez-vous que l'œuvre d'une lyre
Puisse acquérir telle immortalité ?

Si sous le ciel fût quelque éternité,
Les monuments que je vous ai fait dire,
Non en papier, mais en marbre et porphyre,
Eussent gardé leur vive antiquité.

Ne laisse pas toutefois de sonner,
Luth, qu'Apollon m'a bien daigné donner,
Car, si le temps ta gloire ne dérobe,

Vanter te peux, quelque bas que tu sois,
D'avoir chanté le premier des Français,
L'antique honneur du peuple à longue robe.

A MADAME MARGUERITE

D'ÉCRIRE EN SA LANGUE

Quiconque soit qui s'étudie
En leur langue imiter les vieux,
D'une entreprise trop hardie
Il tente la voie des cieux,

Croyant en des ailes de cire,
Dont Phébus le peut déplumer :
Et semble, à le voir, qu'il désire
Donner nouveaux noms à la mer.

Il y met de l'eau, ce me semble,
Et pareil peut-être encore est
A celui qui du bois assemble
Pour le porter en la forêt.

Qui suivra la divine Muse
Qui tant sut Achille extoller [1] ?
Où est celui qui tant s'abuse
De cuider encore voler ?

Où, par régions inconnues,
Le cygne Thébain, si souvent,
Dessous lui regarde les nues,
Porté sur les ailes du vent ?

Qui aura l'haleine assez forte,
Et l'estomac, pour entonner   *Vergil*
Jusqu'au bout la buccine torte
Que le Mantouan fit sonner ?

Mais, où est celui qui se vante
De ce Calabrais approcher   *Horace*
Duquel jadis la main savante
Sut la lyre tant bien toucher ?

Princesse, je ne veux point suivre
D'une telle mer les dangers,
Aimant mieux entre les miens vivre
Que mourir chez les étrangers.

Mieux vaut que les siens on précède,
Le nom d'Achille poursuivant,
Que d'être ailleurs un Diomède,   *personneyes*
Voire un Thersite bien souvent.   *pas admirable*

Quel siècle éteindra ta mémoire,
O Boccace ? Et quels durs hivers
Pourront jamais sécher la gloire,
Pétrarque, de tes lauriers verts ?

1. Élever.

Qui verra la vôtre muette,
Dante, et Bembe à l'esprit hautain ?
Qui fera taire la musette
Du pasteur Néapolitain ?

Le Lot, le Loir, Touvre et Garonne,
A vos bords vous direz le nom
De ceux que la docte couronne
Éternise d'un haut renom.

Et moi, si la douce folie
Ne me déçoit, je te promets,
Loire, que ta lyre, abolie,
Si je vis, ne sera jamais.

Marguerite peut donner celle
Qui rendait les enfers contents,
Et qui bien souvent après elle
Tirait les chênes écoutants.

D'UN VANNEUR DE BLÉ AUX VENTS

A vous, troupe légère,
Qui d'aile passagère
Par le monde volez,
Et d'un sifflant murmure
L'ombrageuse verdure
Doucement ébranlez,

J'offre ces violettes,
Ces lis et ces fleurettes,
Et ces roses ici,
Ces vermeillettes roses,
Tout fraîchement écloses,
Et ces œillets aussi.

De votre douce haleine
Éventez cette plaine,
Éventez ce séjour,
Cependant que j'ahanne
A mon blé que je vanne
A la chaleur du jour.

A VÉNUS

Ayant après long désir
Pris de ma douce ennemie
Quelques arrhes du plaisir,
Que sa rigueur me dénie,

Je t'offre ces beaux œillets,
Vénus, je t'offre ces roses,
Dont les boutons vermeillets
Imitent les lèvres closes

Que j'ai baisé par trois fois,
Marchant tout beau dessous l'ombre
De ce buisson que tu vois :
Et n'ai su passer ce nombre,

Parce que la mère était
Auprès de là, ce me semble,
Laquelle, nous aguettait :
De peur encores j'en tremble.

Or' je te donne des fleurs :
Mais si tu fais ma rebelle
Autant piteuse à mes pleurs,
Comme à mes yeux elle est belle,

Un myrthe je dédierai
Dessus les rives de Loire,
Et sur l'écorce écrirai
Ces quatre vers à ta gloire :

« Thénot sur ce bord ici,
A Vénus sacre et ordonne
Ce myrthe et lui donne aussi
Ses troupeaux et sa personne. »

VILLANELLE

En ce mois délicieux,
Qu'amour toute chose incite,
Un chacun à qui mieux mieux
La douceur du temps imite,

Mais une rigueur dépite
Me fait pleurer mon malheur.
Belle et franche Marguerite
Pour vous j'ai cette douleur.

Dedans votre œil gracieux
Toute douceur est écrite,
Mais la douceur de vos yeux
En amertume est confite,
Souvent la couleuvre habite
Dessous une belle fleur.
Belle et franche Marguerite,
Pour vous j'ai cette douleur.

Or, puis que je deviens vieux,
Et que rien ne me profite,
Désespéré d'avoir mieux,
Je m'en irai rendre ermite,
Pour mieux pleurer mon malheur.
Belle et franche Marguerite,
Pour vous j'ai cette douleur.

Mais si la faveur des Dieux
Au bois vous avait conduite,
Ou, d'espérer d'avoir mieux,
Je m'en irai rendre ermite,
Peut-être que ma poursuite
Vous ferait changer couleur.
Belle et franche Marguerite
Pour vous j'ai cette douleur.

SUR UN CHAPELET DE ROSES

DU BEMBE

Tu m'as fait un chapeau de roses
Qui semblent tes deux lèvres closes,
Et de lis fraîchement cueillis
Qui semblent tes beaux doigts polis,
Les liant d'un fil d'or ensemble,
Qui à tes blonds cheveux ressemble.

Mais si, jeune, tu entendais
L'ouvrage qu'ont tissu tes doigts,
Tu ferais, peut-être, plus sage
A prévoir, ton futur dommage.

Ces roses plus ne rougiront,
Et ces lis plus ne blanchiront :
La fleur des ans, qui peu séjourne,
S'en fuit, et jamais ne retourne,
Et le fil te montre combien
La vie est un fragile bien.

Pourquoi donc m'es-tu si rebelle ?
Mais pourquoi t'es-tu si cruelle ?
Si tu n'as point pitié de moi,
Aie au moins pitié de toi.

GUILLAUME BOUCHET

1526 ?-1606 ?

Guillaume Bouchet, sieur de Brocourt, naquit, les uns disent en 1506, d'autres en 1526, à Poitiers, où son père était libraire et où il fut libraire à son tour; il devint juge consul des marchands de cette ville et il exerçait probablement encore ses fonctions lorsqu'il mourut. On ignore la date de sa mort, placée par certains vers 1593, par d'autres en 1606. On sait d'ailleurs très peu de chose de cette longue existence, passée sans doute tout entière à Poitiers. C'est là qu'il dut composer ses trois livres de *Serées*. Ces *Serées* ou *Soirées* rapportent les propos tenus par de bons compagnons réunis autour d'un dîner. C'est un livre très varié où, comme le déclare le conteur lui-même, « on trouve les choses les plus graves et les rencontres les plus gaillardes ». Bouchet avait lu les philosophes et les moralistes, Montaigne surtout, qu'il nomme à divers endroits. Il était lui-même moraliste en même temps que conteur. Les contes dont ses personnages illustrent leurs propos sont en général fort courts; il a composé aussi des pièces de vers; nous en donnons trois, qui, comme ses contes, sont fort courtes, et dont les deux premières sont des sortes d'épigrammes.

HUITAIN

Dédale criait à son fils,
Afin de lui donner courage :
« Vole comme je t'ai appris,
Suis toujours la moyenne plage »;
Mais l'enfant, proche du naufrage,
Disait : « Je ne suis plus en l'air;
Ne m'apprends donc plus à voler,
Montre-moi plutôt comme on nage. »

HOROSCOPE D'UN PENDU

Et Nostradamus et Rombure,
Et tous les devins plus vantés
Ont été par toi fréquentés
Pour savoir ta bonne aventure;
Ils ont prédit que tu serais
Un jour plus haut que tous les rois,
Et voici qu'on te mène pendre :
N'ont-ils pas dit la vérité ?
Car tu t'en vas si hautement,
Que nul ne peut si haut prétendre.

SUR LES GUERRES CIVILES

Quelle tempête hélas! quel orage assez fort
Pourrait bien égaler le furieux effort
Qui, tout au long d'un an, pour la française terre,
A fait courir l'effroi de cette horrible guerre ?
Qui traînait après soi mille et mille malheurs,
Pour faire à l'avenir couler cent mille pleurs ?
Si la postérité veut croire en notre histoire
Ce que ceux qui l'ont vue à peine peuvent croire;
Quant à moi, je ressemble à ceux qui en dormant
Songent un cas étrange, et pleins d'étonnement,
Ils débattent en eux, même durant leur songe;
S'il est vrai ce qui s'offre, ou bien si c'est mensonge,
Avoir vu les Français, jadis si bien unis,
Eux-mêmes désunis, d'eux-mêmes ennemis,
Forcenés, insensés et d'une rage extrême
Combattant leur prochain, se combattre soi-même;
Avoir vu les sujets dessous un même roi,
Ne sachant la plupart ni comment, ni pourquoi,
Se piller, se tuer, et pour s'entredéfaire,
Implorer le secours d'une gent étrangère.
Je ne me pouvais bien persuader en moi
Que je dusse à mes yeux ajouter tant de foi,
Et ne fût que du mal les trop vives atteintes
Ont trop bien fait sentir les choses n'être feintes,
J'aurais pensé rêver, et serais incertain
Que ce fût chose vraie, ou bien un songe vain.

JACQUES TAHUREAU

1527-1555

Jacques Tahureau naquit en 1527, au Mans. On dit qu'il descendait à quelque degré de Bertrand Du Guesclin. Il fit ses études à Angers, puis il embrassa le métier des armes et combattit dans les dernières guerres de François Ier. De faible constitution, il dut renoncer à la carrière militaire; il fit un voyage en Italie et ne s'occupa plus que de poésie. Il s'éprit d'une jeune fille de Tours, qui était, croit-on, la sœur de la *Francine* de Baïf; il la chanta dans ses vers sous le nom de l'*Admirée*. Il se maria en 1555 et il mourut la même année. Il avait vingt-huit ans. C'était un aimable poète, pétrarquisant, qui a écrit des vers légers et que Sainte-Beuve a appelé « le Parny du seizième siècle ». Il aimait les muses d'un amour dont témoignent ses strophes : *Contre quelques-uns qui le blâmaient de suivre la poésie*. S'il trouva rarement des accents vigoureux et de hautes inspirations, il a, du moins, écrit d'un ton assez ferme la pièce qu'on lira ci-après, sur la vanité des hommes.

CONTRE QUELQUES-UNS QUI LE BLAMAIENT DE SUIVRE LA POÉSIE

D'où vient cela que l'envieuse rage,
Qui les cœurs ronge, entreprend de blâmer
Mes ans oisifs, et les vers un ouvrage
D'un pauvre esprit et paresseux nommer,

En m'accusant que je ne suis la trace,
Étant dispos, de mes nobles aïeux,
Qui ont conquis par la poudreuse place
Et par le sang maint loyer vertueux ?

Ou bien pourquoi me reprend-elle d'être
Si peu soigneux d'étudier la loi,
Pour l'aller vendre au palais, qui fait naître
Un bruit confus et mercenaire aboi ?

Telle entreprise en vain tant estimée
Ne fuit de mort les accidents divers;
Mais j'aurai bien une autre renommée
Dont je vivrai sans fin en l'univers.

Pindare vit et du divin Horace
Encores n'est aboli le renom,
Et ne mourra jamais la haute grâce
Du Mantouan, célèbre par son nom.

Qui priserait d'Achille la vaillance,
Si le poëte aveugle n'eût tranché
L'aile envieuse à l'endormi silence,
Dessous laquelle il fût sans lui caché ?

Qui nous ferait admirer la sagesse,
Le tant divin et prévoyant esprit
Du caut [1] Ulysse, honoré par la Grèce,
S'il n'était vu dépeint au même écrit ?

Pendant qu'Amour d'une flèche dorée
De la jeunesse enflammera les cœurs,
Des amoureux la plume énamourée,
Vivra toujours entre cent mille honneurs.

Du vieil Ennie et de Vare sans cesse
Le grand renom immortel se dira,
Et les beaux vers de ce hautain Lucrèce
Lors périront quand ce tout périra.

Le style aussi du doux coulant Ovide,
Tout doucement par nombres mesuré,
Jamais de gloire et los ne sera vide,
Contre le heurt de tout temps assuré.

De quoi le Loir, de quoi s'enfle la Loire,
Sinon du bruit débordant en tous lieux
De son Ronsard et Du Bellay, sa gloire,
Pour les porter d'ici là-haut aux cieux ?

Doncques, pourquoi ne pourrai-je bien être
L'honneur du Maine et de Sarthe nommé,
Pour avoir un des premiers fait connaître
En ce lieu-là le luc [2] bien animé ?

1. Rusé.
2. Luth.

Que tous les rois et leur gloire étoffée
Cèdent adonc aux hommes bien disants,
Dont les écrits leur haussent un trophée
Pour se venger du long oubli des ans.

Que l'ignorant prise la chose basse;
Mais le mari des Muses bien appris,
Aura toujours cette hautaine grâce
Qu'il ne voudra que celle de grand prix.

Quant est de moi, rien plus je ne souhaite
Que d'Apollon me voir favoriser,
Et pour me voir son excellent poète,
Pouvoir de l'eau d'Hélicon épuiser;

A celle fin qu'une belle couronne
Ceigne mon front de laurier couronné,
Et que l'honneur qu'aux beaux écrits on donne
Soit quelquefois à mon livre donné.

Pendant qu'on vit, la pâlissante envie
Des bons esprits aboie le renom :
Mais tôt après, se finissant la vie,
On leur voit rendre un perdurable [1] nom.

J'espère bien, mêmes après l'audace
Et de la mort et du temps oublieux,
Que mes écrits gagneront quelque place,
Malgré l'aboi de ces chiens envieux.

DE RABELAIS

PRIS DU LATIN DE BÈZE

Puisqu'il surpasse en riant
Ceux qui à bon escient
Traitent choses d'importance;
Combien sera-t-il plus grand
(Je te pri', dis-moi) s'il prend
Une œuvre de conséquence ?

1. Impérissable.

DE LUI-MÊME TRÉPASSÉ

Ce docte nez, Rabelais, qui piquait
Les plus piquants, dort sous la lame ici,
Et de ceux même en mourant se moquait
Qui de sa mort prenaient quelque souci.

DE CL. DE BAUFFREMONT

NEVEU DE MONSEIGNEUR LE CARDINAL DE GIVRY

Je ne saurai te forger sur l'enclume
Un brave ouvrage en mille traits divers;
Mais seulement je te peux de ma plume
Pourtraire au vif et peindre de mes vers.

Si je pouvais t'offrir présent plus riche,
Très volontiers j'en serais le donneur,
Le consacrant de cœur et main non chiche
Pour en dorer ta divine grandeur.

Mais ce serait des plus sèches fontaines
Épuiser l'eau, pour en mer la porter,
Ou bien coupant du bois des basses plaines,
En la forêt des branches transporter.

Le style aussi de ma Muse petite
Trop mieux te plaît qu'un don ambitieux;
La Muse seule est celle qui invite
A bien tenter le haut chemin des cieux.

Je n'eus jamais, pour te louer, envie
De faire voir la grandeur de ton bien,
Ni les états plus braves de la vie,
Lesquels auprès ta vertu ne sont rien.

Ta vertu donc que Pallas accompagne,
La fortunant de son parfait savoir,
Est cela seul qui les accords m'enseigne,
Faisant mon pouce en ma lyre mouvoir.

A ESTIENNE JODELLE

SE JOUANT SUR SON NOM RETOURNÉ

Quand tu naquis en ces bas lieux
Tous les dieux et les demi-dieux
Et les déesses plus bénines
Gravèrent de lettres divines
Dans ton astre bien fortuné :
Io, le Délien [1] est né !

Tout le Parnassien troupeau
Chantant autour de ton berceau,
Te prévoyant son prêtre en France,
Disait en l'heur de ta naissance
Sur ton front déjà couronné :
Io, le Délien est né !

Les nymphes des bois et des eaux,
Faunes, chèvrepieds, satyreaux,
Les rocs, les antres, les montagnes,
Les prés, les bosquets, les campagnes,
Ont tous ensemble résonné :
Io, le Délien est né !

Dès la fleur de tes jeunes ans,
De nos poètes les mieux disants,
Ravis, comme d'un autre Ascrée,
De ta docte bouche sacrée,
Ont tous sur leur lyre entonné :
Io, le Délien est né !

Il me semble déjà que j'oi
Rire et chanter avecques moi
Toutes nos plus belles fillettes,
Ayant de gaies violettes
Leur chef épars environné :
Io, le Délien est né !

Ne craignez plus, divins esprits,
Que l'ignorant gagne le prix

1. Anagramme du nom d'Estienne Jodelle.

Dessus votre gloire immortelle :
Io, votre divin Jodelle
Qui vous était prédestiné,
Io, le Délien est né !

SONNETS

I

Ce n'est pas moi qui veux d'un feint ouvrage
Par mille vers farder sa passion,
Ou en flattant plaire à l'affection
De l'amoureux inconstant et volage :

Ce n'est pas moi, qui, surpris d'une rage,
Trouble, insensé, de sa conception
Le vif dessein, ni dont l'intention
Est de se prendre en un si doux naufrage.

Ce n'est pas moi qui tâche de complaire,
Ployant au vent du léger populaire,
Ni qui s'en veut de trop loin retirer.

Mais bien je veux, sans contraindre ma lyre,
Chantant l'honneur de celle que j'admire,
Qu'en l'admirant l'on me puisse admirer.

II

J'accompagnais au serein ma maîtresse,
Qui çà et là par les champs traversant
Et les haliers dispotement perçant,
Suivait des chiens la tôt courante presse.

Ne cherchez plus au ciel votre Déesse,
Vous qui à cri et cor allez chassant,
C'est cette-ci, qui va même effaçant
D'un teint plus clair la Vierge chasseresse.

Je le sais bien, car aux rais de sa vue
Je vis Diane à l'abri d'une nue
Honteusement tapir son front cornu ;

Et cependant mainte bête sauvage,
Plains [1], monts, forêts, rendre à ma Nymphe hommage,
Ayant son œil pour maître reconnu.

ODE

Si en un lieu solitaire
Les ennuis me font retraire
Pour me plaindre tout seulet,
Si je cherche les montagnes,
Ou des plus vertes campagnes
Le murmurant ruisselet;

Lors ces choses tant secrètes,
Bien qu'aux autres soient muettes,
Me voyant en tel émoi,
Toutes d'un chant pitoyable,
Mais, hélas! peu secourable,
Gémissent avecque moi.

En quelque part que je tourne,
Toujours le deuil y séjourne;
Le cours même du ruisseau
S'enfle aux pleurs de ma complainte;
Sa fleur tombante à ma plainte
Y pleure maint arbrisseau.

Les poissons viennent en tourbe;
Le plus fort chêne se courbe
Au son de mes piteux cris;
Et le Satyre folâtre
Tout coi délaisse à s'ébattre
Pour déplorer mes écrits.

Je vois l'oiseau qui se penche
Tout pensif dessus la branche,
Puis en douloureux accents
Dégoise en son doux ramage,
Qui au plus félon courage
Pourrait chatouiller les sens.

1. Plaines.

Je vois le troupeau champêtre,
Qui oublie à se repaître
Pour entendre ma chanson;
J'entr'ois [1] les cavernes basses,
Par leurs voix rauques et lasses,
Lamenter mon triste son.

Mais que me sert faire entendre
Mon chant pitoyable et tendre,
Si une, hélas! n'en croit rien,
Que sur toute autre j'admire,
Et que seule je désire
Se convertir à mon bien?

CHANSON

Quand ma nymphette jolie
Tourne devers moi ses yeux,
Hors de moi s'enfuit ma vie,
De moi navré furieux.

Si une fois ma cruelle
Détourne ses yeux de moi,
Blessé de rage nouvelle,
Je meurs en plus dur émoi.

Que ferais-je donc pour vivre?
Quel jus reboirai-je, hélas?
Faudrait-il point que délivre
Je me visse de ses lacs?

Ce serait le vrai breuvage,
Ce serait ma guérison;
Mais je me plais davantage
En cette douce prison.

DE LA VANITÉ DES HOMMES

Tout ce que l'homme fait, tout ce que l'homme pense
En ce bas monde ici,
N'est rien qu'un vent léger, qu'une vaine espérance
Pleine d'un vain souci.

1. J'entre-entends, j'entends doucement.

Que pourrait-il aussi sortir que vanité
      De notre race humaine,
Quand ce n'est autre chose, à dire vérité,
      Sinon une ombre vaine ?

L'homme mortel n'est rien qu'une simple fumée
      Qui passe tout soudain :
Ce n'est rien qu'une poudre à tous vents promenée
      Que de ce corps humain.

Où se prendra celui tant comblé de richesses
      Qui soit content du sien ?
Qui ne souffre en son cœur mille et mille détresses
      Pour augmenter son bien ?

Mais, pauvre homme aveuglé, ne vois-tu les malheurs
      Que ces grands biens te brassent ?
Ne vois-tu les dangers et les tristes douleurs
      Que tes palais embrassent ?

Le riche volontiers toujours du mal endure,
      Du soin et des travaux;
Et puis la pauvreté c'est une chose dure,
      Regorgeante de maux.

Tout n'est que vanité; car aussi bien la mort
      A tous, de sa main pâle,
De terre, après avoir fait sur nous son effort,
      Nous fera part égale.

Que sert donc au savant d'avoir la connaissance
      D'un savoir si très grand,
Et puisqu'il faut qu'il meure avec toute sa science
      Comme un autre ignorant ?

Son savoir ne lui sert que de cent mille ennuis
      Qui rongent sa cervelle,
Qui troublent son repos, et les jours et les nuits,
      D'une angoisse éternelle.

Qui plus a de savoir, plus dedans son courage
      Il nourrit de douleur :
Le savoir n'est sinon qu'une bourelle rage
      Qui tourmente le cœur.

Le savant pense bien vivre par ses écrits
          D'une belle mémoire,
Et, bien mille ans après sa mort, gagner le prix
          D'une immortelle gloire.

L'autre veut plus hautain éterniser sa vie
          Mourant d'un brave effort;
Mais, je vous pri', voyez! quelle étrange folie
          De vivre par la mort!

Des autres la plupart, qu'un si bouillant désir
          De la gloire ne presse,
Veulent en tout soulas, en jeux et en plaisir
          Se baigner en liesse...

L'homme ne saurait prendre en un jour tant d'ébats
          Que, devant la soirée,
Il ne dît en son cœur, plus de cent fois : Hélas!
          Maugréant la journée;

Et le fol au rebours, qui toujours se tourmente
          Pour peu d'occasion,
De lui-même bourreau vainement se lamente
          Comblé d'affliction.

Maint, piqué vainement d'un désir trop extrême,
          Veut tout voir ici-bas :
Il veut connaître tout; mais, le grand sot! lui-même
          Il ne se connaît pas;

Et maint autre ne veut en aucune saison
          Entreprendre voyage,
Il ne désire rien que, seul en sa maison,
          Penser à son ménage;

Et tous deux sont remplis d'une vaine folie;
          Car l'un incessamment
Doute de son salut, l'autre fenne [1] sa vie
          D'un avare tourment.

Mille de leur bon gré se mettent au collier
          Du trompeur mariage,
Et les autres jamais ne se veulent lier
          En ce trop long servage.

1. Fane.

Les uns pour leurs enfants ont en leur fantaisie
              Mille mordants soucis,
Ou, tourmentés en vain d'une âpre jalousie,
              Ils pâlissent transis;

Les autres, vainement adonnés aux amours,
              Y consomment leur vie,
Mais, vainement déçus, ils rentrent tous les jours
              En nouvelle folie.

Mille, voulant marcher les premiers ès provinces,
              Cherchent les vains honneurs;
Les autres à la cour tâchent d'avoir des princes
              Les premières faveurs;

Mais tout est vanité : car l'homme ambitieux
              N'a repos en sa vie,
Et celui-là qui veut être mignon des Dieux
              Est sujet à l'envie.

Tout ce que l'homme fait, tout ce que l'homme pense,
              En ce bas monde ici,
N'est rien qu'un vent léger, qu'une vaine espérance
              Pleine d'un vain souci.

Fuyons doncques, fuyons ces trop vaines erreurs,
              Dressons notre courage
Vers ce grand Dieu qui seul nous peut rendre vainqueurs
              De ce mondain orage;

Recherchons saintement sa parole fidèle,
              Invoquons sa bonté,
Car, certes, sans cela, notre race mortelle
              N'est rien que vanité.

Les mas pour leurs enfans ont eu leur fantasie
　　Mille mordans soucis
Qui tourmentés en vain d'une âpre jalousie
　　Ils pâlissent transis.

Les autres, vaincus leur adonnés aux amours,
　　S'y consumant leur vie,
Mais, vainement déçeus, ils rentrent tous les jours
　　En nouvelle furie.

Mille voulant flatter les premiers ès provinces,
　　Cherchent les vains honneurs,
Les autres à la cour tâchent d'avoir des princes
　　Les premières faveurs.

Mais tout est vanité, que l'homme ambitieux
　　N'a repos en sa vie,
Et celui-là qui veut être mignon des Dieux
　　Est sujet à l'envie.

Tout ce que l'homme fait, tout ce que l'homme pense,
　　Hors de ce monde ici,
N'est rien qu'un vrai léger, qu'une vaine espérance
　　Pleine d'un vain souci.

Fuyons donques, fuyons ces trop vaines erreurs,
　　Dressons notre courage
Vers ce grand Dieu qui seul nous peut rendre vainqueurs
　　De ce mondain orage.

Recherchons saintement sa parole fidèle,
　　Invoquons sa bonté,
C'est, certes, sans cela, nostre peine mortelle
　　N'est rien que vanité.

JEAN DOUBLET

1528 ?- ?

Jean Doublet naquit vers 1528, à Dieppe. On sait peu de chose de la vie de ce poète. Il était d'une famille de bonne bourgeoisie et son père occupait, dans sa ville, un rang fort honorable. Jean Doublet étudia sous la direction d'un savant maître, Jean Fourdin, qui donna à son élève la connaissance et le goût des belles-lettres. Jean Doublet composa des vers; ce sont quelques pièces satiriques et morales, et surtout des élégies, dans lesquelles on trouve quelques renseignements sur sa ville et sur sa personne. L'élégie XXIᵉ, par exemple, contient une intéressante description de Dieppe avant le bombardement de 1594; l'élégie XIIIᵉ (intitulée : *De Fontainebleau*, et que nous donnons ci-après) nous révèle que le poète fut député par ses concitoyens auprès du roi. D'où Prosper Blanchemain conclut, avec beaucoup de vraisemblance, que Doublet occupait probablement alors dans sa ville quelque office juridique. Il a écrit aussi, et surtout, des élégies amoureuses. Sa beauté s'appelait *Sibille*. Elle était mariée à un magistrat de Rouen, riche, mais vieux. Elle ne tarda pas à devenir veuve. Doublet renouvela ses aveux. On ne sait si la dame les accueillit. En tout cas, soit qu'il fût rebuté par elle, soit que, l'ayant épousée, il soit devenu veuf, il mourut cordelier. On ignore à quelle date.

ÉLÉGIES

A PIERRE DESRIMEURS, MÉDECIN

Le même Dieu, cette alme médecine,
Cher Desrimeurs, t'inspire largement,
     Qui pour tout partage m'assigne
     De ses lauriers le rongement.
Réduire au ton les musiques vitales,
Et nos accords justement égaler,
     Et outre les trames fatales,
     Du jour à nos âmes filer,

C'est Desrimeurs, la fin utile et belle,
C'est le cher but de ton art précieux
    Qui, hors de nos poudres, t'appelle,
    Après mille bienfaits, aux cieux.
Ainsi acquit ce serpent d'Épidaure
Avec son père au monde maint autel;
    Ainsi, dans le ciel, ce Centaure
    Luit encore, archer immortel.
Mais nous, chétifs, qu'au seul nom d'une Lyre
Tient amusés cet inique Apollon,
    Et qui de vaines chansons dire
    Éternellement raffolon :
O troupe simple, hélas, je nous égale,
Pardonnés-moi, je nous égale, hélas,
    A la chanteresse Cigale
    Qui l'hiver dur ne prévoit pas.
Sous le doux ciel qui rosoyant l'abrève [1],
Elle sans soin criquète jour et nuit,
    Tout autant que la saison brève
    D'un clair été sur elle luit.
Tandis nos jours le Scorpion retire
Au pair des nuits, et tôt l'archer des cieux
    Vents, neiges et glaces nous tire,
    Et l'hiver grisonne en tous lieux.
La mal provide [2] alors être abusée
Tard s'aperçoit, tard accuse ses chants
    Plus ne lui tombe la rosée,
Plus rien ne se recouvre aux champs;
De faim donc meurt et avec elle à l'heure
Mène mourant son importun cricri :
    Hélas! s'il faut qu'ainsi je meure,
    Au moins vive ce que j'écris!

II

DE FONTAINEBLEAU

Par les sablons, par les roches désertes,
Dont les os durs ces châteaux ont murés,
    Par les hautes étables vertes
    Des cerfs, du vilain assurés,
Maigre, ennuyé, lassé, me repromène,
Chargé du soin qu'à nos Dieppois je dois,

1. L'abreuve.
2. Mal provide : mal prévoyant, imprévoyant.

Mais, surtout, me poise [1] la peine
D'être, Sibille, loin de toi.
Ni les jardins, ni la fontaine vive,
Nommant ce lieu du nom de sa belle eau,
Ni l'étang, ni sa fraîche rive,
Ni des pavillons le plus beau,
Ni les couleurs des longues galeries,
Qui, la voix près, montrent un monde vif,
Ni les riches tapisseries,
Ni bronze, ni marbre naïf,
A eux mon œil tellement ne ravissent
Qu'à toi toujours ne soupire mon cœur :
Ains à chaque pas rafraîchissent
Les mémoires de ma langueur.
Soir et matin, que ces bois je trépasse,
O Nymphes, dis-je, et Satyres pelus [2]
Qui ci dans mainte fosse basse
Couplez vos amours dissolus,
Pussé-je au moins, main en main, sous cette ombre,
Quelques cent pas avec ma dame aller.
Pussions-nous bouche à bouche, un nombre,
D'honnêtes paroles mêler.
Voyant bondir ces sources éternelles
Du roc moussu, qui pas ne semble feint,
Ah! dis-je alors combien de telles
Ce mien feu n'auraient pas éteint!
Voyant partout la devise royale,
Cet' Salamandre au feu se nourrissant,
Je pense à la flamme loyale
Seule, ta merci me paissant.
En bronze ai vu l'Égyptienne dame
Antique pièce, et parlai en ce point :
Ce serpent, Reine, au bras t'entame,
Et Cupidon au cœur me point;
Bref, visitant tailles, bosses, peintures,
Quelconque point m'en aille regardant,
Amour vient en mille figures
Nouvelles flèches me dardant.
Mais plus que tout, ces Sibilles m'affollent,
Peintes partout pour leur divin renom
Désirant que mes vers t'enrôlent
L'onzième de ce sacré nom.

1. Pèse.
2. Velus.

TABLE DES MATIÈRES

GF — TEXTE INTÉGRAL — GF

2293 - 1967. — IMPRIMERIE-RELIURE MAME
N° d'édition 5954. — 1ᵉʳ trimestre 1965. — PRINTED IN FRANCE